EL COMENTARIO DE TEXTOS, 2

De Galdós a García Márquez

LITERATURA Y SOCIEDAD

DIRECTOR
ANDRÉS AMORÓS

Colaboradores de los primeros volúmenes

Emilio Alarcos. Jaime Alazraki. Earl Aldrich. Manuel Alvar. Andrés Amorós. Enrique Anderson-Imbert. René Andioc. José J. Arrom. Francisco Ayala. Max Aub. Mariano Baquero Goyanes. Giuseppe Bellini. Rubén Benítez. Alberto Blecua. Jean-François Botrel. Carlos Bousoño. Antonio Buero Vallejo. Eugenio de Bustos. Richard J. Callan. Jorge Campos. José Luis Cano. Alfredo Carballo. Helio Carpintero. José Caso. Elena Catena. Gabriel Celaya. Víctor de la Concha. Maxime Chevalier. John Deredita. Mario Di Pinto. Manuel Durán. Julio Durán-Cerda. Eduardo G. González. Alfonso Grosso. Miguel Herrero. Pedro Laín. Rafael Lapesa. Fernando Lázaro. Luis Leal. C. S. Lewis. Francisco López Estrada. Vicente Lloréns. José Carlos Mainer. Eduardo Martínez de Pisón. José María Martínez Cachero. Marina Mayoral. G. McMurray. Seymour Menton. Franco Meregalli. Martha Morello-Frosch. Antonio Muñoz. Julio Ortega. Roger M. Peel. Rafael Pérez de la Dehesa. Enrique Pupo-Walker. Richard M. Reeve. Hugo Rodríguez-Alcalá. Emir Rodríguez Monegal. Antonio Rodríguez-Moñino. Serge Salaün. Noël Salomon. Gregorio Salvador. Alberto Sánchez. Manuel Seco. Jean Sentaurens. Alexander Severino. Gonzalo Sobejano. Francisco Ynduráin. Alonso Zamora Vicente.

El comentario de textos, 2

De Galdós a García Márquez

AURORA DE ALBORNOZ, MANUEL CRIADO DE VAL, JOSÉ MARÍA JOVER, EMILIO LORENZO, JULIÁN MARÍAS, JOSÉ MARÍA MARTÍNEZ CACHERO, ENRIQUE MORENO BÁEZ, MARÍA DEL PILAR PALOMO, RICARDO SENABRE Y JOSÉ LUIS VARELA

Prólogo de

ANDRÉS AMORÓS

Zurbano, 39 - Madrid (10) - Tel. 4195857

—

Impreso en España - Printed in Spain
por Unigraf, S. A. Fuenlabrada (Madrid)

Cubierta de Víctor Sanz

I.S.B.N.: 84-7039-176-3
Depósito Legal: M-34992-1979

SUMARIO

Prólogo

El éxito poco común (tres ediciones en menos de medio año) alcanzado por nuestro volumen colectivo *El comentario de textos,*[1] con que inauguramos la colección "Literatura y Sociedad", habla bien claramente no sólo de la categoría y el acierto de los colaboradores sino también de la oportunidad de su publicación. Numerosos testimonios nos han confirmado que este libro ha venido a cubrir, hasta cierto punto, un hueco real que existía en la bibliografía española.

En efecto, el método del comentario de textos carece en nuestro país de la larga y depurada tradición que posee en Francia. Mayor mérito tienen, por eso mismo, el manual clásico de Lázaro y Correa[2] y aportaciones recientes como las de Sánchez Barbudo[3] y Marina Mayoral.[4]

Sin embargo, todo esto resultaba, sin duda, insuficiente. Y un problema pedagógico de tanta envergadura no se resuelve con un solo libro por muy brillante que éste sea. En alguna Facultad española de Filosofía y Letras se han creado cursos de Comentario de textos, paralelos y complementarios a los correspondientes de Historia de la Literatura. La iniciativa me parece de gran interés pero no cabe ocultar las dificultades con que han tropezado algunas veces los profesores de estos cursos. Del mismo modo, en el reciente plan del Bachillerato Elemental (ya a punto de concluirse, apenas iniciado, tal como suele suceder hoy en el panorama educativo español) se establecía tajantemente el comentario de textos como método básico para la enseñanza de la literatura, desterrando la tradición del memorismo. El comentario de textos ha sido consagrado también como instrumento para el aprendizaje tanto de la lengua como de la literatura en la importante experiencia del Curso de Orientación Universitaria, y no es aventurado suponer que está llamado a desempeñar un gran papel en la Educación General Básica y en el futuro Bachillerato Unificado Polivalente.

Todo esto constituye, por supuesto, una gran revolución pedagógica. Para realizarla, no son suficientes las declaraciones rotundas de los textos legales. Es indispensable realizar una labor científica previa, romper rutinas tradicionales, tomar conciencia de los nuevos métodos, formar a los profesores y facilitarles los instrumentos de trabajo adecuados.

Ante esta perspectiva, Editorial Castalia ha decidido preparar un nuevo volumen —que espera tener continuación en el futuro— de comentarios de texto dentro de la colección "Literatura y Sociedad". Unas cortas observaciones servirán para aclarar nuestro propósito.

En esta ocasión, todos los textos comentados son textos en prosa. Lo hemos hecho así porque —creo— lo más frecuente en nuestra patria es el comentario de poesía. Ante todo, esto se debe al magisterio indudable de Dámaso Alonso. Además, por la dificultad —con la que se han tenido que enfrentar los colaboradores de este volumen— de seleccionar un fragmento en prosa no muy extenso que posea suficiente unidad y significación.

Hemos querido centrarnos en este volumen en el relato contemporáneo en lengua española. (Un texto de Ortega da muestra también de la importancia del ensayo.) Todos los textos elegidos pertenecen al siglo XX y han sido dispuestos en el volumen por orden aproximadamente cronológico. De esta manera, el lector podrá adquirir también una visión panorámica de la evolución de nuestra prosa "de Galdós a García Márquez".

Este subtítulo marca, en efecto, los límites del libro. El texto de Galdós que aparece aquí comentado es ya del siglo XX. Por otra parte, Galdós es, según la certera expresión de Ricardo Gullón, un "novelista moderno". [5] La crítica reciente y el Congreso Galdosiano celebrado hace poco en Canarias han mostrado de sobra que Galdós ocupa una posición privilegiada, de quicio que resume las características más valiosas del relato decimonónico y se abre al típicamente contemporáneo.

Están presentes en el libro, como no podía por menos de suceder, la generación del noventayocho (Baroja, Valle-Inclán) y el grupo inmediatamente posterior, llámese novecentismo o generación de 1914 (Ortega y Miró). Recuérdese que en el volumen anterior se comentaban ya textos en prosa de Azorín, Unamuno y Carmen Martín Gaite.

Me satisface comprobar que la mitad de los textos comentados en este volumen pertenecen a narradores rigurosamente actuales: Aldecoa, Cunqueiro, Zamora Vicente, Pedro A. Urbina y García Márquez. La crítica universitaria española, por tanto, no cierra sus ojos a la actualidad viva. Este estudio de la literatura actual, exactamente con el mismo rigor que si se tratase de la clásica, me parece un desafío en el que todos los críticos españoles debemos sentirnos comprometidos.

Teniendo en cuenta lo que antes decía —el relativamente escaso desarrollo de este método en nuestro país— parece lógico que hubiéramos recurrido a críticos extranjeros. Más fácil —y más comercial, quizás— hubiera sido traducir comentarios de algún formalista ruso, un "nuevo crítico" francés o un estructuralista checo. No lo hemos querido así. Todos los críticos que colaboran en este volumen son profesores españoles que viven en España. Quizás sirva esto como síntoma de que, a pesar de tanta confusión y tanto desorden, es indudable la categoría científica de nuestra crítica universitaria y también su capacidad para adaptarse a nuevos métodos de trabajo.

No hemos seguido tampoco el fácil y frecuente recurso de recopilar textos ya publicados en revistas o libros. Todos los comentarios incluidos en este volumen son inéditos. Para Editorial Castalia y para mí es una satisfacción haber incitado a una serie de ilustres críticos españoles a realizar nuevos trabajos en que muestren su modo habitual de enfrentarse con las obras literarias.

De diez textos comentados, solamente uno es hispanoamericano: el de Gabriel García Márquez. Una serie de circunstancias ajenas a nuestra voluntad han determinado esta desproporción, en la que nadie debe ver falta de aprecio. Quiero recordar que uno de los tres primeros volúmenes con que se inauguró esta colección está dedicado al cuento hispanoamericano,[6] género muy poco conocido en España, y que pensamos publicar próximamente varios volúmenes dedicados íntegramente a esta riquísima literatura. Mi propia trayectoria como crítico es suficiente —creo— para mostrar que no puede haber en esta colección ninguna desconsideración de la literatura hispanoamericana. Por el contrario, la presencia de un texto no español es muestra —insuficiente pero indudable— de nuestro decidido empeño de que lo hispanoamericano no quede nunca al margen de cualquier visión de conjunto de la literatura en lengua castellana. Por otra parte, no deja de tener sentido que el volumen, iniciado con Benito Pérez Galdós, se cierre con Gabriel García Márquez. Entre esos dos nombres está lo mejor de nuestra prosa contemporánea. Si Galdós representa el comienzo de la "modernidad", García Márquez significa, indudablemente, una de las más altas cotas a que ha llegado hoy el relato en español.

Igual que en el caso del primer volumen, se observará en éste una notable disparidad de criterios. Ante todo, es para mí motivo de satisfacción haber incorporado a este volumen a un ilustre filósofo que también es excelente crítico literario, Julián Marías, y a un historiador, José María Jover, cuyo tratamiento de un texto galdosiano es tan brillante que me hace desear se dedique más frecuentemente a la crítica literaria, en la que tanto tiene que enseñarnos.

Limitándonos ya al campo de los que enseñan habitualmente lengua o literatura, he de insistir en la pluralidad de perspectivas adoptadas. Cada crítico es totalmente responsable de la elección del autor y el texto comentado, así como del método seguido para el comentario. Las profundas diferencias entre unos métodos y otros no me parece que fragmenten la unidad del volumen; por el contrario, creo firmemente que multiplican su interés y su utilidad. En crítica literaria no existe ninguna regla de oro que nos permita acertar con toda seguridad. Ninguna lectura, me parece, puede agotar un texto en cuanto posea una mínima categoría artística. La obra literaria posee una multiplicidad de niveles; de ahí su riqueza inagotable. El crítico literario, en fin, también es un hombre, y su comentario de un texto reflejará necesariamente no sólo sus conocimientos sino también su formación, su sensibilidad, su individualísima actitud ante la vida y la literatura. Y el lector del libro, en definitiva, juzgará cada uno de estos comentarios desde su personal perspectiva. En resumen, pues, a lo castizo, que cada palo aguante su vela.

Decía Eugenio d'Ors, con su ironía habitual, que la obra de arte es como una escupidera: todos escupen alrededor; nadie, dentro. Quizás sea un poco inevitable. Pero —sigamos la broma— algunos apuntan mejor que otros. Tratemos de que no nos suceda lo que caracteriza brillantemente Péguy:

Avons-nous à etudier, nous proposons nous de étudier La Fontaine; au lieu de commencer par la première fable venue, nous commençons par l'esprit gaulois; le ciel; le sol; le climat; les aliments; la race; la littérature primitive; puis l'homme; ses mœurs; ses goûts... puis l'écrivain; ses tâtonnements classiques; ses escapades gauloises; puis l'écrivain, suite; opposition en France de la culture et de la nature... tout cela pour faire la deuxième partie... la société française au XVIIe siècle et dans La Fontaine; le roi; la cour; la noblesse... enfin troisième partie... comparaison de La Fontaine et de ses originaux, Esopo, Rabelais, Pilpay, Cassandre; l'expression; du style pittoresque; les mots propres; les mots familiers... enfin théorie de la fable poétique; nature de la poésie... c'est tout; je me demande avec effroi où résidera, dans tout cela, la fable elle-même...

Un crítico español, Andrenio, hizo una de las afirmaciones mas sensatas que conozco: "enseñar literatura es leer literatura". En efecto, sólo se aprende literatura leyendo y releyendo con atención los textos, tratando de que nos entreguen todos sus secretos. (Y viviendo, claro, para que no se separen la vida y la literatura, la literatura y la sociedad). Tratemos todos —profesores, críticos, simples lectores— de entender lo más completamente posible los textos, con su múltiple riqueza de significados. Desde esa perspectiva, estoy seguro de que este volumen va a ser realmente útil.

ANDRÉS AMORÓS

NOTAS

[1] Emilio Alarcos, Manuel Alvar, Andrés Amorós, Francisco Ayala, Mariano Baquero Goyanes, José Manuel Blecua, Carlos Bousoño, Eugenio Bustos, Alfredo Carballo, Helio Carpintero, Elena Catena, Pedro Laín, Rafael Lapesa, Fernando Lázaro Carreter, Francisco López Estrada, Eduardo Martínez de Pisón, Marina Mayoral, Gregorio Salvador, Manuel Seco, Gonzalo Sobejano y Alonso Zamora Vicente: *El comentario de textos,* Madrid, ed. Castalia, 1973.

[2] F. Lázaro Carreter y E. Correa Calderón: *Cómo se comenta un texto en el Bachillerato,* Salamanca, eds. Anaya, 2.ª edic., 1960.

[3] Antonio Sánchez Barbudo: *La segunda época de Juan Ramón Jiménez (Cincuenta poemas comentados),* Madrid, ed. Gredos, col. Campo Abierto, 1963.

[4] Marina Mayoral: *Poesía española contemporánea (Análisis de textos),* Madrid, ed. Gredos, col. Biblioteca Universitaria, 1973.

[5] Ricardo Gullón: *Galdós, novelista moderno,* nueva edición, Madrid, ed. Gredos, Biblioteca Románica Hispánica, 1966.

[6] J. Alazraki, E. M. Aldrich, E. Anderson Imbert, J. Arrom, J. J. Callan, J. Campos, J. Deredita, M. Durán, J. Durán-Cerda, E. G. González, L. Leal, G. R. McMurray, S. Menton, M. Morello-Frosch, A. Muñoz, J. Ortega, R. Peel, E. Pupo-Walker, R. Reeve, H. Rodríguez-Alcalá, E. Rodríguez Monegal, A. E. Severino y D. Yates: *El cuento hispanoamericano ante la crítica,* Madrid, ed. Castalia, 1973.

Benito Pérez Galdós: "La de los tristes destinos" (caps. I y II)

José M.ª Jover Zamora

I

5 *Madrid, 1866.*—Mañana de Julio seca y
luminosa. Amanecer displicente, malhumorado, como el de los que madrugan sin haber
dormido...

Entonces, como ahora, el sol hacía su pre-
10 sentación por el campo desolado de Abroñi-
gal, y sus primeros rayos pasaban con movimiento de guadaña, rapando los árboles del
Retiro, después los tejados de la Villa Coronada... de abrojos. Cinco de aquellos rayos
15 primeros, enfilando oblicuamente los cinco
huecos de la Puerta de Alcalá como espadas
llameantes, iluminaron a trechos la vulgar
fachada del cuartel de Ingenieros y las cabezas de un pelotón desgarrado de plebe que se
20 movía en la calle alta de Alcalá, llamada también del Pósito. Tan pronto el vago gentío se
abalanzaba con impulso de curiosidad hacia
el cuartel; tan pronto reculaba hasta dar con
la verja del Retiro, empujado por la policía y
25 algunos civiles de a caballo... El buen pueblo

de Madrid quería ver, poniendo en ello todo
su gusto y su compasión, a los sargentos de
San Gil (22 de Junio) sentenciados a muerte
por el Consejo de Guerra. La primera tanda
30 de aquellos tristes mártires sin gloria, se componía de diez y seis nombres, que fueron brevemente despachados de Consejo, Sentencia y
Capilla en el cuartel de Ingenieros, y en la
mañana de referencia salían ya para el lugar
35 donde habían de morir a tiros; heroica medicina contra las enfermedades del Principio
de Autoridad, que por aquellos días y en otros
muchos días de la historia patria padecía cró-
nicos achaques y terribles accesos agudos...
40 Pues los pobres salieron de dos en dos, y conforme traspasaban la puerta eran metidos en
simones. Tranquilamente desfilaban éstos uno
tras otro, como si llevaran convidados a una
fiesta. Y verdaderamente convidados eran a
45 morir... y en lugar próximo a la Plaza de Toros, centro de todo bullicio y alegría.

Que en aquella plebe descollaban por el número y el vocerío las hembras, no hay para
qué decirlo. Compasión y curiosidad son sen-
50 timientos femeninos, y por esto en los actos
patibularios le cuadra tan bien a la Tragedia
el nombre de mujer. Las más visibles en el
coro de señoras eran dos bellezas públicas y
repasadas, Rafaela y Generosa Hermosilla,
55 más conocidas por el mote de *las Zorreras*,
del oficio y granjería de su padre, que figuró
en la Revolución del 54, después de haber
dado notable impulso a la industria de zorros.
Las dos hermanas, llorosas y sobrecogidas, se
60 abrían paso a fuerza de codos para llegar a

las filas delanteras, de donde pudieran ver de cerca los fúnebres simones, cada uno con su pareja de víctimas. Pasaron los primeros... Casi todos los reos iban serenos y resigna-
65 dos; algunos esquivando las miradas de la multitud, otros requiriéndola con melancólica expresión de un adiós postrero a Madrid y a la existencia. Era en verdad un espectáculo de los más lúgubres y congojosos que se po-
70 drían imaginar... Al paso del quinto coche, una de *las Zorreras,* la mayor y menos lozana de las dos, aunque en rigor la más bella, echó de su boca un ¡ay! terrorífico seguido de estas cortadas voces: "Simón, Simón mío...
75 adiós... Allá me esperes..."

Al decirlo se desplomó, y habría caído al suelo si no la sostuvieran, más que los brazos de su hermana, los cuerpos del apretado gentío. Éste se arremolinó y abrió un hueco para
80 que la desvanecida hembra pudiera ser sacada a sitio más claro, y pudieran darle aire y algún consuelo de palabras, que también en tales casos son aire que dan las lenguas haciendo de abanicos. En su retirada fue a parar
85 la *Zorrera* a la verja del Retiro bajo, y en el retallo curvo del zócalo de piedra quedó medio sentada, asistida de su hermana y amigos. Dábale aire Generosa con un pañuelo, y una matrona lacia y descaradota, reliquia de una
90 belleza popular a quien allá por el 50 dieron el mote de *Pepa Jumos,* la consolaba con estas graves razones, de un sentido esencialmente hispánico: "No te desmayes, mujer; ten corazón fuerte, corazón de 2 de Mayo, como
95 quien dice. ¡Bien por Simón Paternina! Bien

por los hombres valientes, que van al matadero con semblante *dizno,* como diciendo: 'para lo que me han de dar en este mundo perro, mejor estoy en el otro'. Bien le hemos
100 visto... cara de color de cera, guapísima... como el San Juanito de la Pasión... Iba fumándose un puro, echando el humo fuera del coche, y con el humo las miradas de compasión... para los que nos quedamos en este pas-
105 telero valle de lágrimas..."

Apoyó estas manifestaciones Erasmo Gamoneda, también revolucionario y barricadista del 54. Arrimóse a la *Zorrera,* y echándole los brazos con fraternal gesto de amparo, dijo,
110 entre otras cosas muy consoladoras, que el cigarro que fumaba el sargento, camino del patíbulo, no era de estanco, sino de los que llaman *brevas de Cabañas*; que de este rico tabaco proveyeron generosamente a los reos
115 los señores de la Paz y Caridad... Él estaba en la puerta del cuartel cuando entraron los ordenanzas con la cena para los sargentos, que fue suculenta: *bisteques* con unas patatas *sopladas* muy ricas, pescado frito con cachitos
120 de limón, y postre de flanes y de bizcochos borrachos, a escoger... Luego café a pasto, hasta que no quisieron más, y puros en cajas, que iban cogiendo y fumaban encendiendo uno en otro y *viceversa,* quiere decirse, suce-
125 sivamente...

Tomó de nuevo la palabra Pepa *Jumos* elevando sus consuelos al orden espiritual, lo que no era para ella difícil, pues tenía sus puntadas de mística y sus hilvanes de filósofa. Ved
130 lo que dijo: "Yo sé por Ibraim, el curángano

de tropa, que todos los reos han estado en la capilla muy enteros, y como ninguno Simón Paternina, que no perdió en toda la noche el despejo, ni aquel ángel con que sabe hablar a
135 todo el mundo. Se confesó como un borrego de Dios y encomendóse a la Virgen, para morir como caballero cristiano... Su cara bonita y pálida, y aquella caída de ojos, tan triste, y el humo del cigarro subiendo al cielo, nos han
140 dicho que en el morir no ve ya más que un cerrar y abrir de ojos... Va bien confesado; va con el alma tan limpia como los tuétanos del oro, y Dios le dirá: 'Ven a mi lado, hijo mío; siéntate...' Por eso, Rafaela, yo que tú,
145 no me afligiría tanto... lloraría, sí, porque natural es que una se descomponga cuando le quitan el hombre que quiere; pero diría para entre mí: 'Adiós, Simón Paternina; Dios es bueno y me llevará contigo a la Gloria...' "

150 No quedó la maja satisfecha de esta exhortación a la dulce conformidad religiosa, ni el alma de la *Zorrera* se contentaba con tan lejanos alivios de su dolor. Suspiraban las amigas con el escepticismo de plañideras circuns-
155 tanciales, mientras la Hermosilla, apretando contra sus ojos el pañuelo hecho ya pelota humedecida por las lágrimas, sostenía con el silencio el decoro de su dolor... Seguían pasando coches... pasó el último. La multitud
160 no pudo escoltar la fúnebre procesión, porque los civiles impidieron el paso por la Puerta de Alcalá... El rechazo de la curiosidad compasiva llenó la calle de protestas bulliciosas, de imprecaciones, en variedad de estilos calleje-
165 ros... En este punto rompió su torvo silencio

Rafaela, diciendo: "Ya sé, ya sé que el pobrecito Simón se irá derecho al Cielo... Yo le conozco: no era de éstos que reniegan de Dios y de la Virgen... Sus padres, que fueron
170 carlistas, le habían enseñado muy bien todo lo de la religión... ¿Pero a mí, que soy tan pecadora, me querrá Dios llevar a donde él está?... Lo digo, porque cuando una se hace cuenta de no pecar, viene el demonio y lo
175 enreda..."

A estos escrúpulos opuso la *Jumos* con profunda sabiduría la idea de que si queremos ser buenos, bien sea en la hora de la muerte, bien en otra hora cualquiera, la fe nos da oca-
180 sión de mandar a paseo al Demonio y a toda su casta. Muy confortada la *Zorrera* con tal idea, siguió diciendo: "Lloro a Simón y le lloraré toda mi vida, porque era muy bueno... Un año hace que le conocí en la plazuela de
185 Santa Cruz... De allí nos fuimos al baile del Elíseo... fue el día de San Pedro... bien me acuerdo... y a los tres de hablar con él ya le quería. Aunque me esté mal el decirlo, muchos hombres he conocido, muchos... ningu-
190 no como Simón Paternina. ¡Qué decencia la suya!... Caballeros he tratado: a todos daba quince y raya mi Simón. Por eso me decía *Don Frenético*... ya sabéis, don Federico Nieto, aquel señor tan bien hablado... Pues un
195 día, en casa... no sé cómo salió la conversación... Dijo, dice: 'Parece mentira que un *mero* sargento sea tan fino...' Y si era el primero en la finura y en el garbo del uniforme, a valiente ¿quién le ganaba? Si mandan-
200 do tropas metía miedo por su bravura, con-

migo era un borrego... ¡Ay, Simón mío, yo
que pensé verte un día de general, y ahora...!
Bien te dije: 'Simón, no te tires'. Pero él...
perdía el tino en cuanto le hablaban de Prim,
205 que era como decirle Libertad... Pues ahora,
toma Libertad, toma Prim... ¡Ay, Dios mío
de mi alma, qué pena tan grande!... Yo confiaba...
¿verdad, Generosa? confiábamos en
que *la Isabel* perdonaría... Para perdonar la
210 tenemos... ¡Bien la perdonamos a ella, Cristo!
¡Y ahora nos sale con ésta!... Pues ésta
no te la pasa Dios, ¡mal rayo!... A un general
sublevado le das cruces, y a un pobre sargento,
pum... Tu justicia me da asco.

215 —No hables mal de ella —dijo la Pepa con
alarde de sensatez—, que si no perdona, es
porque no la deja el zancarrón de O'Donnell,
o porque la Patrocinio, que es como culebra,
se le enrosca en el corazón..."

220 En este punto rasgó el aire un formidable
estruendo, un tronicio graneado de tiros sin
concierto. Con estremecimiento y congoja, con
ayes y greguería, respondió toda la plebe a la
descarga, y la *Zorrera* lanzó un grito desgarrador.
225 La *Jumos* exclamó con cierta unción:
consumatomés; algunos del grupo se persignaron,
y otros formularon airadas protestas. El
ruido desgranado de la descarga daba la visión
del temblor de manos de los pobres soldados
230 en el acto terrible de matar a sus compañeros...
Aunque la *Zorrera* pareció acometida
de un violento patatús, resbalándose del inclinado
asiento en que apoyaba sus nalgas, pronto
se rehizo, estirando el cuerpo, irguiéndose,
235 trocándose repentinamente de afligida en

iracunda y de callada en vocinglera. Las maldiciones que echó por aquella boca no pueden ser reproducidas por el punzón de esta Clío familiar, que escribe en la calle, sentada
240 en un banco, o donde se tercia, apoyando sus tabletas en la rodilla...

II

"A casa, a casa —dijo la Generosa cogiendo del brazo a su hermana y llevándosela calle
245 abajo, rodeada de los amigos—. Yo no quería venir, bien lo sabes... Nos habríamos ahorrado esta sofoquina". Y la *Jumos,* con austera suficiencia, soltó la opinión contraria. "Debemos verlo todo, digo yo. Así se templa una
250 y se carga de coraje". Después proclamó resueltamente la doctrina de Zenón el Estoico, asegurando que el dolor no es cosa mala. Volvióse Rafaela de súbito hacia los que la seguían, que era considerable grupo, y alzan-
255 do las manos convulsas sobre las cabezas circunstantes, gritó: "¡Viva Prim!... ¡Muera la...!" Su hermana y Gamoneda acudieron a taparle la boca, cortando en flor la exclamación irreverente. Ambas *Zorreras* y su séquito
260 continuaron rezongando, y al pasar frente a la Cibeles, se les unió un sujeto que por su facha y modos se revelaba como del honorable cuerpo de la policía secreta. Valentín Malrecado no gastaba uniforme; pero mejor que
265 éste declaraban su oficio la raída levita del Rastro, el pantalón número único, el abollado sombrero, la cara famélica no afeitada en seis

días, y el aire mixto de autoridad y miseria, propio de tales tipos en España y en aquellos
270 tiempos. Agregado a la compañía, habló con sosegadas amistosas razones, pues a las *Zorreras* trataba con ancha confianza, y de Gamoneda había sido socio en la magna explotación de *Obleas, lacre y fósforos,* instalada en
275 Cuchilleros.

"Ya te ví arrimadita a la verja —dijo a la dolorida mujer—; pero no quise acercarme a tí porque estabas furiosa y algo subversiva. Es natural... te compadezco... Te doy el pé-
280 same... Cosas de la vida son éstas... Hoy les toca morir a éstos, mañana a los otros. Es la Historia de España que va corriendo, corriendo... Es un río de sangre, como dice *don Toro Godo*... Sangre por el Orden, sangre por la
285 Libertad. Las venas de nuestra Nación se están vaciando siempre; pero pronto vuelven a llenarse... Este pueblo heroico y mal comido saca su sangre de sus desgracias, del amor, del odio... y de las sopas de ajo. No lo digo yo;
290 lo dice el primer sabio de España, *Juanito Confusio*".

Iban las dos hermanas despeinadas, ojerosas, como quien no ha probado desayuno después de una noche de angustioso desvelo.
295 Llevólas Malrecado a una taberna de la calle del Turco, de la cual era parroquiano constante. Allí la partida se componía de las Hermosillas, la *Jumos,* Erasmo Gamoneda y una joven costurera llamada Torcuata, que lleva-
300 ba en brazos a un niño, a quien había dado la teta viendo pasar los coches con los desgraciados sargentos... Sentáronse las señoras

en negros banquillos, y se les sirvió vino blanco, que según el policía era bálsamo para las
305 congojas y el mejor alivio de pesadumbres. Rafaela, que estaba desfallecida, dio tregua a la emisión de suspiros para beberse el primer vaso, apurándolo de un trago. Ella y su hermana repitieron hasta tres veces; Torcuata
310 prefirió el Cariñena, y se atizó varias copas *por estar criando*; el chiquillo se le había dormido. Requirieron la *Jumos* y Gamoneda el aguardiente blanco, que por añeja costumbre era la reparación más eficaz y consoladora en
315 sus maduros años. A una pregunta de Rafaela, contestó Malrecado: "La segunda ristra de sargentos saldrá pasado mañana. Diez y ocho individuos van en ella. La verdad, esto pone los pelos de punta... Pero lo que digo: es la
320 Historia de España que sale de paseo... Debemos suspirar y quitarnos el sombrero cuando la veamos pasar... Luego vendrán otros días... Y si quiere venir la Revolución, mejor... Don Manuel Becerra, que es amigo, se ha de acor-
325 dar de mí... Pues como iba diciendo, quedará la tercera cuerda de sargentos para la semana que entra, si el Consejo de Guerra los despacha... Son muchas muertes... Don Leopoldo hace bueno a Narváez... y no digo más, que
330 soy o debo ser ministerial... un ministerial de cinco mil reales... ¡Cinco mil reales! que venga Dios y diga si hay país en el mundo donde sea más barato el Orden...

—Para lo que hacéis —dijo la Rafaela, re-
335 animada ya con la bebida—, bien pagados estais... Anda, que algo comeis también de la Libertad... Buenos napoleones te ha dado don

Ricardo Muñiz. Y ese pantalón, ¿no es el que se quitó Lagunero cuando tuvo que escapar
340 disfrazado?

—No negará —dijo la Torcuata zumbona—, que Chaves le dio tres vestidos de niño... yo lo vi; yo trabajaba en su casa... Tus sobrinos, los hijos de Pilar Angosto, los lucen los
345 días de fiesta...

—Confiesa que comes con todos, Malrecado, y no te abochornes —observó la *Jumos* poniéndose en la realidad—. Vele ahí la Historia de España *por la otra punta.* En comer
350 de esta olla y de la otra no hay ningún desmerecimiento. Cuando vamos para viejos, traemos a casa todos los rábanos que pasan.

—Malrecadillo, esa levita que llevas, ¿de qué difunto era? ¿No te la dio la Villaescusa,
355 cuando ibas todos los días a limpiarle las botas a Leal?

—Te mandaban vigilar a los progresistas, y tú comías en la cocina de don Pascual Madoz.

—Cobrabas del Gobierno por seguir los pa-
360 sos a Moriones, y le contabas a Sagasta los pasos del Gobernador".

Así le toreaban, así le escarnecían aquellas malas pécoras, sin ningún respeto de su autoridad y sin pizca de agradecimiento por el es-
365 pléndido convite de vino con que el policía las obsequiaba. Pero Malrecado se sacudía las pulgas con flemático cinismo, y al contestarles no perdía su benevolencia. "Callad, pobres mujeres, más deslenguadas que desorejadas
370 —les decía—. Sois lo que llamamos el *bello sexo,* y un hombre decente no debe insultar a

las señoras, aunque sean tan perdidas como vosotras. Callad; idos a vuestra casa, y no os metais en la cosa pública, de la que en-
375 tendeis tanto como yo de castrar mosquitos. Y tú, Rafaela, dime: ¿te parece bien que estando, como estás, de duelo y luto riguroso, te pongas a despotricar contra este buen amigo, que te ha favorecido en lo que pudo y te avisó
380 con tiempo del mal que a Simón le vendría por meterse en aquellos dibujos? Vete a tu casa y recógete por unos días, y antes, ahora mismo, vete a oir una misa en San Sebastián, o en otra iglesia que cojas al paso...

385 —De todo me enseñarás, Malrecado —replicó la *Zorrera* con grave continente y estilo, levantándose para salir—; pero no de lo que tengo que hacer tocante a religión, que aquí donde me ves, conciencia no me falta, aunque
390 me falten otras cosas... la vergüenza, pongo por caso. Pero a tí, que eres un hereje, te digo que sin vergüenza se puede vivir, pero sin conciencia no, ya lo sabes. No iré hoy a oír la misa, sino a encargarla, para que me la digan
395 mañana, y a este respetive llevo aquí medio duro. ¿Lo ves? *(Sacándolo de su faltriquera y mostrándolo a todos)* Y no es este medio duro del dinero que yo suelo ganar con el aquél de mi mala vida, sino que lo he ganado
400 honradamente en un trabajo que me encargó la sastra de curas, Andrea Samaniego, y fue el planchado, plegado y rizado del roquete de un señor capellán de Palacio... labor fina para la que tengo buenas manos, porque des-
405 de chiquita lo aprendí de mi madre, que me enseñó el rizado fino con plancha, palillos y

la uña. ¿Te enteras? Pues con mi medio duro bien ganado iré, no a San Sebastián, sino a Santa Cruz, porque en aquella plazuela fue
410 donde conocí a Simón, que allí me salió una tarde, viniendo yo de la verbena de San Pedro... Con que la misa se dirá en Santa Cruz... Ya lo sabes, por si quieres oírla. Iré yo con mi mantón negro, y mi hermana y
415 todas las amigas que pueda recoger... Ya lo sabes, Pepona, y tú, Norberta... No me faltareis... Que no se diga que solamente las almas de los ricos tienen naufragios, sufragios, o como eso se llame, para salir pronto del
420 Purgatorio. Yo le pago una misa a mi Simón, y él, que era bueno y no tuvo parte en la matanza de los oficiales, irá pronto a la presencia de Dios, y le dirá: 'Señor Santísimo, mire cómo me han puesto, cómo me han acribilla-
425 do. En la mano traigo mis sesos. Esta es la Historia de España que están haciendo allá la Isabel y el Diablo, la Patrocinio y O'Donnell, y los malditos moderados... que no parece sino que Vuestra Divina Majestad ha
430 echado mil maldiciones sobre aquella tierra...' Esto dirá Simón, y yo en la misa de mañana diré lo mismo a Dios y a la Virgen para que se enteren de lo que aquí está pasando... Isabel, ponte en guardia, que si tus *amenes* llegan
435 al Cielo, los míos también... Con que vámonos, que es tarde". A instancias de Malrecado dieron todos otro tiento al peleón por despedida, y salieron a medios pelos. [1]

1. COORDENADAS Y CLAVES DEL TEXTO

1.1. IDENTIFICACIÓN Y CONTEXTO DE LOS DOS CAPÍTULOS.

LAS páginas que anteceden corresponden al comienzo de uno de los Episodios Nacionales de Pérez Galdós: *La de los tristes destinos* (1907). Este episodio es el último de los diez que integran la "cuarta serie" de los mismos; cuarta serie que hace referencia a los veinte años de historia española comprendidos entre 1848 y 1868, y que fue redactada por Galdós entre marzo de 1902 y mayo de 1907. La serie mencionada recoge, pues, la mayor parte del reinado de Isabel II, y aparece bastante polarizada en torno a las tres grandes conmociones populares y revolucionarias de aquél: 1848, 1854, 1868. Se inicia, en efecto, con *Las tormentas del 48*; se cierra —en el episodio a que pertenece el texto transcrito— con la referencia a la Revolución de Septiembre y al destronamiento de la reina. Y en una posición casi central de la serie —en cuarto lugar— encontramos un episodio muy significativo del conjunto de la misma y bastante relacionado, como se indicará en su momento, con el que ahora nos ocupa. Me refiero a *La Revolución de Julio* (de 1854) cuya misma rúbrica parece inspirada, a través de una elemental transposición, por el gran evento histórico en torno al que gira *La de los tristes destinos* y que tan decisiva importancia tendrá en la configuración de la personalidad intelectual de Galdós: la Revolución de Septiembre. En suma: si la "tercera serie" refleja esencialmente la España de la guerra civil, del enfrentamiento entre liberalismo y absolutismo; si la "serie final" presenta el drama del Sexenio democrático —desde *España sin rey* hasta su frustración final: Sagunto, Cánovas—, ésta es predominantemente la serie en que asistimos a la lucha de las clases populares urbanas, movilizadas ideológicamente por el progresismo y la democracia, frente al gobierno oligárquico de la España isabelina.

Por los demás, es sabido que ni cada serie ni —menos aún— cada episodio galdosiano constituye una unidad cerrada en sí misma. En efecto, a lo largo de las distintas series fluye una continuidad basada tanto en la coherencia del proyecto historiográfico de Galdós como en la presencia de una amplísima gama de personajes no históricos que tejen la compleja y plural trama novelesca desarrollada a lo largo de los episodios. Interesa aquí muy especialmente subrayar la continuidad que existe entre dos de estos episodios: *Prim* y *La de los tristes destinos*. Interesa, de manera inmediata, porque las páginas que nos disponemos a analizar hacen función de bisagra entre uno y otro; en cierto sentido, pertenecen a ambos. Pero es que, en el fondo, una profunda unidad interna liga entre sí ambos episodios. Unidad conferida por la coherencia histórica del período que conjuntamente nos presentan: entre *Prim* y *La de los tristes destinos* quedan cubiertos los años que median entre la expedición a México (1861) y la Revolución de Septiembre (1868); años de gestación de esta última que, a los ojos del historiador, se presentan, hoy más que nunca, como un todo unitario. Pero aún es más notable la continuidad argumental, de corte dramático, que discurre a lo largo de ambos episodios, y que se manifiesta en diversos planos, a alguno de los cuales habré de aludir después. En fin, esta continuidad salta por encima del suceso que marca la divisoria entre uno y otro episodio: la sublevación, derrota y fusilamiento de los sargentos del Cuartel de San Gil. En los capítulos finales de *Prim* presenciamos la conspiración, el levantamiento y su fracaso; en los capítulos iniciales de *La de los tristes destinos* encontramos el reflejo de la dura represión en un medio popular, y la trascendencia de aquélla al plano de la política.

Cada uno de ambos episodios tiene, sin embargo, su *pathos* específico, su gran personaje referencial. No hay que decir quién es el héroe del episodio dedicado a *Prim*: allí se glosa la serie de intentos destinados a acabar con un régimen política y socialmente corrompido; presidiendo estos intentos —tenaces, continuos, pacienzudos, nimbados de un aura de gran historia y de emoción popular—, la persona y el mito de un hombre cuyo nombre es símbolo de libertad. *La de los tristes destinos* —título de sabor shakespeariano [2]— es Isabel II, y el episodio refleja el ocaso del mito que fuera antaño el nombre de la "reina de los liberales": desde la imputación popular a esta última de la matanza de los sargentos, hasta el destronamiento y exilio de la soberana. La función de bisagra entre ambos episodios que corresponde, según se ha indicado, a las páginas que se transcriben queda bien simbolizada en el contraste entre aquella gran esperanza de enero, cuando "en las cabezas grandes y chicas ardían hogueras" cuyas "llamaradas capitales, *Prim, Libertad,* se subdividían en ilusiones y esperanzas de variados matices", [3] y las amargas palabras que intercala Rafaela la Zorrera en su elegía por uno de los sargentos fusilados: "...perdía el tino en cuanto le hablaban de Prim, que era como decirle Libertad... Pues ahora, toma Libertad, toma Prim...".

Las páginas objeto de este comentario corresponden al texto íntegro de los capítulos I y II de *La de los tristes destinos*. Queda esbozada someramente su colocación en el contexto de los Episodios Nacionales, y en particular en el contexto, más inmediato y próximo, de los dos episodios que viene a soldar el trozo transcrito. Acerquémonos ahora al hecho histórico real a que este último hace referencia.

1.2. El tema del fusilamiento de los sargentos de San Gil (1866).

1.2.1. *Un hecho de "historia externa"*.

El hecho histórico que centra los dos primeros capítulos de *La de los tristes destinos* es sobradamente conocido y ha sido recogido, de manera más o menos explícita y extensa, por la historiografía relativa al período.[4] En la cadena de conspiraciones, levantamientos y correrías militares, animados por Prim, que preludian de cerca la Revolución de Septiembre y que inquietan los años finales del reinado de Isabel II, se inscribe la intentona de finales de junio de 1866.

> Seguro el General [Prim] de la adhesión de las fuerzas que guarnecían a Valladolid, de buena parte de las situadas en Burgos, Vitoria, Bilbao y San Sebastián, así como de los regimientos de artillería del cuartel de San Gil y de los del Príncipe de Asturias que ocupaban el cuartel de la Montaña, se dispuso una vez más a hallar en la revuelta el medio de satisfacer sus ambiciones. Como elementos encargados del mando de las fuerzas marciales que habían de sublevarse en la Corte, figuraban los generales Pierrad y Contreras y el capitán de artillería

don Baltasar Hidalgo, recién destinado a uno de los cuerpos acuartelados en San Gil. [5]

El 22 de junio se inicia la revuelta; "bajaron al toque de diana los sargentos de San Gil al cuarto de banderas —prosigue Zabala— creyendo encontrar dormidos a sus oficiales; pero jugaban tranquilamente al tresillo, y como los sublevados intentaron prenderlos, los oficiales hicieron fuego sobre ellos con sus revolvers, y los sargentos respondieron con sus fusiles, resultando mortalmente herido el capitán don Eugenio Torreblanca y muerto el oficial de guardia don Juan Martorell. El comandante don Joaquín Valcárcel sucumbió también a los pocos instantes en el patio del cuartel, y el de igual clase don José Cadaval cayó bajo el fuego de una descarga en el del regimiento a caballo, al procurar hacer entrar en orden a las tropas"; también el coronel don Federico Puig encuentra la muerte en la refriega. Los sublevados salen del cuartel —mil hombres, treinta piezas de artillería—; grupos de paisanos les secundan, pero pronto se encuentran faltos de jefes y de dirección, en una confusión inmensa. El general O'Donnell, apoyado por Narváez —a pesar de la diferente significación política de uno y otro—, bate a los sublevados y restablece la situación. Y dejamos a Zabala establecer el balance de la intentona:

Conseguido tal resultado, setenta y seis [sic] individuos entre sargentos, cabos y soldados, un antiguo coronel carlista y un paisano, fueron pasados por las armas. El general Pierrad, refugiado primeramente en la Legación de los Estados Unidos, pudo huir a Bayona; el capitán Hidalgo también logró escapar de la muerte refugiándose en Francia, y el general Prim, principal responsable de los sucesos que acabamos de reseñar, tras de haberse acercado a Hendaya al iniciarse el pronunciamiento, regresó a París [...]

La represión fue dura y, según se deja ver, jerárquicamente discriminada; la puesta a salvo estuvo en razón directa con la jerarquía de los comprometidos. Interesa destacar algunas de las motivaciones que influyeron tal dureza. Motivos políticos: el Gobierno desea demostrar energía de cara a los conservadores y a las fuerzas que tiene a su derecha (moderados); desea dar satisfacción a los compañeros de armas de los jefes y oficiales muertos en la desgraciada jornada; desea escarmentar a los militares afectos al progresismo y a la democracia, o proclives a la conspiración y al pronunciamiento. Motivos psicológicos: el temible pánico del que se siente inseguro y, al mismo tiempo, señor de la venganza; el pánico de la misma reina, al que determinadas fuentes contemporáneas atribuyen un papel importante en la magnitud de la hecatombe.[6] En fin, hubo de jugar en esta última una no deleznable motivación social, tan difícil de precisar como evidente. Generales, jefes y oficiales, a más de la relativa homogeneidad de sus connotaciones políticas (moderados o unionistas por lo general), están ligados entre sí por la pertenencia a un estrato social que es, también, relativamente homogéneo; era difícil que una represión que alcanzara a los mismos dejara sin lastimar muchas fibras sensibles de una de las más caracterizadas *élites* de la España isabelina.[7] Los sargentos representan, empero, otro estrato social bien definido, más estrechamente relacionado con las clases populares y artesanas; más distante de la mentalidad aristocrática (o mesocrática en cierto sentido afín a la antigua hidalguía) que impregna los cuadros del ejército, desde cadete hacia arriba. Si mientras no se demostrase lo contrario había motivos para esperar de un oficial o de un jefe cualquiera que fuese afecto al moderantismo o al unionismo, era propia de la "honrada clase de sargentos" la afección al progresismo, a la democracia, al mito encarnado en Prim. Sobre esta simplificación —sin duda excesiva—, cuantas excepciones se quieran; entre otras, las de Hidalgo, Pierrad, Contreras y el mismo Prim. Ahora bien, sin olvidar, en ningún caso, que los contrastes políticos no siempre bastan a neutralizar, ni mucho menos, la subyacente homogeneidad social. El escarmiento se hacía, pues, a costa, no sólo de un adversario político e ideológico que había osado recurrir a las armas, sino también de un estrato social jerárquicamente inferior y moralmente ajeno. [8]

La represión del levantamiento tomó forma legal en una serie de consejos de guerra que, según testimonian las fuentes, no se caracterizaron por su esfuerzo en precisar responsabilidades individuales, ni por la preocupación jurídica de que el castigo fuera, en cada caso, proporcionado al delito. [9] Que hubo de prevalecer sobre todo el miedo, el deseo de hacer un escarmiento y la falta de generosidad, es algo que evidencia, sencillamente, la cifra de las ejecuciones capitales.

En Madrid empezaron en seguida los fusilamientos —escribe Pirala—, siéndolo el 25 veintiún sargentos, y aun hubo el descabellado proyecto de promover un tumulto para impedir la ejecución [...] A éstos siguieron otros y otros, llevándose fusilados hasta el 7 de julio sesenta y seis individuos [...]. [10]

El historiador de nuestros días ha de preguntarse cuál fue la resonancia emocional de tal masacre sobre el pueblo de Madrid. No es que el fusilamiento fuera, por desgracia, una práctica insólita en la España del siglo XIX; pero en Madrid, con carácter semipúblico y con tal número de víctimas constituía un hecho lo suficientemente inaudito y no visto como para inducir a más de uno —por lo pronto, y según veremos, al mismo Galdós— a movilizar, en el archivo de los recuerdos históricos, la imagen de la gran matanza vivida por los madrileños del comienzo del siglo: los fusilamientos del 3 de mayo de 1808. Algunas pinceladas anecdóticas vinieron, en todo caso, a componer la imagen de esta otra matanza —la de los sargentos— vivida contemporáneamente: por ejemplo, el traslado de los reos en simones, cruzando entre la gente, al lugar de la ejecución; o la patética intervención de uno de los sacerdotes encargados de auxiliar a los reos en la primera de las ejecuciones, en favor de algunos de los fusilados que quedaron con vida tras las primeras descargas. [11]

Notas anecdóticas refugiadas en la conciencia popular y repetidas, tal vez, oralmente; pero de difícil acceso a la historia política de corte académico, que ha preferido contemplar el evento a la luz de la alta política; a la luz del error o del acierto político de O'Donnell más bien que a la luz de una ética social o de unas manifestaciones de sensibilidad colectiva. Actualmente, saltando por encima de lo pintoresco pero sin despreciar lo significativo, tiende a contemplarse historiográficamente la tragedia de los sargentos del cuartel de San Gil en función de los dos puntos de vista últimamente señalados. Es decir: por una parte, en cuanto dato indicativo de la ética sociopolítica, del comportamiento social —cosa distinta y complementaria de las ideologías— de la oligarquía isabelina; por otra, en cuanto factor coadyuvante del clima psicológico-popular en que hubo de gestarse la Revolución de Septiembre. Es obvio que el historiador interesado en esta última dimensión del episodio del levantamiento y represión de San Gil ha de encontrar en las páginas de Galdós que acaban de ser transcritas, tema para una sugestiva reflexión.

1.2.2. *El tema en la biografía y en la obra de Pérez Galdós.*

Entre los madrileños que presenciaron "con curiosidad y compasión" el paso de los fatídicos simones camino del suplicio, se encontraba Benito Pérez Galdós, llegado a Madrid tres años antes y estudiante, a la sazón, de la Facultad de Derecho. Como es sabido, estamos ante uno de los hechos históricos, de entre los vividos por él, que más profunda huella dejaron en su ánimo. La importancia biográfica de este recuerdo de juventud ha sido recogida por todos sus biógrafos; por lo demás, la experiencia vital consta, narrada bien explícitamente, en sus *Memorias*:

> Como espectáculo tristísimo, el más trágico y siniestro que he visto en mi vida, mencionaré el paso de los sargentos de artillería llevados al patíbulo en coche, de dos en dos, por la calle de Alcalá arriba, para fusilarlos en las tapias de la antigua plaza de toros.
> Transido de dolor, los vi pasar en compañía de otros amigos. No tuve valor para seguir la fúnebre traílla hasta el lugar del suplicio, y corrí a mi casa, tratando de buscar alivio a mi pena en mis amados libros y en los dramas imaginarios, que nos embelesan más que los reales. [12]

Esta impresión se expresa y manifiesta, con una fuerza extraordinaria, en *Ángel Guerra,* novela redactada un cuarto de siglo después de vivido el trágico episodio (1890-1891). Sáinz de Robles se ha referido a la esencial identidad de Galdós con Ángel Guerra, del autor con este su personaje; [13] tal identidad aparece reforzada en la novela con la trasposición al mismo Guerra de aquella vivencia decisiva en la forja de la personalidad del autor. En la novela mencionada, es un Ángel Guerra apenas adolescente —doce o trece años— el que vive la siniestra jornada: ve pasar los simones con los reos, les ve bajar de los coches en el lugar del fusilamiento y presencia, encaramado en un seco arbolillo, la ejecución. También la presencia, próximo a él, aparecido de entre un montón de escombros "como si de entre las piedras y el cascote saliera", un hombre que parecía loco: "los ojos desencajados, los cabellos literalmente derechos sobre el cráneo [...] La cabeza de aquel hombre era como un escobillón; su rostro, una máscara griega contraída por la mueca del espanto... De su cuadrada boca salió, más que humana voz, un fiero rugido que decía: '¡Esto es una infamia, esto es una infamia...!' ". Y ya, para siempre, como en el caso de Galdós, el imborrable trauma:

> Como subsiste indeleble hasta la vejez la señal de la viruela en los que han padecido esta cruel enfermedad, así subsistió en la complexión psicológica de Angel Guerra la huella de aquel inmenso trastorno. Siempre que se destemplaba moralmente, confundiéndose en su naturaleza el acíbar de una pesadumbre con el amargor de la bilis, y se acostaba caviloso y algo febril, despuntaba en su cerebro la terrible página histórica, alterada quizá conforme a la ley del tiempo, pero sin que faltaran en ella ni el hombre del cabello erizado, ni los infelices sargentos pataleando entre charcos de sangre. [14]

"Como esas cicatrices que por toda la vida conservan en la piel la desgarradura del tejido" había sido la huella dejada en la mente de Ángel Guerra por aquella impresión de su niñez. [15] Cada uno se libera de un trauma semejante, consciente o inconscientemente, como puede, Ángel Guerra se libera a través del sueño, a través de la pesadilla espantosa que le acomete en momentos de crisis. Benito Pérez Galdós se libera de su propia pesadilla manifestándola: transfiriendo al sueño de su hijo predilecto, Ángel Guerra, la escena tantas veces imaginada, en sueño o en vigilia, de la matanza que hubo de seguir, junto a las tapias de la plaza de toros, al desfile de los simones que él viera con sus propios ojos.

Vale la pena detenerse unos momentos en esta pesadilla de Ángel Guerra [16] porque constituye el tremendo envés —lo no visto, pero imaginado—, la tácita y tremenda continuación, presente apenas en el tronido de la descarga, de lo narrado expresamente por Galdós en este primer capítulo de *La de los tristes destinos*. Aquí, en el episodio nacional, Galdós toma por base de su relato lo que él mismo presenciara muchos años atrás: el paso de los condenados camino del suplicio. En *Ángel Guerra* podemos ahondar en el mundo mental de Galdós, contemplando las imágenes oníricas ligadas al recuerdo de una de las experiencias reales que más profunda huella dejaron en su ánimo; es decir, el poso emocional que Galdós no explicita aquí, pero que motiva la tensión afectiva, la impregnación subjetiva de las páginas que acabamos de leer.

En *Ángel Guerra,* el protagonista —trasunto inmediato, en este punto, de Galdós, aunque rejuvenecido en unos diez años— presencia lo que este último no llegó a ver: la ejecución de los sargentos. Se trata, ya quedó dicho, de un Ángel Guerra entre niño y adolescente; como si Galdós, en su recuerdo, hubiera querido evocar con especial énfasis la sensibilidad virgen, presta al más hondo e irreversible trauma, del joven —él mismo— de 1866. Pero el sueño de Ángel Guerra tiene un símbolo, una concreción plástica que resume en unos rasgos fisonómicos el espanto, la sorpresa, la indignación, la angustia del que muere o ve matar violentamente: es la cabeza de escobillón, la "máscara griega", el rostro del hombre que parecía loco y que emerge de los escombros en el momento del fusilamiento. Si se repasa la descripción que de aquel rostro da Galdós y que quedó apuntada líneas arriba —ojos desencajados, cabellos erizados, boca de la que sale un fiero rugido de indignación—, es inevitable la sugerencia de que nos encontramos ante un trasunto literario del monigote central del famoso lienzo de Goya *Los fusilamientos del 3 de Mayo,* y que aquí, como en otras ocasiones, Galdós ha dado cabida en su relato a una inspiración plástica motivada simultáneamente por un estado de ánimo y por su memoria visual.[17] Cuando entremos en el análisis del texto a que hacen referencia estas páginas, tendremos ocasión de referirnos a otro posible caso de inspiración plástica, también vinculada al recuerdo de 1808, correspondiente éste al capítulo I de *La de los tristes destinos.*

En fin, todavía en las primeras semanas de 1912 —veinte largos años después de forjar su *Ángel Guerra*—, cuando Antón del Olmet y García Carraffa conversan con Galdós con miras a la preparación de su conocida biografía de este último, Don Benito dará un nuevo testimonio de este ya añejo y profundo recuerdo de juventud. Si el fallido intento del general republicano Villacampa (19 septiembre 1886) —con la muerte violenta de los gubernamentales brigadier Velarde y coronel conde de Mirasol— fue el evento que movilizó, en el mundo onírico de Ángel Guerra y en el novelístico de su creador, la aparición del recuerdo del 66 y de su símbolo, la máscara griega; si el episodio de *La de los tristes destinos* a que aquí hemos de referirnos hubo de gestarse en medio de las tensiones ideológicas, sociales y religiosas llamadas a desembocar en los acontecimientos de la "Semana trágica" de Barcelona y de su represión, [18] Olmet y Carraffa hablan con un Galdós ya viejo, ciego, casi acabado, que cierra con la sombría y pesimista estampa de su *Cánovas,* definitivamente, la epopeya de sus Episodios Nacionales. [19] Y es entonces cuando don Benito, recordando una vez más, al hilo de un escueto relato de su juventud, los acontecimientos del 65 y el 66, confiesa a sus biógrafos que la represión de la noche de San Daniel y "el paso de los coches simones que conducían a los sargentos del cuartel de San Gil al sitio donde fueron fusilados" dejaron en su ánimo —son palabras suyas— "vivísimo recuerdo, y han influido considerablemente en mi temperamento literario". [20] Lo del vivísimo recuerdo, ya lo sabíamos; lo del considerable influjo sobre su temperamento literario nos induce a pensar en algo más esencial y continuado que la insistente recaída en un tema. ¿Aludiría Pérez Galdós con estas palabras —que es de esperar transcribieran exactamente sus biógrafos— a esa característica esencial en su talante de escritor que fue la piedad entrañable hacia el vencido; hacia el que, maniatado, va a ser entregado a la venganza o a la soberbia de la victoria? También sobre este aspecto del humanismo galdosiano habremos de volver más adelante.

1.2.3. *Presencia y significación del tema en "La de los tristes destinos".*

Creo que, con las indicaciones que anteceden, queda clara la importancia del tema mencionado en la obra galdosiana; sobre ella han insistido, por otra parte, todos sus biógrafos.[21] Buscando un contexto más próximo e inmediato para las páginas que hemos de analizar, hemos de plantearnos el problema de la significación precisamente aquí, en las páginas iniciales de *La de los tristes destinos,* de una tan reiterada evocación. Constatemos, ante todo, que la presencia o al menos la alusión a este evento —sublevación del cuartel de San Gil y represión subsiguiente— era obligada en un relato histórico-novelesco que va siguiendo, paso a paso, el final del reinado de Isabel II y el advenimiento de la Revolución del 68. Ahora bien, si su presencia era obligada, no deja de ser interesante el cómo de la misma; la forma en que Pérez Galdós integra en un relato predominantemente histórico —no novelesco, como en el caso de *Ángel Guerra,* ni autobiográfico como en el caso de sus *Memorias de un desmemoriado*— el recuerdo que tan profundamente le impresionó.[22]

En primer lugar, es preciso repetir aquí la observación que se apuntó más arriba: la aparente unidad temática integrada por la conspiración, sublevación, derrota y castigo de los sargentos de San Gil aparece, en los Episodios Nacionales, cortada y repartida entre dos de ellos. Es lógico que la preparación del levantamiento y su fracaso se inscriban en el proceso narrativo del episodio dedicado a *Prim,* epopeya de la persistente acción subversiva, militar y popular, que tiene por héroe al conde de Reus. Ahora bien, la represión y el sacrificio quedan segregados de su natural contexto inmediato en un orden factual, y colocados, como pórtico, en los comienzos del episodio subsiguiente, que ya no tiene como figura central y referencial a Prim, sino a Isabel II.

A mi juicio, la razón de ser de esta dicotomía se encuentra en la estructura misma de *La de los tristes destinos,* perfectamente significada ya desde su rúbrica: es el drama de la reina, el trágico *fatum* de la mujer Isabel de Borbón, lo que confiere unidad dramática al episodio; y esta unidad dramática ha atraído a sí, como inicial elemento de contraste, el triste destino de la reina castiza, de la reina de los liberales, de la reina del pueblo divorciada del pueblo, manejada por hábitos y espadones, convertida en instrumento y símbolo de represión y de muerte para el mismo pueblo que viera en ella "su" reina. [23] La imputación de la matanza, no a ministros ni a consejeros, sino a la misma reina —"tu justicia me da asco"—, imputación que veremos explicitarse en el patético apóstrofe de Rafaela la Zorrera ya en el primer capítulo del episodio, viene a desempeñar una función de simetría, de contraposición anticipada con respecto al desenlace final: el destronamiento y el destierro de la reina de los tristes destinos. En cuanto a la profunda razón de ser de la contraposición indicada, en cuanto a la relación dialéctica que viene a ligar entre sí represión y destronamiento, no sería difícil encontrarla en ese providencialismo —versión popular de una visión cristiana de la vida y de la historia— a cuya presencia en los Episodios Nacionales se ha referido justamente Hinterhäuser. [24] Que el castigo de la maldad, la correlación entre crimen y castigo como inmediata manifestación terrena de la justicia divina forma parte de la mentalidad popular contemporánea de Galdós, es algo suficientemente obvio para todo aquel que esté familiarizado con la novela por entregas, con la novela popular o folletín, de que en tan amplia medida hubo de depender, por otra parte, la inspiración y el modo de novelar de

Galdós. Pero no estamos obligados, en este caso, a remontarnos a un planteamiento general de la cuestión; en el contexto mismo de este episodio encontramos un testimonio explícito, puesto en boca del pueblo, de la providencial relación existente entre el destino de los sargentos que cruzan, camino del patíbulo, en los simones, y el peor castigo imaginable para la reina castiza: la pérdida, en un solo envite, del trono y de la patria. Me refiero al parlamento final de Rafaela la Zorrera que cierra el capítulo segundo, y sobre el que tendremos ocasión de volver más adelante.

La motivación inmediata de la presencia aquí, precisamente en el umbral de este episodio, de la referencia a la ejecución de los sargentos, se encuentra, pues, a nuestro juicio, en esta utilización como elemento de contraposición dramática global. Un repaso a algunas de las páginas finales de este mismo episodio [25] nos ayudará, tal vez, a entenderlo así, si logramos aislar del conjunto la contraposición específica de determinados símbolos e imágenes. Comencemos por observar ese otro amanecer —septiembre del 68— dos años posterior al que inicia el capítulo primero: si el ambiente de la mañana de julio del 66 empujaba a la desolación (véase más adelante, 2.1.1.), el de esta mañana de destierro —y de alumbramiento de una revolución generosa y frustrada— invita a una suave melancolía; las "bandas de curiosos" de ahora trasuntan el "pelotón desgarrado de plebe", el "vago gentío" de entonces:

El día 30 amaneció envuelto en la dulce humedad de las mañanas cantábricas. El toldo de plata, sin lluvia, velando los ardores del sol, era propicio a la vagancia callejera y al abandono de los negocios. Desde muy temprano acudieron las bandas de curiosos a situarse frente al Hotel, a la entrada de la *Concha* (pág. 364);

más adelante (pág. 368) aludirá Galdós a "la multitud que ante el Hotel-palacio aguardaba la interesante función de la salida" con análoga mezcla de compasión e ironía a la que apreciamos en las páginas iniciales del episodio. Compasión aquí personalizada en los sentimientos atribuidos al marqués de Beramendi: "lástima hondísima" hacia la reina que se esfuerza en mantener su entereza y su decoro. Los signos de evocación con respecto al drama expuesto en el capítulo primero seguirán, por lo demás, una gradación ascendente; en efecto, Galdós no tardará en observar (pág. 367) que la dramática escena de la partida para el destierro

alguna vaga semejanza tenía con las salidas para el patíbulo. En muchos casos no vale una corona menos que una vida.

Las imágenes cargadas de una reiterada fuerza sugestiva se van sucediendo: hay unas mujeres que atajan, agolpadas en los peldaños, sollozando, el paso de la reina; hay un pañuelo que la reina se lleva a los ojos, y que nos recuerda "el pañuelo hecho ya pelota humedecida por las lágrimas" (líneas 156-157) de Rafaela la Zorrera —la una, pugnando por "conservar su entereza"; la otra sosteniendo "con el silencio el decoro de su dolor"—. Pero la reminiscencia se hace más intensa cuando ruedan los coches, como antaño rodaron los simones:

Partieron uno tras otro los blasonados coches, desfilando con la prisa que fatalmente se impone a las salidas no triunfales (págs. 368-369).

En fin, si el capítulo segundo, y en especial la escena de la taberna de la calle del Turco que cubre la mayor parte del mismo, contiene incisivas alusiones a lo que en ella había de duelo, de velatorio, por debajo de la animación y el nervio de parlamentos y discusiones ("Te doy el pésame... Cosas de la vida son éstas..."; "estando, como estás, de duelo y luto riguroso": vid. infra, 2.3.2), es preciso observar que Galdós introduce imágenes análogas, harto más innecesariamente, en este capítulo XXXVI dedicado a la despedida de Isabel II:

> *El duelo se despedía en la frontera.* Pero los acompañantes de la difunta Monarquía no guardaban silencio en aquel viaje; que en los entierros, comúnmente, los que van de reata combaten el tedio con expansivas conversaciones (pág. 369. El subrayado, de Galdós).

Y es entonces, entre San Sebastián y el Bidasoa, cuando el taciturno Beramendi vuelve su recuerdo hacia las víctimas del reinado de Isabel.

Ahora bien, una vez puesta de relieve esta unidad dramática de *La de los tristes destinos,* todavía cabe preguntarse por la motivación profunda que llevara a Galdós a concebir, como una de las piezas de su retablo histórico-novelesco, como elemento capaz de dotar de unidad a un episodio, este "triste destino" personal, insertando incluso en la expresión de su dramática trayectoria algo tan entrañablemente "suyo" como la inolvidable experiencia juvenil de aquella triste mañana de julio. En este punto, tal vez no fuera arriesgado sugerir la hipótesis de que Galdós no hizo sino manifestar en este episodio un complejo emocional en que se traban, relacionan e interfieren impresiones subjetivas de muy distintas procedencias: el recuerdo tantas veces mentado de los siniestros simones; la participación en la mentalidad septembrista que levantó el alza de los disparos de progresistas y demócratas contra la corrupción del régimen, haciéndolos caer sobre la misma persona de la reina... Y la humana comprensión, no exenta de simpatía, hacia la mujer manipulada, equivocada, desvirtuada, castigada por propios y ajenos pecados, que latía bajo la corona y la púrpura de la que fue Isabel II. "De los ingratos y de los que no lo eran, de la ambición de los revoltosos y del padecer de los pacíficos, del resentimiento de muchos y del derecho de todos, se formó la gran justicia del 68, ardua, inevitable sentencia que nadie puede condenar analizando sus orígenes oscuros, sus medios desusados, porque los pueblos, cuando se juegan la vida por la vida, ponen en el lance todo lo que poseen": esta lapidaria justificación de la Revolución de Septiembre tiene por contexto unas páginas que rebosan humana comprensión, elemental simpatía hacia la persona de Isabel II; páginas redactadas precisamente en ocasión de la muerte de esta última, en abril de 1904.[26] Y es que no era Galdós hombre propicio a la satanización sin un intento de entendimiento, como no lo era tampoco —tendremos ocasión de verlo— a la magnificación moral sin una chispa de humor o de ironía; y esto es lo que diferencia su utilización del esquema dramático crimen-castigo, del patrón popular que inspira las novelas por entregas. En Galdós no hay "buenos" ni "malos" que lo sean de una pieza, enteramente;[27] y basta observar el tono del recuerdo que dedica, tres años antes de redactarse el episodio aquí referido, a la reina destronada, para advertir hasta qué punto el simplista clisé septembrino de la "reina pérfida" estaba superado en la mente de D. Benito, dejando paso libre a la comprensión de lo que, por debajo de gravísimas equivocaciones políticas y de las otras, fuera un desgarrado drama personal: la de los tristes destinos. Engarzar este drama con el otro drama colectivo que tan profunda huella dejara en su ánimo —el de las víctimas de San Gil— no debió de ser cosa difícil para el viejo Galdós que vive, en plena Restauración, la nostalgia y la decepción de "la Gloriosa": ambos dramas estaban profundamente arraigados, nos consta, en su mundo afectivo.

1.2.4. *Los elementos del relato.*

Dejemos ahora de lado el problema de su significación en el marco de *La de los tristes destinos,* y centrémonos en la referencia que en estos dos primeros capítulos se hace al hecho histórico de la represión del levantamiento del cuartel de San Gil. La primera observación que nos sale al paso es la de que Galdós, puesto a integrar el hecho mencionado en su narración, más o menos novelada, del proceso de gestación de la Revolución de Septiembre, pudo seguir muy distintos caminos; pudo, por ejemplo, basarse en los relatos historiográficos existentes e incluso en testimonios recogidos oralmente para dar forma literaria a la estampa misma del fusilamiento,[28] tal como hace en otros episodios. Es posible que fuera precisamente el afán de no reincidir en un tema un tanto reiterado y, sobre todo, de no repetir el relato onírico que quedaba hecho en *Ángel Guerra* lo que impulsara a Galdós a soslayar esta referencia plástica directa al drama de los sargentos. Galdós, en efecto, va a optar por una presentación "desde fuera" del evento central; el fusilamiento "se oye" desde el relato, pero no se ve. Los elementos seleccionados por nuestro autor para componer su referencia al hecho histórico tantas veces mencionado, fueron:

a) una experiencia personal y autobiográfica: el paso de los simones con los reos. Desde este punto de vista, la referencia de *La de los tristes destinos* (en contraste con la de *Ángel Guerra*)[29] se ciñe a algo efectivamente visto y vivido por el propio Galdós; aquí la memoria de Galdós hubo de actuar como fuente histórica básica de su relato, por más que falle la precisión cronológica.[30]

b) una serie de pormenores anecdóticos relativos a las últimas horas de los condenados, que el autor pone en boca de Erasmo Gamoneda y de Pepa *Jumos*. No nos consta —ni interesa excesivamente— el carácter histórico real de tales pormenores; en este punto, el relato puede recoger noticias contemporáneas, orales o escritas, vivas en el recuerdo de Galdós. Especial relieve cobra, en este marco, la posible identificación de Simón Paternina como un personaje histórico real; es decir, como uno de los sargentos fusilados. No he investigado este punto, ni sé si alguien lo ha hecho. Debo decir que, en todo caso, la importancia del personaje tal y como aparece en el relato galdosiano estriba en su valor representativo de todo un grupo más bien que en su posible consistencia personal real. En todo caso, también, estamos ante el mundo de los llamados "personajes secundarios" de Galdós, con su compleja y ambigua función seminovelesca y semihistórica en cuanto personalización de mentalidades y actitudes de grupo.

c) un conjunto de reacciones éticas y afectivas ante la matanza y, en última instancia, ante el poder político y sus titulares, que Galdós pone en boca de una serie de personajes secundarios que aquí aparecen en un primer plano. El hecho histórico de la represión del cuartel de San Gil no es presentado aquí, queda dicho, directamente; sino a través de su reflejo en esta gama de personajes secundarios. Ahora bien, estos personajes secundarios están dotados de una clara homogeneidad social: son gente del pueblo, con cierta vinculación biográfica con la Revolución del 54 y cuya actitud ante los fusilamientos es de repulsa ética, de simpatía con los sacrificados.

Es evidente que Galdós hace recaer precisamente sobre este complejo de reacciones populares la última razón de ser de su relato, la vinculación más inmediata y directa entre el suceso histórico evocado y el proceso narrativo —histórico y dramático— que se dispone a abordar. Obsérvese que aquí la resonancia emocional del hecho no se manifiesta —como en las *Memorias de un desmemoriado* o como en *Ángel Guerra*— en la sensibilidad de un joven de extracción mesocrática o hidalga; aquí la resonancia emocional del hecho se manifiesta en un medio social homogéneo con respecto al de las víctimas, y en ello estriba la clave del valor de testimonio histórico que tienen estas páginas. Claro que, en este punto, surge una cuestión: las reacciones populares aquí reflejadas ¿fueron recogidas por Galdós directamente cuando contemplara, mezclado con la multitud, el paso de los simones? ¿o se trata de un montaje elaborado *a posteriori* por el mismo Galdós? Yo diría que, así planteada, la cuestión es secundaria, y que la importancia del testimonio histórico de Galdós estriba en la condensación, sobre unos personajes secundarios de gran valor tipológico, de una multitud de observaciones llevadas a cabo a lo largo de muchos años de convivencia, en simpatía, con el bajo pueblo de Madrid. Es precisamente esto lo que hace de la obra de Galdós, considerada en su conjunto, un precioso arsenal para el conocimiento de las mentalidades sociales en la España del último tercio del XIX. En fin, ya quedó indicado cómo esta proyección emocional de los fusilamientos precisamente sobre el bajo pueblo madrileño apunta de manera inmediata, en este episodio, en una dirección expositiva determinada. Un historiador de nuestro tiempo diría que Galdós se dispone a preparar el "hecho de masas" en que encontrará cultivo adecuado, aliento de la calle, el movimiento revolucionario de Septiembre del 68, cumbre y desenlace de este episodio.

1.3. Tres claves para la comprensión del texto

Hemos intentado, en las páginas que anteceden, situar el texto propuesto y el hecho histórico en él reflejado en las coordenadas del conjunto de la obra galdosiana y, más concretamente, en el contexto del episodio nacional iniciado con él. Pasemos de este contexto material y temático a un contexto ideológico, igualmente imprescindible para la comprensión de las páginas que hemos de analizar. Situar en su contexto ideológico y moral cualquier trozo de la obra galdosiana es empeño difícil que exigiría, por lo pronto, el recurso a una amplia bibliografía.[31] Aquí no podemos hacer otra cosa que apuntar tres aspectos de aquel mundo moral e ideológico que es absolutamente necesario tener en cuenta si aspiramos a entender estas páginas iniciales de *La de los tristes destinos*.

1.3.1. *Galdós y la Revolución de Septiembre.*

Que Galdós se reconociera y confesara, todavía en su vejez, hijo espiritual de la Revolución del 68, es algo que no hace sino acreditar la fidelidad y la lucidez de una toma de conciencia.[32] En realidad no fue él solo, sino toda la *intelligentsia* de la Restauración la que, por encima de decepciones históricamente justificadas y aun de repulsas explícitas, ha de encontrar en "la Gloriosa" el arranque inmediato de un resurgir intelectual que pronto se manifestará en una auténtica Edad de Plata de la cultura española.[33] El espíritu de la Revolución de Septiembre tendrá en las filas del Naturalismo adversarios tan acérrimos y radicales como los autores de *Don Gonzalo González de la Gonzalera*[34] y de *Pequeñeces*; tendrá desengañados tan tibios y, en este aspecto, tan frívolos como Armando Palacio Valdés.[35] Pero resulta muy difícil imaginar el despegue intelectual de los años setenta y ochenta si se olvida lo que significaran las Universidades y el Ateneo madrileño de la década inmediata anterior y, en un plano más concreto, lo que hubo de significar la Revolución y el sexenio democrático en orden a la fermentación de ideas y a su expresión oral y escrita. A esta generación pertenece de lleno Galdós, alumno de la Facultad de Derecho de la Universidad Central por los años en que los llamados "demócratas de cátedra" imparten en ella sus enseñanzas;[36] su filiación septembrista responde, sin embargo, a motivaciones que trascienden una mera influencia ambiental. Su liberalismo, su humanitarismo, su entrañable simpatía hacia las clases populares, proceden, de manera inmediata, de aquel hontanar, así como, en buena medida, su misma concepción de la historia de España. Él tiene conciencia lúcida de ello y conservará siempre, ya queda dicho, una noble fidelidad hacia el espíritu de aquellos años en que ve sus orígenes.

Sólo que esta fidelidad hubo de atravesar una ruda prueba, y no me refiero a la del fracaso material del Sexenio, sino a la conciencia cada vez más clara —en especial desde que la recepción del positivismo filosófico aporta unos nuevos instrumentos para el análisis de la sociedad española— de que "la revolución de 1868 no hizo libre y soberana a España".[37] La Revolución del 68 había enarbolado unos principios humanos y generosos, había creado un ambiente propicio al desarrollo intelectual; y todo ello llevará en sí tal fuerza que incluso sobrevivirá al final del Sexenio, integrándose paulatinamente —por iniciativa liberal y a partir de los años ochenta—, dentro de ciertos límites, en la ordenación jurídica y en el clima cultural de la España de la Restauración. Pero la Revolución del 68 había dejado intactas unas estructuras —oligarquía y caciquismo— que ya se encargarían de falsear y de prostituir aquel legado, haciendo poco más que ilusoria su trascendencia al plano político; había quedado, pues, en revolución de papel. Rastrear a lo largo de la obra galdosiana el proceso de esta decepción nos daría, tal vez, una clave importante para entender la evolución de sus ideas. En todo caso, nosotros advertimos en las novelas galdosianas forjadas por los años en torno a 1890 la fijación de dos elementos, aparentemente contradictorios, que significarán para siempre la actitud de Galdós hacia el 68. Por una parte, una no traicionada identificación con su aliento idealista, humanitario, liberal y democrático, popular; una repulsa ética de la

Restauración desde el contraste de un humanismo popular espontáneo con cuyos motivos se manifiesta Galdós identificado vital y afectivamente. Por otra parte, el escepticismo racional que brota de la conciencia de un fracaso; de que lo que se hizo no fue, realmente, una revolución, y de que la revolución verdadera, tenaz e inciertamente profetizada para un futuro lejano,[38] estaba por hacer. En este sentido, el desengaño de Ángel Guerra tras la fracasada intentona de Villacampa pudiera simbolizar el desengaño retrospectivo del autor ante la intrascendencia sociopolítica de las jornadas del 68, de manera análoga a lo que se ha creído ver en el comportamiento del protagonista de *L'éducation sentimentale* de Flaubert tras el fracaso de la revolución francesa del 48.

Esta dualidad radical, irreductible, en la valoración de la Revolución de Septiembre, puede darnos la clave para entender el talante con que aborda Galdós, en las páginas que motivan este comentario, el sacrificio de los sargentos de San Gil. La entrañable simpatía del narrador hacia las víctimas de la matanza, su participación vital en la compasión de los estrafalarios personajes —gente del bajo pueblo— en que se refleja la emoción colectiva de la jornada, son evidentes tanto por el contexto que presta el conjunto de la obra galdosiana como por determinados pormenores expresivos y estilísticos de que se hará mención en su lugar. Pero el lector observará que, a pesar de ello, el sacrificio de los sargentos es presentado sin la menor concesión épico-retórica. Los que ruedan sobre los simones con la mirada huidiza, ávida de compasión o totalmente interiorizada, no son héroes ni "mártires de la libertad"; no son presentados como precursores de un triunfo que vendrá dos años después. Galdós conoce anticipadamente lo precario, lo indecisivo de ese triunfo, y no quiere proyectar sobre las víctimas —unas víctimas que él mismo viera y que no ha olvidado— las falsas bengalas de un fuego de artificio. Los sargentos son pobres hombres enfrentados, pasivos e indefensos, con una muerte que les ha sido impuesta: nada más. Como veremos en su momento, el texto muestra una cierta acumulación de vocablos expresivos de esta pasividad e indefensión. Ahora bien, guardémonos de interpretar esta actitud de Galdós en el sentido de una "deshistorificación" del trágico acontecimiento que tanto le impresionara en su juventud: como si el fusilamiento de los sargentos hubiera sido algo que agotara su transcendencia en el plano puramente privado, infrahistórico, de unas pobres biografías —biografías de gente del pueblo— alcanzadas por el dolor o por la muerte. Hay ante todo, en el texto, el esbozo de una trasposición política inmediata y directa: la misma mujer del pueblo —Rafaela la Zorrera— que lamentara amargamente que su hombre, Simón, se dejara seducir por el mito de Prim, adoptará en su dolor una actitud "subversiva" al clamar, llena de ira y de coraje, en plena calle; actitud que preludia y significa un hecho de masas —indignación popular y definitiva disolución del mito de la Reina— que será decisivo en la gestación de la Revolución de Septiembre. Pero, por encima de este mecanismo —seamos fieles a Galdós—, queda intensamente aludido aquí el misterio de la muerte de Simón Paternina, símbolo y personificación del conjunto de los sargentos. "En lo que concierne al destino final del individuo, Pérez Galdós no aventura ninguna opinión precisa [...] Entre tanto, concentra su atención en la vida inmediata y justifica el creer en la inmortalidad individual creando una personalidad que la ha ganado"; [39] la aguda observación de Eoff aquí indicada presta un buen contexto a la elegía que Galdós pone en boca de Rafaela la Zorrera, en la cual se engarza el elogio de las prendas humanas de Simón con una berroqueña esperanza ultraterrena. El problema está, pues, en cómo conectar el misterio y el drama de esta muerte individual —muerte violenta, voluntariamente impuesta por otros sin motivo racional— con el proceso histórico global que intenta exponer Galdós a lo largo de su obra.

Incide en este punto un aspecto de la concepción galdosiana de la historia del pueblo español, que ha sido señalado por Hinterhäuser [40] y que no deja de guardar relación con la significación que la vida y la historia del pueblo ruso manifiesta en la obra de Dostoyewski. Los sufrimientos impuestos a un pueblo, podríamos resumir, no siempre desembocan históricamente en logros inmediatos por parte de aquél, en virtud de una especie de mecanismo espontáneo de compensación; no siempre son premonitorios de una etapa mejor y progresiva. El sufrimiento de las muchedumbres anónimas, ajenas o pasivas ante la gran historia, tiene otros caminos harto más morosos e indirectos para fructificar históricamente: "Grandes subidas y bajadas, grandes asombros y sorpresas, aparentes muertes y resurrecciones prodigiosas reserva la Providencia a esta gente", [41] y ello obliga a renunciar de antemano a presentar o concebir la historia de esta gente como un proceso seguido, de ritmo uniformemente progresivo. Y en otro lugar, estas frases lapidarias: "Así tenía que ser por ley ineludible. Quiso el Cielo que nuestra revolución fuera larga, sangrienta, toda compuesta de fieros encuentros, heroísmos, infamias y martirios, como una gran prueba". [42] Infamias y martirios: así se inserta el sacrificio de los sargentos, silenciosa y dolorosamente, en el proceso de una revolución cuyo logro, a la altura de 1907, aun no se ve en el horizonte. Hinterhäuser subraya la ultimidad providencialista que Galdós confiere a esta dimensión histórica del sacrificio anónimo, dimensión que queda bien explícita en los dos párrafos que acabo de transcribir. En esta misma dirección, no deja de llamar la atención la presencia, en el capítulo inicial de *La de los tristes destinos,* de un conjunto de alusiones y símbolos que parecen destinados a conectar la tragedia personal, aparentemente sin sentido, de Simón Paternina —representación de los inocentes que van a ser fusilados—, con el tema bíblico del varón justo que paga, sufriendo intensa y silenciosamente, por los demás. [43]

Creo que, a la luz indicada, el texto que glosamos se nos manifiesta como un expresivo testimonio de la actitud de Galdós, más compleja y matizada que ambigua, ante un hecho histórico que para su generación fue condicionante y decisivo: la Revolución del 68. Revolución fecunda en los planos ético, ideológico y cultural; estéril en el plano sociopolítico en que se manifestó como una revolución de papel.

1.3.2. *Galdós, el pueblo y la historia.*

Por lo pronto encontramos que es el pueblo el protagonista de estas primeras páginas de *La de los tristes destinos,* centradas en torno a un acontecimiento histórico real. Ya quedó apuntado cómo, puesto en el trance de volver una vez más —por exigirlo así la ilación de los Episodios— sobre el hecho cuyo recuerdo tanto le impresionara, Galdós lo hace ahora, no ya presentando una "reconstrucción de los hechos" ni siquiera expresando su impacto sobre la sensibilidad de un hombre de su propia pertenencia social —*intelligentsia*, clases medias—, sino expresando su trascendencia al mismo medio popular de que procedían los sargentos de San Gil. Queda apuntado también, en el párrafo que antecede, que esta presentación del tema "a través de" el medio popular que lo vive de manera inmediata, significa, en la obra de Galdós, algo más hondo que un mero toque costumbrista. Es conveniente, sin embargo, precisar un poco más lo que suele haber detrás de cada comparecencia del pueblo —individualizado en personajes concretos o como muchedumbre— en los Episodios Nacionales de Galdós.

La simpatía espontánea de Galdós hacia las clases populares de la ciudad debe también ser encuadrada, ante todo, en unas coordenadas socioculturales propias de su tiempo. La crítica despiadada del estrato superior —de la que Palacio Valdés llamara "la espuma"— y de las *élites* de poder establecidas en la capital; la simpatía hacia las clases populares no proletarizadas, preindustriales, tanto de la ciudad como —preferentemente— de la aldea; el desconocimiento del naciente proletariado industrial, son elementos de una mentalidad de grupo, muy ligada con las que eran a la sazón actitudes sociales predominantes en las clases medias, que prevalece incluso por encima de posiciones ideológicas o políticas muy diferentes. La demofilia de Galdós es, pues, en principio, antes que consecuencia inmediata de una ideología, manifestación de un talante generalizado entre los novelistas españoles del Naturalismo. Que Galdós viva y exprese con singular fuerza esta simpatía de las clases medias tradicionales hacia las clases populares; que estas últimas no sean para él una realidad distante e idealizada, sino algo observado, conocido, comprendido en los barrios populares de Madrid; que su procedencia intelectual y su orientación ideológica estén prestas para integrar esta comprensión y esta simpatía en una concepción de la historia y de la sociedad —precisamente aquélla que preside el desarrollo de sus Episodios Nacionales—, todo esto sí que es cosa privativa y peculiar de nuestro autor. Acerca del pueblo como agente histórico en la obra galdosiana, acerca de las acepciones y variantes que ofrece aquella palabra según las distintas etapas de su vida y aun según el carácter de los eventos presentados, bastará con remitir al lector a las obras ya mencionadas de Hinterhäuser, Montesinos y Faus Sevilla. Aquí bastará examinar someramente algunos aspectos del problema, por la proyección inmediata que tienen sobre el texto objeto de análisis. Son éstos: la relación inmediata y directa entre "pueblo" y "proceso histórico"; el valor referencial de orden ético atribuido al pueblo cuando se trata de juzgar, directa o indirectamente, rumbos o episodios de la historia; la no marginación de la mujer cuando se presenta al pueblo participando —activa o pasivamente— en el proceso histórico, incluso con cierta tendencia a personalizar preferentemente en aquélla los indicados reflejos éticos colectivos. Entendiendo, en todo caso, por "pueblo" algo forzosamente heterogéneo e informe, pero dotado, sin embargo, de fronteras claras: artesanos, empleados de ínfima categoría, menestrales, sargentos del ejército... Gentes que quedan por debajo de las clases medias, gentes pertenecientes todavía a un mundo preindustrial, gentes que irrumpen en la obra de Galdós desde un marco ecológico preferente: los barrios bajos de Madrid.

Puesto a explicar racionalmente el proceso de nuestra historia contemporánea en función de sus bases sociales, el liberal Benito Pérez Galdós no puede dejar de ver en la burguesía y en las clases medias la fuerza motriz de tal proceso; puesto a soñar el futuro, ya por los años de su biografía en que el ascenso de la clase obrera va siendo una realidad, no es de extrañar que transfiera al proletariado industrial la misión de forjar los caracteres españoles del futuro: [44] todo ello es normal en quien, por encima o al margen de un formidable evocador de historia, fuera un intelectual de su tiempo, que presenció con los ojos bien abiertos el tránsito del XIX al XX y qué hubo de reflexionar más de una vez sobre la conexión existente entre dialéctica social y proceso histórico. Ahora bien, alcanzado, de una parte, por una tradición romántico-liberal que veía en "el pueblo" (poco precisado sociológicamente, es cierto) el primer motor de la historia contemporánea a través de la revolución y de la jornada callejera —1789 y 1808, 1848 y 1854, 1868—, y, sobre todo, fuertemente motivado por el conocimiento y el amor de un pueblo real, que llena el retablo de sus Episodios Nacionales y de sus novelas contemporáneas, es evidente que unas muchedumbres ajenas a aquellos esquemas —ni burguesía, ni clase media, ni joven proletariado— se han injerido de lleno, reclamando unas funciones, en la narración histórica de Pérez Galdós. Unas muchedumbres que sólo esporádicamente protagonizarán la historia "externa", la historia que salta a las crónicas; pero unas muchedumbres, unos personajes a través de los cuales, en función de los cuales tenderá muy frecuentemente Galdós a presentar la historia que hacen otros: burgueses, generales, ministros y camarillas. Creo que estas dos dimensiones agotan la significación que cabe dar a esa ambigua expresión según la cual, para Galdós, es el pueblo el protagonista de la historia; de la dialéctica entre ambas, de esta dialéctica entre historia que se hace e historia que se padece, brota el sentido de una historia discontinua, sometida a altibajos, heroísmos y martirios —quedó dicho—, más allá de los cuales alumbra el desenlace ineluctablemente progresivo que ha cabido anticipadamente a otros pueblos más afortunados.

Dos dimensiones, pues. Historia externa hecha por el pueblo, dueño de la calle, a través de determinados levantamientos, motines, revoluciones o gestas heroicas en que aquél actúa súbita y discontinuamente, haciendo, con su heroísmo y con su sacrificio, que la rueda de la historia dé un viraje o camine más deprisa (sin excluir la posibilidad de que el mismo pueblo enlode una jornada al dar rienda suelta a su crueldad o a su primitivismo: "pueblo" y "populacho" son los términos que respectivamente utiliza Galdós cuando ha de referirse a una de estas dos versiones, positiva y negativa respectivamente, del comportamiento popular en cuanto agente inmediato de historia).[45] En este sentido, ya quedó indicado que esta cuarta serie de Episodios —con su centro de gravedad en *La Revolución de Julio* del 54— tiene por uno de sus principales motivos conductores la revuelta armada del pueblo contra el moderantismo, centrada en torno a tres momentos decisivos: 1848, 1854, 1868. Pero esto no es todo, y falta la otra, profunda dimensión: la de la historia externa que se padece; la de la historia profunda que se va gestando, día tras día, en el trabajo, en el sufrimiento, en la esperanza, en la progresiva toma de conciencia.

Es obvio que los personajes populares que pueblan los dos primeros capítulos de *La de los tristes destinos* no están haciendo "historia externa" en el sentido que líneas arriba se indicó; la están padeciendo tras una derrota que los vencedores han sacado de quicio, haciéndola más ancha, total y dolorosa. La relación de este episodio "pasivo" —me refiero al del fusilamiento de los sargentos referido en los dos capítulos de que acabo de hacer mención— con el contexto esencialmente "activo" que presta en su conjunto esta cuarta serie de Episodios Nacionales queda bien explícita, sin embargo, no sólo por su inmediata dependencia del levantamiento de San Gil y sobre todo por su proximidad al relato de la Revolución de Septiembre, sino también por la buscada continuidad con respecto a *La Revolución de Julio* a través de unos personajes secundarios; entre ellos, Erasmo Gamoneda, a cuyo fallecimiento asistimos en el capítulo XXX del mencionado episodio pero que reaparece en los umbrales de *La de los tristes destinos* sin duda para dar fe, con su resurrección, de la explícita relación indicada. [46]

Centrándonos, pues, en el plano de la historia que padece, se diría que corresponde al pueblo, en la obra de Galdós, una función decisiva: por lo pronto, la de impedir que el proceso histórico se convierta en una serie lineal de eventos ligados entre sí por una mera relación de causalidad. Ciertamente, no escasean en los Episodios Nacionales los juicios de valor, y el mismo Galdós, por sí mismo o por boca de personajes pertenecientes a su mismo grupo social —*intelligentsia,* clases medias— suele diagnosticar errores y aciertos, calibrar intenciones. Pero en presencia de un gran conflicto, expreso o implícito, de ética social, de los que condenan o redimen a un régimen por encima de sus aciertos o de sus fracasos "externos", Galdós hace una silenciosa apelación al pueblo, aceptando tácitamente como medida moral de las cosas los componentes de un espontáneo humanismo popular: abnegación, solidaridad, capacidad de sacrificio, tendencia espontánea a la compasión, respeto a la vida humana. A este respecto, la conexión existente, a través de unos personajes, entre este par de capítulos y el mundo de *La Revolución de Julio,* hace oportuno el recuerdo de unas consideraciones que Galdós pone en boca del narrador, al contemplar los esfuerzos de aquellos artesanos que, por la noche, cubrirían el viejo Madrid de barricadas:

Sentí lástima de aquella pobre gente, y también admiración muy viva, pues desde la hondura de su vida miserable, se lanzaban impávidos a la conquista de una España nueva. Cuanto tenían, las vidas inclusive, lo sacrificaban por aquel ideal de pura soñación, y por un programa de Gobierno que no habrían podido puntualizar, si fueran llamados a realizarlo. Y después de pasarse largos días y noches en tan peligrosas andanzas, volvería cada cual a sus obligaciones. El uno seguiría fabricando obleas y lacre; el otro, jeringas, y el tercero vendiendo sanguijuelas, para ganar un triste cocido y vivir estrechamente entre afanes y miserias [...] ¿Cómo no admirarles si, en medio de su ruda ignorancia, advierto en ellos una elevación moral que en mí propio y en los de mi clase no veo, no puedo ver, por más que la busco?

Las últimas líneas del texto recién citado [47] expresan bien claramente esa atribución a las clases populares de una fuerza moral que, precisamente por su densidad específica, puede ser utilizada como contraste en la valoración ética de los hechos de la historia cotidiana. No extraña, pues, que el más profundo y desgarrador ataque de Galdós a cuanto en la Restauración hubo de hipocresía institucionalizada, de menosprecio de un pueblo marginado por unas clases dirigentes que valían menos que él, no se encuentre en *Cánovas,* obra evidente de un hombre de partido; sino en *Fortunata y Jacinta,* especialmente allí donde la generosidad de la protagonista cobra relieve sobrehumano frente al sórdido egoísmo de Juanito Santa Cruz, símbolo de la burguesía madrileña presta a traicionar al pueblo en nombre del orden y de la moderación.[48]

Por lo demás, el recuerdo de *Fortunata y Jacinta* nos da pie para entrar en otro aspecto de la demofilia galdosiana sobre el que deseo insistir aquí; me refiero a la capacidad de significación del conjunto de su estrato social que se confiere, en la obra de Galdós, a la mujer del pueblo. La insistencia es oportuna, porque acabamos de ver que el medio popular sobre el que se proyecta la impresión de la matanza de los sargentos es, en *La de los tristes destinos,* un medio principalmente femenino, que asume en cierto sentido función de coro de tragedia griega. Es preciso partir de la afirmación de que la capacidad de significación global de "todo" el pueblo que corresponde a la mujer del mismo no es atribuida en la misma medida, en relación con sus estratos sociales respectivos, a la mujer perteneciente a otros niveles situados por encima del popular: Jacinta no puede significar a la burguesía en la misma medida en que Fortunata significa al pueblo. Ello se explica en parte porque, frente a la introversión doméstica de la mujer de clase media ("la señorita") o alta, está la extraversión de la mujer del pueblo presente siempre en el mercado, en la plazuela, en el corro callejero; en la calle levantada, cuando soplan vientos de revolución, y no sin fundamento exhorta Pepa Jumos a Rafaela la Zorrera a tener "corazón fuerte, corazón de 2 de Mayo". No olvidemos que la extraversión doméstica de la mujer de clase media es cosa de nuestro tiempo; de forma que, con referencia al siglo XIX, la intervención de la mujer en la historia cotidiana que se vive en la calle es, de por sí, una connotación sociológica, índice de pertenencia a un estrato social: el pueblo. Sobre esta base podemos colocar la justificación que hace el mismo Galdós, en el capítulo de referencia, de la presencia de las mujeres entre el público que contempla, con curiosidad y compasión, el paso de los siniestros simones.

1.3.3. *Por debajo de la historia externa: la sensibilidad de Galdós ante el fusilamiento como "cataclismo del mundo moral".*

Es evidente que la culminación dramática de las páginas objeto de este comentario se encuentra allí donde el diálogo elegíaco entre la Jumos y la Zorrera es brutalmente interrumpido por "un formidable estruendo, un tronicio graneado de tiros sin concierto" que rasga el aire y pone en marcha instantáneamente el complejo mecanismo de las reacciones populares ante la matanza. Lo que Galdós había visto de joven, aquéllo cuya estampa evoca plásticamente aquí, era el paso de los reos camino del suplicio. Pero por debajo de todas las siniestras imágenes premonitorias, por debajo de toda intelectualización subsiguiente, quedaba el hecho escueto, imaginado y no visto, del fusilamiento. Sabemos que en *Ángel Guerra* Galdós intentó dar forma plástica a la pesadilla imaginada; aquí apenas nos llega el estruendo de los tiros y un mensaje humano estremecedor: "El ruido desgranado de la descarga daba la visión del temblor de manos de los pobres soldados en el acto terrible de matar a sus compañeros". Pero el evento clave del relato es la muerte: la muerte violenta, esperada para un momento dado, rodeada de una serie de formalidades fríamente previstas de antemano, para Simón Paternina y para sus compañeros.

Como es sabido, "fusilamiento" —como "conspiración", "pronunciamiento" o "guerrilla"— son palabras que componen el utillaje terminológico preciso para la redacción de una historia *événementielle* de nuestro siglo XIX. Ahora bien, en el retablo histórico de Galdós la referencia a un fusilamiento salta siempre por encima del significado rutinario que suele dar a este suceso el cronista oficial o el historiador —incidencia en el marco de una revolución o de una guerra—, para alcanzar la significación exacta que reviste en un plano personal: experiencia humana límite en unos, pavoroso problema moral en otros. Las razones de esta trascendencia son fáciles de establecer: cuenta, de una parte, el humanitarismo de Galdós, esa capacidad de compasión espontánea, de honda raíz cristiana, reforzada en nuestro autor por su filiación septembrista y que su impregnación en los motivos de un humanismo popular acabará de poner a punto; cuenta, de otra, la impresión causada, en una sensibilidad ya predispuesta, por los acontecimientos, tantas veces recordados, del 65 y del 66. En suma, para un observador atento de este ingrediente de nuestra historia contemporánea que no recoge ninguna estadística —"heroísmos, infamias y martirios, como una gran prueba"—, la integración de la matanza organizada en el relato histórico cobra una profunda, humana dimensión. No sería difícil espigar, en el conjunto de la obra galdosiana, páginas de éstas en que el autor acompaña, pleno de compasión, al que va a morir, recogiendo el trágico abandono del que se sabe vencido y no espera cuartel, la mirada angustiada y aturdida del que ve llegar la muerte sin poder evitarla, el grito desesperado del que aprovecha el último momento de vida para clamar, como el pavoroso personaje de Goya, contra la muerte impuesta inicuamente. [49]

Por lo demás, este reflejo de la "España negra" que cruza los Episodios Nacionales no brota ni del odio partidista, ni de proclividad alguna hacia lo truculento o hacia una morbosa exhibición de sentimentalismo. Aparece en los Episodios porque se dio en la realidad de una historia, y porque el hombre Benito Pérez Galdós siente conmoverse sus entrañas ante tal realidad: nada más. La pugna o la interpretación partidista concluye donde empieza el misterio de la muerte; si Galdós no concibe la muerte del vencido tras su derrota, [50] tampoco cuida demasiado en dejar constancia del color político del que va a morir. "Ultraje a la naturaleza", "cataclismo del mundo moral" verá Galdós en el fusilamiento del general Jaime Ortega, uno de los protagonistas de la intentona carlista de San Carlos de la Rápita (abril de 1860). [51] En el texto objeto del presente comentario, la filiación o la significación política de los sargentos que van a ser inmolados queda totalmente anegada en el complejo de la condición humana de los mismos, de cada uno de ellos. En cuanto a la renuncia, en aras del decoro y de cierto pudor de su afectividad, a la exhibición lacrimosa o a la truculencia, tiene en estas páginas un cuidado testimonio: observe el lector cómo Galdós mantiene a raya, en el momento culminante del capítulo, su propia emoción de narrador mediante la afectación de un tono despreocupado que quiebra en cada línea el impulso incontenible hacia un lenguaje trágico: "ayes y greguería" neutraliza a "estremecimiento y congoja"; el "violento patatús" y la referencia a las nalgas de Rafaela la Zorrera vienen a templar la emoción que suscita la imagen del "temblor de manos de los pobres soldados"; las "maldiciones que echó por aquella boca" la "vocinglera" mujer, quitan énfasis a la fuerza plástica del cuerpo que acaba de erguirse, iracundo, como el de una Némesis que clama venganza... En fin, el disparate lingüístico de la Jumos —"consumatomés"— sobreviene, justo, en el ápice dramático del párrafo —y del capítulo entero—, en el momento en que el "grito desgarrador" de la Zorrera hace eco al estruendo de la descarga que ha acabado con la vida de Simón Paternina y de sus compañeros.[52]

Conviene no perder de vista, antes de terminar esta introducción al texto, que Galdós no aspira en las páginas transcritas tanto a comunicar al lector sus propias impresiones ante la muerte de los sargentos (cosa ya hecha mediante atribución a Ángel Guerra, según quedó indicado), como a presentarnos las reacciones suscitadas por aquélla en un medio popular. Si era factible identificar a Ángel Guerra con su creador, identificar las impresiones de este último con las del joven estudiante testigo del 66, es claro que aquí no hay identificación posible entre el coro de asistentes al paso de los simones y el propio Galdós. Las Zorreras, la Jumos, Gamoneda o Malrecado son personajes secundarios que tienen su trayectoria marcada en los Episodios, personajes a través de los cuales no habla Galdós, por grande que sea su simpatía hacia los mismos; son cristalizaciones, personalmente diferenciadas, de un mundo popular. Galdós se esfuerza en presentarnos aquí el engarce entre dos temas muy arraigados, acabamos de verlo, en su concepción de la historia del siglo XIX: el tema de un espontáneo humanismo popular de gran calidad ética, y el tema del sufrimiento impuesto gratuitamente que viene a recaer casi siempre sobre el pueblo mismo. El engarce entre ambos temas se manifiesta cumplidamente en la elegía por Simón Paternina, entonada a coro por los tres personajes arriba citados, y que constituye tal vez el tema central de este primer capítulo, del que arrancan motivaciones que luego enlazarán con el complejo dramático global del episodio. Intentaremos más adelante analizar, sobre el texto, los tres planos en que opera la trascendencia, en un medio popular, del fusilamiento de Simón Paternina: la reconstrucción del complejo personal de este último, por encima de la elemental connotación —sargento de San Gil— en función de la cual perdió la vida; el desprecio de la vida —tal y como ésta se ofrece en un medio social determinado— y la esperanza en una vida ultraterrena y en una justicia divina, a la que se apela de las injusticias de este mundo; en fin, la trascendencia sociopolítica inmediata a través de una indignación ética estentóreamente manifestada por Rafaela la Zorrera y que presagia, ya desde este comienzo del episodio, su desenlace. El tema del fusilamiento viene aquí, pues, a movilizar los resortes de un humanismo popular que Galdós formula —como en

Fortunata y Jacinta— por boca de unas mujeres del bajo pueblo y que pasa a integrarse de esta manera, en los umbrales del episodio dedicado a la Revolución de Septiembre, entre los motivos profundos de esta última.

* * *

A nadie extrañará que la presentación de unas páginas de Galdós haya exigido una introducción un tanto desproporcionada, por sus dimensiones, a lo que suele requerir un comentario de texto. La complejidad y riqueza del mundo galdosiano exige, en efecto, el elemental esbozo de un contexto antes de entrar en el análisis de un trozo arbitrariamente segregado del conjunto de su obra. Por otra parte, el capítulo elegido lo ha sido precisamente por el especial relieve que el tema en él abordado tuvo en la biografía de Galdós; por ofrecerse al lector como una verdadera encrucijada de motivaciones ideológicas y afectivas del autor: ello ha obligado la referencia, siquiera sea somera y precipitada, a unas claves. Llegamos ahora al punto por donde tal vez hubiéramos debido empezar: al análisis del documento en sí, hecho —es momento de advertirlo— no por un filólogo ni por un crítico literario, sino por un profesor de historia que ha de limitarse a aplicar las reglas de su oficio.

2. ANÁLISIS DEL TEXTO

El texto propuesto puede ser descompuesto, para su análisis, en tres partes. En la primera, se hace una presentación de los elementos implicados en la acción que va a ser narrada: el paisaje, los sargentos, las mujeres. No hay todavía parlamento alguno; es pura descripción, en la que apenas aparece mencionado, en la última línea —marcando la transición a la segunda de las tres partes indicadas— el protagonista ausente de los dos capítulos que van a ser analizados: el sargento Simón Paternina. La segunda contiene una elegía anticipada del que va a morir, del mismo Simón Paternina, hecha a tres voces: Pepa Jumos, Erasmo Gamoneda y Rafaela la Zorrera. Cada uno de estos tres personajes hace, en sendos parlamentos, referencia a una dimensión de la vida y de la muerte de Simón. Pepa Jumos habla de la trascendencia personal de la muerte; Erasmo Gamoneda, de los prestigios terrenos que han acompañado las últimas horas de su vida; Rafaela la Zorrera —muy motivada afectivamente por su relación amorosa con Simón—, de sus virtudes humanas. En la tercera parte se opera la transición, desde un enfoque puramente humano y personal del drama, a una politización del mismo: la transfiguración de la Zorrera tras los estampidos de la descarga y sus gritos subversivos en la calle; la aparición del policía Malrecado y la reunión en la taberna de la calle del Turco; el impresionante parlamento final de Rafaela la Zorrera que cierra el capítulo, serán los tres aspectos principales que detendrán en esta parte nuestra atención.

2.1. El escenario y los personajes.

2.1.1. *La mañana de la ejecución.*

Galdós traza, con extrema rapidez, el ambiente y el escenario del drama a que va a referirse. En este breve esbozo —apenas doce líneas— de un ambiente, el paisaje no es neutral, sino que aparece impregnado por los sentimientos —tristeza, desolación, presentimientos siniestros— que componen el estado de ánimo del narrador. La serie de adjetivos y símbolos utilizados se manifiesta bastante indicativa en tal sentido (amanecer "displicente, malhumorado, como el de los que madrugan sin haber dormido"; "campo desolado"; rayos de sol que pasan "con movimiento de guadaña", "rapando", "enfilando oblicuamente", "como espadas llameantes"; "vulgar fachada" del cuartel de Ingenieros). Hay un momento (líneas 13-14 del texto), en que, tal vez para eludir la repetición de la palabra "Madrid" o para no hablar un tanto impropiamente de los tejados "de la ciudad", Galdós se deja arrastrar al tópico de "los tejados de la Villa Coronada"; inmediatamente se apea de esta altura retórica —disonante con el contexto— añadiendo, tras unos puntos suspensivos, "de abrojos" (abrojo = "planta [...] de tallos largos y rastreros, hojas compuestas y fruto casi esférico y armado de muchas y fuertes púas. Es perjudicial a los sembrados". Otra acepción: "instrumento de plata u otro metal, en figura de *abrojo,* que solían poner los disciplinantes en el azote para herirse las espaldas" (DRAE)). En fin, para que no haya en esta descripción ningún símbolo ajeno a la idea de desolación, sólo se adjudica aquí a las personas que pueblan el paisaje uno de los dos sentimientos colectivos que Galdós, en el tema siguiente, va a atribuir a aquéllas: aparece aquí, en efecto, la "curiosidad", pero todavía no la compasión. Poco después se hablará de "el buen pueblo de Madrid". Pero ahora la muchedumbre, despersonalizada, está tratada en forma que cuadra bien con la presentación dada al amanecer, al campo, a los rayos de sol, a la fachada del cuartel de Ingenieros: "pelotón desgarrado de plebe", "vago gentío" que se abalanza, recula, se deja empujar... Consideración mecánica, cosificada, de ese elemento del paisaje que es, en el amanecer de la ejecución, la gente de la calle.

Subrayemos, pues, la función subordinada del paisaje con respecto al acontecimiento que se trata de presentar. Es claro que el narrador ha tomado partido, haciendo que el paisaje refleje la tristeza humana de la gente, de las víctimas, del observador. [53] Por vía de contraste, observemos cómo contempla el mismo Galdós la calle de Toledo en una mañana muy distinta de la aquí evocada: "Una mañana fresca, luminosa y risueña, en que un sol artista ilumina los alegres colorines de la calle de Toledo, y sobre la variedad infinita de gamas chillonas derramaba el oro y la plata...". [54]

2.1.2. *Protagonistas y espectadores.*

La presentación de los sargentos que van a protagonizar, pasivamente, la jornada, cubre las líneas 25 a 46 del texto propuesto. A partir de este punto, la totalidad del capítulo seguirá dos líneas paralelas que se entrelazan continuamente: de una parte, las referencias a un hecho objetivo y externo, es decir, al paso de los sargentos camino del suplicio y a su fusilamiento; de otra, la serie de reacciones de un conjunto de personas del pueblo ante el destino de los condenados. La primera de las líneas argumentales referidas continúa más adelante (líneas 63-70, 158-162, 220-222), para terminar, ya en el cap. II (líneas 316-318), allí donde Galdós pone en boca de Malrecado una breve información acerca de las sucesivas tandas de ejecuciones que seguirán a la recién efectuada. Obsérvese cómo a cada una de estas cinco referencias al hecho externo del fusilamiento acompaña la expresión de una reacción de los personajes que pueblan la escena; reacción que sigue un *crescendo* que va de la "compasión" (líneas 27 y 49), al "¡ay! terrorífico" de la Zorrera (línea 73), a las "protestas bulliciosas" e "imprecaciones, en variedad de estilos callejeros" (líneas 163-165), a "las maldiciones" (líneas 236-237) y al grito de "¡Viva Prim!... ¡Muera la...!" de la Zorrera (líneas 256-257); una vez alcanzado este clímax emocional, sólo quedarán por recoger las cínicas y amargas reflexiones de Malrecado (líneas 276-291, 318 ss.).

Centrémonos aquí en la primera referencia al paso de los sargentos. Si en el tema del paisaje todo se vuelve símbolo de *desolación,* la palabra clave del párrafo ahora analizado es, según quedó indicado, *compasión.* "Compasión" que está en el ánimo de "el buen pueblo de Madrid" que acude a ver a los sargentos; pero que, sobre todo, está en el ánimo del narrador. En efecto, en estas líneas vemos expresada reiteradamente la idea de pequeñez, de pasividad, de indefensión por parte de los condenados a muerte: "primera tanda", "tristes mártires sin gloria", "dieciséis nombres" (obsérvese la insistencia en símbolos de despersonalización, de anonimato, de masa); "brevemente despachados", "habían de morir a tiros", "los pobres", "eran metidos en simones". Y dos contrastes esperpénticos que cierran el párrafo: contraste entre la tranquilidad con que desfilaban los simones, "uno tras otro, como si llevaran convidados a una fiesta", y la angustia de los hombres que iban dentro; contraste entre el lugar de la ejecución, "lugar próximo a la plaza de toros, centro de todo bullicio y alegría", y la tristeza misma de la muerte. Estos contrastes vienen a intensificar la idea de marginación y de pasividad, motivos de la compasión.[55]

Señalemos, también, la presencia de un breve inciso político, muy galdosiano: la alusión a las enfermedades del Principio de Autoridad (con mayúsculas), que exigen la heroica medicina del sacrificio de los condenados. El inciso es significativo por cuanto es la única —y tenue— referencia que hace Galdós a la motivación política de las ejecuciones; fuera de estas cinco líneas (35 a 39) del texto, el proceso dramático es expuesto desde sus propios personajes (todos secundarios), con plena autonomía de la historia política real.

2.1.3. *El coro y sus componentes.*

He aquí que Galdós, una vez preparado el ambiente con los toques desolados que hemos visto, una vez expuesto sobriamente —con toques de compasión— el destino que ha sido impuesto a los sargentos, ha de disponer sus personajes en dos conjuntos. Uno, anónimo (con la excepción de Simón Paternina, personificación y símbolo de todos) y distante, que se deja ver pero que no habla, que transita a bordo de los simones; son los sargentos, protagonistas tácitos de la jornada. Otro que ha de hablar, que es aquél ante quien para sus ojos y sus oídos el narrador, y que está destinado a expresar un complejo de reacciones populares ante la siniestra jornada.

Hemos de detenernos ante este segundo conjunto. Primera observación: salvo Erasmo Gamoneda, está integrado por mujeres. Unas mujeres van a ser portavoces de "el buen pueblo de Madrid", y Galdós apresura una explicación: "compasión y curiosidad son sentimientos femeninos", etc. Hay, tal vez, otra más inmediata: si el meollo del capítulo está constituido, como vamos a ver, por el elogio de Simón Paternina —elogio que, a su vez, es un pretexto para centrar el esquema aretelógico de un humanismo popular—, es evidente que el empeño requiere un coro, un coro de tragedia, y éste exige voces y ademanes femeninos (líneas 47-52). Por otra parte, si antes dejamos apuntada la sospecha de una reminiscencia bíblica en la indefensión y pasividad de los condenados, es momento de señalar esa otra que cobra fuerza plástica y expresión con la presencia de unas mujeres cerca del lugar del patíbulo; con la extraña y espontánea exclamación de Pepa Jumos en el momento de oírse los disparos ("*consumatomés*", es decir, "consummatum est": Jn 19, 30). Todo ello induce a evocar la bien conocida estampa evangélica, sin duda muy entrañada en la conciencia de don Benito; la comparación que la misma Pepa Jumos dejara hecha líneas arriba entre el semblante del que iba a ser ajusticiado —"cara de color de cera"— y la del "San Juanito de la Pasión" (líneas 100-101), viene a reflejar indirectamente el fondo de inspiración que acaba de ser aludido.

Ahora bien —segunda observación—: estas mujeres no son precisamente santas, en el sentido corriente de la expresión; su fisonomía social y moral —calidad humana, generosidad, ausencia de hipocresía, flaquezas de la carne por llamarlo de alguna manera— es referible al tipo Fortunata. El tema de la prostituta que sabe de caridad y de sinceridad, como contrapunto de una sociedad sin ellas pero que "guarda las formas", tiene una bien conocida solera literaria a que pudo acogerse Galdós; yo sugeriría aquí, empero, la facilidad que brinda al juego esperpéntico la posibilidad de templar la tragedia con la picaresca. "Coro de señoras", "bellezas públicas y repasadas", "matrona lacia y descaradota" son expresiones que pueden cortar, con su ironía, el vuelo retórico, cuando hay que resumir en pocas líneas (59-75) "un espectáculo de los más lúgubres y congojosos" que conservaba vivo en su memoria Benito Pérez Galdós.

Tercera observación: el coro que presencia el paso de los sargentos y que se dispone a entonar la patética elegía por Simón Paternina procede de la Revolución del 54; del mundo abigarrado de personajes secundarios de *La Revolución de Julio.*[56] El padre de las Zorreras "figuró en la Revolución del 54"; la belleza popular de Pepa Jumos conoció mejores tiempos "allá por el 50"; Erasmo Gamoneda fue, dejando a un lado su resurrección, "también revolucionario y barricadista del 54". Y en el capítulo siguiente se harán más densas, si cabe, las reminiscencias. Es evidente, pues, el designio de empalmar con un clima popular determinado, como dejé indicado más arriba; incluso cabe apuntar el afán de enlazar, saltando tiempo atrás del 54, con el espíritu de las jornadas de 1808 y de la gran epopeya popular madrileña ("No te desmayes, mujer; ten corazón fuerte, corazón de 2 de Mayo...": líneas 93-94).

Queda el conjunto de los sargentos, que se hacen visibles precisamente aquí y sólo aquí; confróntese el talante que manifiestan los rostros de los reos —serenidad, resignación, melancolía— con el que describe la visión de Ángel Guerra —lividez; "máscara mal sujeta" en aquellos, los menos, que quieren aparentar serenidad—, contraste al que ya me he referido en una nota anterior (núm. 55). Junto con la probable motivación principal allí apuntada, cabría señalar otra de orden puramente estético: en este capítulo Galdós ha querido situar en los sargentos un nivel de decoro en el gesto (el "semblante *dizno*" que acertó a ver Pepa Jumos), de serenidad ante la muerte, destinado a servir de seguro contrapunto al patetismo activo, gesticulante, de las mujeres. Y surge la primera intervención del coro, al paso del quinto coche: el "¡ay! terrorífico" de la Zorrera, que se despide de Simón anticipando un motivo que será después muy reiterado: la esperanza cristiana en un reencuentro más allá de la muerte. En fin, no deja de llamar la atención en estas líneas, que recogen el acercarse y el paso de los coches, la tendencia a emparejar vocablos ("públicas y repasadas", "llorosas y sobrecogidas", "serenos y resignados", "a Madrid y a la existencia", "lúgubres y congojosos"), así como la sabia distribución de acentos; el afecto acústico refuerza el halo de serenidad que envuelve a los sargentos, al mismo tiempo que trasunta la monótona tristeza del rodar de los coches de caballos.

2.2. La elegía ante la muerte de Simón Paternina.

Estamos, quedó dicho, ante el núcleo de estas páginas iniciales de *La de los tristes destinos* en lo que éstas tienen de significación autónoma, independientemente de su valor referencial en el conjunto de la unidad dramática del episodio; valor referencial ya analizado en su momento. En efecto, el llanto por Simón Paternina va a prestar ocasión a Rafaela la Zorrera y a dos de sus acompañantes —que intentan consolarla— para centrar en la persona del reo un conjunto de cualidades y virtudes que ciertamente no valen para dejar bien trazada la personalidad ni el carácter de aquél; pero que valen cumplidamente como expresión de un ideal de vida, de un arquetipo humano sentido como tal por unos hombres y mujeres del pueblo, que sienten la satisfacción, en el amargo trance, de poder proyectar las notas distintivas de aquél sobre el humilde hijo del pueblo que rueda, sobre el simón,[57] camino de la plaza de toros. (Como es sabido, no hay elogio funeral que no arroje más luz sobre el ideal humano del que lo formula que sobre la verdadera personalidad del difunto). Pepa Jumos, Erasmo Gamoneda y Rafaela la Zorrera trenzan, en las páginas que siguen, esta anticipada elegía; la voz cantante corresponde, sin embargo, a la última. Es, en efecto, la mayor y más bella de las Zorreras, Rafaela, aquella a la que confía Galdós la misión de enunciar los motivos de un humanismo popular que, antes de concluir el texto objeto de este comentario, ya se ha levantado, pleno de indignación ética, contra Isabel II, contra los moderados, contra los convencionalismos y la corrupción de unas *élites.*[58]

El grupo queda esbozado con una gran coherencia plástica: el centro de la atención lo ocupa Rafaela Hermosilla, la Zorrera, "medio sentada" "en el retallo curvo del zócalo de piedra" de la verja del Retiro, "asistida de su hermana y amigos"; con Generosa dándole aire con un pañuelo, Pepa Jumos consolándola con "graves razones", y Erasmo Gamoneda arrimándose "y echándole los brazos con fraternal gesto de amparo".

2.2.1. *El lirismo y la filosofía de Pepa Jumos.*

Pepa Jumos está aquí para consolar, para apuntalar moralmente, en su tremendo dolor, a la Zorrera. El papel que le ha sido reservado en esta escena apunta directamente, en principio, al esperpento; obsérvese la brutal presentación que hace Galdós de ella —"matrona lacia y descaradota, reliquia de una belleza popular"— y la insistencia en expresiones y modismos incorrectos que nuestro autor no le perdona: "dizno", "curángano", "consumatomés". Pero es preciso tener muy prestos el respeto y la atención porque la Jumos, a pesar de la traza, trae buenas credenciales del mismo que la presentara tan irrespetuosamente: las razones que esgrima serán "graves", "de un sentido esencialmente hispánico"; le será fácil el consuelo de orden espiritual "pues tenía sus puntadas de mística y sus hilvanes de filósofa" y sabrá rebatir escrúpulos "con profunda sabiduría"; desviará de la cabeza de Isabel la indignación de la Zorrera "con alarde de sensatez"; estará presta para afirmar, "con austera suficiencia", la fecundidad del dolor vivido en su representación inmediata para templar el alma y cargarse de coraje; sabrá terciar observaciones "poniéndose en la realidad". La ironía, donde la hay, apenas cala por debajo de las palabras; el personaje está tomado en serio, y lo del sentido esencialmente hispánico es, sobre todo, una llamada de atención. Sabiduría popular que, en boca de Pepa Jumos, deja sentir su natural querencia hacia la expresión en octosílabos: "No te desmayes, mujer /.../ corazón de dos de Mayo /.../ ¡Bien por Simón Paternina! /

Bien por los hombres valientes /.../ para lo que me han de dar /.../ mejor estoy en el otro /.../ cara de color de cera /.../ Iba fumándose un puro / ...". Y más adelante: "Su cara bonita y pálida / y aquella caída de ojos /.../ va con el alma tan limpia /.../ Ven a mi lado, hijo mío /.../ Adiós, Simón Paternina / ...". Un romance elegíaco pleno de motivos meridionales, casi lorquianos, discurre a lo largo de aquellas palabras de la Jumos en que lo narrativo quiebra para dejar paso a la expresión lírica.[59]

Pero no es ésta la esencia del personaje, aunque no deje de ser reflejo de ella. La esencia del personaje se encuentra en la identificación con dos grandes temas del humanismo popular, tal y como éste aparece en la retina de Galdós. De una parte, el decoro ante el dolor y ante la muerte: sus primeras palabras son para sacar de su desmayo a la Zorrera, para pedirle fortaleza de corazón, para cantar el valor de Paternina, la dignidad de su semblante; las últimas, para exaltar el valor del coraje. Ella ha captado el último mensaje de Paternina: compasión hacia los que quedan "en este mundo perro", "en este pastelero valle de lágrimas"; desprecio de la muerte, en la que "no ve más que un cerrar y abrir de ojos". De otra parte —acaba de ser indicado— la honda fe religiosa que le permite encuadrar la muerte de Paternina en unas dimensiones estrictamente cristianas (líneas 126-149), y avivar la esperanza de Rafaela, que se siente humildemente pecadora pero que quedará "muy confortada" cuando escuche el mensaje de fe y de confianza que le llega a través de Pepa Jumos (líneas 176-182).

Añadamos, en fin, como tema popular la tendencia a exculpar a Isabel II, haciendo recaer la responsabilidad de la injusticia sobre "el zancarrón de

O'Donnell" o sobre "la Patrocinio, que es como culebra"; tema que, precisamente aquí y en vísperas del 68, se bate en retirada.[60]

2.2.2. *Los motivos del consuelo de Erasmo Gamoneda.*

Los consuelos que presta este viejo progresista del 54 al dolor de la Zorrera son de índole más prosaica y terrenal. Si la Jumos había recordado la entereza de los reos en capilla, la última confesión de Paternina y su limpieza de alma, Gamoneda exalta la calidad de la cena disfrutada por los reos en la vigilia de su muerte, del café y de los cigarros que les fueron ofrecidos en abundancia. Estos pormenores no son extraños ni ajenos al ritual de capillas y ejecuciones; los hermanos de Paz y Caridad procuraban por entonces —y procurarían en años sucesivos— ayudar a los reos en las horas y en los momentos de la espera. Lo que no carece de significación aquí es que, en su conjunto, el breve parlamento de Gamoneda vaya encaminado a ponderar cómo, antes de morir, Simón Paternina conoció el privilegio de ser exaltado al uso y disfrute de algunos entre los más típicos atributos externos de la burguesía: una cena totalmente ajena a los usos de las clases populares, "café a pasto, hasta que no quisieron más, y puros en cajas". Que el cigarro puro lleva en sí una connotación sociológica, incluso en nuestro tiempo, a nivel de caricatura, es cosa bien sabida; y Gamoneda pondrá especial énfasis en dejar constancia de la calidad de los cigarros, que no eran de los de estanco sino brevas de Cabañas, así como del derroche de ellos —algo inaudito para un sargento, aun en momentos de victoria— que les fuera dado hacer en la alucinante ocasión de la última sobremesa. La conciencia de integración en una sociedad jerárquica, en la que el Progreso promoverá, con el tiempo, el ascenso de cada uno, escalón tras escalón, por los niveles sociales, se manifiesta en el réquiem de este progresista, que ve en el fin de Simón Paternina algo así como una milagrosa promoción mortis causa: bistecs con patatas sopladas, cachitos de limón con el pescado frito, flanes, cigarros... Cosas de mucho consuelo para Rafaela; pero no perdamos de vista, junto a estos atisbos gastronómicos de una utopía, la imagen que expresa un talante humano: "echándole los brazos con fraternal gesto de amparo...".

2.2.3. *El llanto de Rafaela y la personificación en Simón de un esquema de virtudes populares.*

Rafaela Hermosilla (a) "la Zorrera" comparece aquí protagonizando lo que Montesinos hubiera llamado un breve y patético "medallón novelesco", incrustado en el proceso del episodio; [61] su triste destino arranca del 54, en que escuchamos a su padre, Hermosilla, el fabricante de zorros y plumeros, dolerse de cómo "ese tunante me *perdió* a mi hija mayor, la Rafaelita; después a mi segunda, la Generosa. ¡Qué dolor! Las dos andan por esas calles...". [62] Pero es aquí donde se realiza su destino —como persona y como personaje galdosiano— al vivir en su carne el drama de los sargentos, al ser sacudida por una profunda conmoción religiosa, al movilizar su indignación ética y su dolor humano frente a cuanto va a pretender derrocar la Revolución del 68.

El dolor de la Zorrera no es en principio vocinglero, sino de terror y desmayo (líneas 70-79), de llanto incesante y silencioso (líneas 155-158), de silencio torvo y preocupado (líneas 165 ss.). Romperá a hablar cuando Pepa Jumos la haya confortado con sus palabras, consolidando su esperanza. A partir de este punto, los parlamentos y las actitudes de Rafaela pasan a ocupar una posición central en el relato. En primer lugar le escuchamos un elogio de las cualidades humanas de Simón (líneas 166-171, 182-207), que desemboca naturalmente, tras una exclamación de dolor, en una invectiva contra *la Isabel.* Después, tras la descarga, sobrevendrá la mutación repentina "de afligida en iracunda y de callada en vocinglera": es el momento de las maldiciones airadas y del grito subversivo en plena calle. Luego, ya "con grave continente y estilo", el largo párrafo final a que nos referiremos en su momento.

Detengámonos en el elogio de Simón. No es difícil esbozar un esquema de las cualidades que componen la imagen, presta a la idealización, del sargento que va a ser fusilado; el esquema de virtudes que, según observación y reflexión de Galdós, concurren en el ideal humano que lleva en su mente una mujer del pueblo. La *bondad* y el *valor personal,* figuran a la cabeza y están curiosamente relacionadas. Por bondad hay que entender una mezcla de sencillez y de lealtad, que se manifiesta en la afabilidad ("aquel ángel con que sabe hablar a todo el mundo"). El valor personal aparece muy ligado a su condición militar en el elogio de la Zorrera ("mandando tropas metía miedo por su bravura"), que encontraba en ello fundamento para verle un día de general; también aquí el testimonio de Pepa Jumos viene a coincidir con el de Rafaela, y desde un ángulo harto más auténtico: recuérdese su alusión a la entereza y al despejo (= "desembarazo, soltura en el trato o en las acciones", DRAE) de que ha dado muestras, en medida más alta que sus mismos compañeros, en la noche de la capilla. También su *religiosidad* ha sido destacada por las dos mujeres, muy en especial por Pepa Jumos que sabe del talante con que afrontó la muerte por un testigo de primera mano: el cura castrense que atendió a los reos en capilla.[63] En cambio, el sobrio testimonio de Rafaela —esencialmente religiosa ella misma— ofrece dos aspectos dignos de ser subrayados: de una parte, que "no era de éstos que reniegan de Dios y de la Virgen"; de otra, la mención del carlismo de los padres de Simón como garantía de la buena enseñanza religiosa recibida en sus primeros años. En fin, eso que Rafaela llama, sin sinónimo posible, su *finura*; algo que definiríamos como "conjunto de formas externas de dicción y de comportamiento que se estiman propias de un grupo social tenido por culturalmente superior".[64] Ya la caballerosidad ("caballeros he tratado: a todos daba quince y raya mi Simón"), siendo principalmente prenda moral, queda muy cerca —siquiera sea por su procedencia semántica— de la connotación social referida; también algún rasgo fisonómico, evocado por el lirismo de la Jumos, parece apuntar en la misma dirección. Pero el testimonio decisivo al respecto es el invocado de Don Federico Nieto,[65] "aquel señor tan bien hablado": "Parece mentira que un *mero* sargento sea tan fino..."; obsérvese que con la finura se empareja el "garbo del uniforme". La valoración de esta relativa capacidad de adaptación a los usos y formas de las clases medias lleva implícito un subconsciente deseo de promoción social (cfr.: "yo que pensé verte un día de general"), y, por tanto, una concepción jerárquica de la sociedad en que se vive.

¿Virtud, o locura su compromiso político? "Perdía el tino en cuanto le hablaban de Prim, que era como decirle Libertad". Rafaela intentó disuadirle —"Simón, no te tires"—, tal vez advertida por Malrecado (líneas 379-381), temiendo que se malograra el porvenir; y ahora advierte, angustiada, que estaban con ella las razones de la prudencia —"pues ahora, toma Libertad, toma Prim"—. Sólo que ha sobrevenido la quijotización de Sancho, y que el amargo suspiro de la Zorrera —"¡Ay Dios mío de mi alma, qué pena tan grande!"— marca una divisoria. A partir de aquí, la Zorrera va a recorrer rápidamente las etapas que conducen del culto de los valores constitutivos de un humanismo popular marginado de la política, a la indignación ética frente a la injusticia de los de arriba. Y de aquí, a la asunción de una actitud externa equivalente, objetivamente, a un compromiso político; muy pronto la veremos gritar "¡Viva Prim!" a la cabeza de un "considerable grupo", preparando por tanto, en toda la pobre medida de una mujer del pueblo, los caminos de la Revolución del 68.

2.3. De la compasión a la indignación: cómo surge el asentimiento popular a un clima prerrevolucionario.

2.3.1. *La conversión de Rafaela.*

Que el conjunto de factores que hicieron posible y aun determinaron la Revolución de Septiembre es tan amplio como diverso, es cosa tan obvia que no habría que recordar aquí,[66] si no fuera conveniente despejar la sospecha de que supervaloramos el "hecho de masas" suscitado por los fusilamientos del 66 en el proceso de gestación de aquélla. Estamos, sencillamente, centrándonos sobre el aspecto que nos ofrece el concreto texto galdosiano que intentamos analizar.

Hemos hablado más arriba de una mutación en el talante de la Zorrera. Ahora bien, comencemos por tener presente que esta mutación está destinada a subrayar y a simbolizar una manifestación colectiva ya apuntada por el autor de las páginas de referencia. Cuando pasa el último de los simones, cuando la multitud ve que se le cierra el paso por la Puerta de Alcalá, "el rechazo de la curiosidad compasiva llenó la calle de protestas bulliciosas, de imprecaciones, en variedad de estilos callejeros" (líneas 162-165); cuando suena el estruendo de los tiros, toda la plebe responde a la descarga "con estremecimiento y congoja, con ayes y greguería"; "algunos del grupo se persignaron, y otros formularon airadas protestas" (líneas 222-223, 226-227); considerable grupo seguirá a Rafaela, calle de Alcalá abajo, cuando ésta grite sus voces subversivas. En fin, un halo nuevo se cierne sobre el relato cuando Galdós, abandonando la impersonalidad que lo ha presidido hasta entonces, cierra el capítulo recordando que anda Clío por medio, por más que sea una "Clío familiar, que escribe en la calle..."; una Clío encargada de conectar al pueblo con la gran historia.

En lo que se refiere a la Zorrera como símbolo, es evidente que la mutación arriba apuntada culmina en el momento en que la actitud de su cuerpo asume la réplica en el orden plástico al "tronicio graneado de tiros sin concierto" que acaba de estallar sobre la escena: se rehace, estira el cuerpo, se yergue y clama llena de ira. Acostumbrados como nos tiene Galdós a expresar literariamente imágenes de procedencia pictórica, es inevitable el recuerdo de la figura central del cuadro de Vicente Palmaroli dedicado a los "Enterramientos en la Moncloa el 3 de mayo de 1808", primera medalla en la Exposición de 1871, y que a pesar de su carácter declamatorio y retórico pudo muy bien impresionar al joven Galdós; [67] Rafaela expresaría así, no sólo el "corazón de dos de mayo" que le pidiera Pepa la Jumos, sino también la compostura externa adecuada a tal corazón cuando ha llegado el momento, definitivo, de la muerte.

Por lo demás, en el contexto de la secuencia narrativa de estas primeras páginas del episodio, el acceso de nuestros personajes a un plano de exteriorización que ya es político viene señalado, desde los umbrales del capítulo segundo, por la aparición de un nuevo personaje: Valentín Malrecado, "sujeto que por su facha y modos se revelaba como del honorable cuerpo de la policía secreta" (líneas 261 ss.). [68]

2.3.2. *Valentín Malrecado y la tertulia-velatorio en la taberna de la calle del Turco.*

Y ello no porque las expansiones verbales de Rafaela vayan a encontrar en él el dique represivo puesto por un funcionario de Orden Público; sino porque las consideraciones filosófico-históricas del policía, la información que trae acerca de los próximos fusilamientos, la claraboya que abre hacia otra forma —bien distinta a la elegida por Simón Paternina— de vivir la dificultad de los tiempos, todo ello indica que está en marcha la transición, desde el mundo espontáneo y popular que da el tono al primer capítulo, al mundo de la alta política —con Isabel II y O'Donnell en un primer plano— que hace su aparición ya en el capítulo tercero.

Por lo pronto hemos de ver aquí, en esta aparición de Valentín Malrecado, el afán de Galdós por completar su retablo de la jornada del fusilamiento con un nuevo personaje, trasplantado también, como los que hemos conocido anteriormente, del ambiente del 54. Sólo que el personaje ha experimentado una transformación. Es sabida la incertidumbre que pesa sobre el destino de los personajes secundarios de Galdós, formidable y variadísimo ejército de reserva de cuyos componentes va echando mano su creador conforme lo exigen los derroteros de su compleja trama histórico-novelesca; sus trayectorias biográficas son, pues, azarosas, y tan propicias al despliegue en toda su riqueza de matices como al súbito olvido o a la reencarnación. Erasmo Gamoneda, por ejemplo, era demasiado representativo del ingenuo progresismo histórico, en su versión popular, como para que su creador no le echara de menos cuando se acerca la Revolución de Septiembre y surgen en un primer plano las Zorreras: si estaba muerto, se le resucita y en paz. Algo semejante cabría decir de Telesforo del Portillo, el famoso *Sebo,* contrapunto picaresco de los esforzados barricadistas de *La Revolución de Julio*; también aquí era necesario para dejar constancia de la alternativa que puede ofrecer a los de abajo la oligarquía moderada: [69] dejarse matar, o dejarse corromper. Ciertamente el personaje no aparece en su identidad; sí un trasunto suyo, Valentín Malrecado, [70] dotado de algunas diferencias con respecto al modelo, entre las cuales quizá no haya ninguna tan relevante como el mero cambio de nombre. [71]

Malrecado es, como *Sebo,* hombre avezado a nadar entre dos aguas; entre la ortodoxia política que exige su empleo, y los contactos y el ejercicio de la vista gorda que exige la manifiesta insuficiencia del sueldo que recibe. Le encontramos en relaciones amistosas e incluso protectoras con respecto a los personajes que hemos conocido en el capítulo anterior; él los conducirá "a una taberna de la calle del Turco de la cual era parroquiano constante", y allí se improvisa una de esas tertulias especialmente propicias, como ha subrayado justamente Hinterhäuser, para que lo histórico se engarce con lo novelesco "partiendo de una relación vital". [72] Aunque en este caso, si bien se da expresamente la función recién aludida, tal vez resulte inadecuado el nombre de "tertulia". En realidad estamos asistiendo a un velatorio, por más que el cadáver —que nadie nombra: Simón Paternina pasó— se encuentre lejos de allí, caliente todavía, en el lugar de la ejecución. Mientras, en la taberna de la calle del Turco, el vino blanco, "bálsamo para las congojas y el mejor alivio de pesadumbres", el Cariñena, especialmente indicado para las madres que crían, y el aguardiente blanco, más adecuado, por añeja costumbre, a las personas maduras, cubren su misión de reparo y consuelo previa invitación del policía. Por mi parte, creo que es aquí, en esta ambivalencia velatorio/taberna, donde se encuentra la clave esperpéntica del capítulo; los dos brochazos de Torcuata la costurera y del medio duro de Rafaela, en los que detuvo su atención Montesinos, no serían sino manifestaciones secundarias y subordinadas de una dualidad tragicómica —mejor dicho: de una compatibilización de lo trágico, previamente desprovisto de retórica pero intacto en su esencia de tal, con el cuadro de género— que, realmente, está en el ambiente y en el escenario de todo este segundo capítulo. [73]

En tanto, aguardiente, Cariñena y vino blanco llevan a cabo su función salutífera: confortan, devuelven los ánimos, sueltan las lenguas. Y se entabla lo que a primera vista pudiera parecer un encuentro entre la mordacidad y el sarcasmo de "las señoras", y la sórdida y afectada respetabilidad, no exenta de cinismo, de Malrecado. Pero, en el fondo, lo que Galdós está desplegando ante nosotros, por mediación de sus personajes, es la dualidad ética arriba aludida; la alternativa que puede plantear a unos hombres situados en los estratos inferiores de la sociedad el conflicto entre moderantismo y revolución. Malrecado toma la iniciativa, y acompaña su pésame a Rafaela de unas consideraciones pesimistas y escépticas acerca de la Historia de España y acerca del trágico acontecimiento del día: "Hoy les toca morir a éstos, mañana a los otros. Es la Historia de España que va corriendo, corriendo... Es un río de sangre [...] Sangre por el Orden, sangre por la Libertad". [74] Más adelante, cuando ya el vino y el aguardiente han repuesto un tanto los cuerpos y los ánimos de sus invitados, Malrecado dará noticia de la prosecución de las ejecuciones (obsérvese la repetición del verbo "despachar" al referirse a la acción del consejo de guerra cerca de los sargentos: líneas 32 y 327-328); manifestará su temor y su repulsa —"esto pone los pelos de punta", "son muchas muertes"—, y sacará unas consecuencias de orden personal destinadas a sonar muy mal en unos oídos que acaban de escuchar el elogio de Simón Paternina y la descarga que segó su vida:

"estoy al servicio del Orden, que me paga mal"; "si quiere venir la Revolución, mejor": "Don Manuel Becerra, que es amigo, se ha de acordar de mí". Obsérvese que esta cínica observación ha sido intercalada por Galdós precisamente entre las referencias a la segunda y tercera cuerda de sargentos, como para dejar bien marcado un contraste. Y obsérvese también que Malrecado ha montado su comentario sobre el binomio Orden-Libertad, o tal vez más exactamente ministerialismo-revolución. Su retórica —con el pintoresco toque final, tan repetido por sus comentadores— va encaminada a justificar un viraje; una adaptación a los tiempos que se ven venir.

El coro de mujeres —Rafaela, la Torcuata, Pepa Jumos— desenmascara fácilmente, en un juego de intervenciones rápidas e incisivas en que suenan nombres que recuerdan el clima de conspiración del episodio dedicado a *Prim,* [75] la falsa coartada moral de Malrecado. No es que el Orden le pague mal; es que vive de ambos —de la Libertad y del Orden— cruzando y cobrando sus servicios a una y otro. La exigencia de sangre de la Historia de España cuenta para otros, ha contado para Simón Paternina; pero no para él. Para él ha contado otro imperativo de la Historia de España: el hambre; y Pepa Jumos, "poniéndose en la realidad", se conforma con una confesión: "Confiesa que comes con todos, Malrecado, y no te abochornes...". [76] Es la Historia de España "*por la otra punta*"; en una y otra quedan respectivamente, como símbolos, Simón Paternina y Valentín Malrecado.

El comentario de Galdós a la invectiva de las tres mujeres está cargado de una ironía que utiliza la falsa retórica, de manera muy adecuada al personaje que lleva entre manos; tan adecuada que apenas se advierte solución de continuidad —si acaso, en ese "flemático cinismo"— entre la glosa del narrador y la digna réplica del polizonte: es fácil tender el puente entre el "respeto de su autoridad" que echa de menos (?) Galdós, y el entendimiento "en la cosa pública" que esgrime Malrecado frente a las pobres mujeres. La parte final de su réplica va dirigida, a guisa de amonestación y consejo, a Rafaela la Zorrera; confróntese lo de "estando, como estás, de luto riguroso" con lo que arriba sugerí acerca de la condición de tácito velatorio que tiene la reunión en la taberna. Amonestación que dará lugar a un largo parlamento de la Zorrera que cierra decorosamente la referencia hecha por Galdós, en *La de los tristes destinos,* al tema del fusilamiento de los sargentos. Tras esta parrafada, a la que dedicamos a continuación unas líneas de comentario, concluye la reunión y el capítulo con una última ronda a cuenta de Malrecado —obsérvese cómo Galdós cierra la escena de la taberna con una insistencia en el motivo inicial: la relación amistosa, vital y humana, que cubre sobradamente la penosa discusión mantenida—, y con una esperpéntica constatación: "salieron a medios pelos" (= "medio embriagados").

2.3.3. *Rafaela: la apelación a la Providencia y el emplazamiento de Isabel II.*

Estamos ante una segunda transfiguración de la Zorrera, no menos patética que la anterior, harto más importante sin duda en la secuencia global del episodio. No siempre es fácil distinguir en Galdós la expresión levemente irónica de la que significa una llamada de atención acerca de lo que va a decir uno de sus personajes; pero aquí va en serio lo del "grave continente y estilo"; subrayado, incluso, por una sutil imagen plástica que recuerda aquella su otra mutación, al sonar el tronicio de la descarga: "levantándose para salir" (líneas 385 ss.). Su oración tiene una enorme fuerza expresiva y, al mismo tiempo, una especial significación en el despliegue del tema central del episodio: el triste destino de Isabel II se prefigura aquí, por boca de Rafaela, en el emplazamiento con que pone fin a sus palabras. Indiquemos, rápidamente, los puntos principales de este parlamento final de la que es, sin duda, el personaje femenino central de estos dos capítulos.

Primero: una religiosidad sencilla y firme, sentida y expresada de acuerdo con formas populares, impregna y dota de sentido a todo el largo párrafo, enlazando con las manifestaciones de este orden que figuran, más arriba, en ocasión del elogio de Simón. Hay alusiones a una connotación de clase —pobres en contraposición a ricos—, a partir de la cual se afirma la igualdad de todos ante Dios, la primacía de la sinceridad sobre el formalismo y, sobre todo, de la conciencia sobre la vergüenza ("vergüenza", 2.ª acep.: "pundonor, estimación de la propia honra", DRAE). Es claro que estas contraposiciones aluden implícitamente a otras formas de religiosidad más o menos oficializadas proclives al establecimiento de una zona de confusión entre "religión" y "honra" —clases altas, medios cortesanos—; así como a la identificación de esta última en cuanto a la mujer se refiere, especialmente en el cuadro de las clases medias tradicionales, con una rígida moral sexual externa. Malrecado la había exhortado a guardar unas formas externas sociorreligiosas —guardar silencio, recogerse en casa, oír una misa al paso—;

Rafaela responde afirmando los fueros de su conciencia, que es la que le dicta lo que tiene que hacer "tocante a religión", y exponiendo sus proyectos al respecto. Habrá misa por el alma de Simón; pero no la misa oída al paso, como el que cumple un trámite que cuadra con quien está en la calle y, al mismo tiempo, "de duelo y luto riguroso". Sino un sufragio, o naufragio, o como eso se llame, en que la Zorrera vuelca y compromete toda su humanidad: desde el medio duro "ganado honradamente" —y aquí se detiene morosamente, con fruición de artesana pobre, mostrándolo a todos y explicando pormenorizadamente cómo lo ganó—, hasta la iglesia de la plazuela donde conoció a Simón "viniendo yo de la verbena de San Pedro", porque ha de ser en esa iglesia y no en otra. Y su mantón negro, y la asistencia de todas las mujeres presentes al acto, con "todas las amigas que pueda recoger".

Ahora bien, es evidente que Galdós se propuso algo más que ofrecer una muestra de religiosidad popular al poner en boca de la Zorrera este discurso. También lo es, ya en el plano de la creación novelesca, que si Rafaela siente conmoverse las fibras de su religiosidad en la ocasión presente es porque ha sido motivada a ello, primero por el problema del destino ultraterreno de Simón y de ella misma, y subsiguientemente por una apelación a la justicia divina frente a las injusticias de acá abajo —"tu justicia me da asco", había clamado de la de Isabel—. El personaje ha sido conducido, en suma, por su creador, a una apelación providencial que sabemos forma parte de la más honda trama dramática del episodio dedicado a *La de los tristes destinos*.

De manera que, después de reafirmar la inocencia de Simón —"era bueno y no tuvo parte en la matanza de los oficiales"—, le coloca en presencia de Dios tras un breve paso por el purgatorio, y pone en su boca una patética denuncia que ella misma se muestra dispuesta a anticipar "en la misa de mañana". La invocación inicial de Simón, de un logrado tremendismo —muy expresivo de la sensibilidad galdosiana frente al hecho real de un fusilamiento—, viene a cerrar, en función de simetría, aquellas alusiones de comienzos del primer capítulo, relativas a la pasividad e indefensión de los reos: "... mire cómo me han puesto, cómo me han acribillado. En la mano traigo mis sesos". E inmediatamente después, una rectificación a las digresiones sobre la Historia de España que acababan de cruzar Malrecado y Pepa Jumos. La Historia de España, así, sin más, no es un río de sangre; es un río de sangre "la Historia de España que están haciendo allá la Isabel y el Diablo, la Patrocinio y O'Donnell, y los malditos moderados...". Este veredicto de la Zorrera, imputando al moderantismo —en la amplia significación del concepto, según se indicó más arriba— [77] la razón de identificar la Historia de España con una serie de sangrientas represiones, viene a contradecir la ambigua interpretación de Malrecado ("hoy les toca morir a éstos, mañana a los otros") de la que pudiera deducirse que, puestos a administrar su victoria más o menos circunstancial o estable, todos son iguales. Pero, en cambio, la desgarrada imagen de la Zorrera será refrendada nada menos que por el caballero Beramendi, mientras acompaña al destierro a su Soberana, en ese otro duelo que viene a reforzar la simetría global del episodio y al que antes me referí:

¿Qué pensarán de esto, si pueden pensar y formar juicio de las cosas de nuestro mundo, las cien mil víctimas inmoladas por Isabel desde su cuna hasta su sepulcro?... Llamo sepulcro a su destierro. Las cien mil vidas sacrificadas en la guerra de sucesión y en las innumerables revueltas intestinas por y contra Isabel, ¿qué himno de justicia tremebunda cantarán en este día? Véase la tragedia de este reinado, toda muertes, toda querellas y disputas violentísimas, desenlazada con esta vulgar salida por la puerta del Bidasoa [...]

Y esta otra idea, que viene a explicitar ideas e imágenes del primer capítulo:

Dígase lo que se quiera, la Libertad ha sido en España mansa, benigna y generosa; no ha sabido derramar más que su propia sangre, como cordero expiatorio de ajenas culpas... [78]

Prosigue el relato de Galdós: "En Hendaya formaron los Ingenieros en el andén, [79] y con rápido paso los revistó la Reina, del brazo del Rey; llevándose el pañuelo a los ojos, saludaba con ligera inclinación de cabeza. La infeliz Señora tuvo en aquel instante el momento más amargo de su tránsito a tierra extranjera"; se consuma su triste destino. Destino con su presagio en aquel patético apóstrofe de Rafaela la Zorrera, la mujer de Simón Paternina, en el otro cabo del episodio: "Isabel, ponte en guardia, que si tus *amenes* llegan al Cielo, los míos también... Con que vámonos, que es tarde".

NOTAS

[1] Benito Pérez Galdós, *La de los tristes destinos* ("Episodios Nacionales", cuarta serie). Perlado, Páez y Compañía (Sucesores de Hernando), Madrid, 1907; pp. 5-18.

[2] Véase William H. Shoemaker, *Galdós' La de los tristes destinos and its Shakespearean Connections* (en "Modern Language Notes", LXXI, 1956; reimpreso en: *Estudios sobre Gal-*

dós, Madrid, 1970, pp. 139-144). Shoemaker recoge el hecho de que fuera Antonio Aparisi y Guijarro el primero que llamara a la Reina Isabel II "la de los tristes destinos", en la sesión de Cortes del 4 de julio de 1865, profetizando las posibles consecuencias morales del reconocimiento del Reino de Italia por parte de Isabel y su Gobierno. El apelativo aparece, pues, proyectado sobre Isabel II en la obra de Galdós, no por directo influjo de *Richard III*, sino a través del apóstrofe de Aparisi, formulado, como puede verse, justo un año antes de los sucesos relatados en el episodio que encabeza tal designación: *La de los tristes destinos*.

[3] Benito Pérez Galdós, *Prim*, cap. XXII.— Cfr. final del cap. XXIX: "Prim era la luz de la patria, la dignidad del Estado, la igualdad ante la ley, la paz y la cultura de la Nación. Y tal maña se habían dado la España caduca y el dinastismo ciego y servil, que Prim, condenado a muerte después de la sublevación del 3 de enero, personificaba todo lo que la raza poseía de virilidad, juventud y ansia de vivir".

[4] Véase, en especial, la *Historia general de España* de Modesto Lafuente (continuada, para el período de referencia, por Juan Valera con la colaboración de Andrés Borrego y Antonio Pirala), t. XXIII (Barcelona, 1890), pp. 302 ss.—Antonio Pirala, *Anales desde 1843 hasta el fallecimiento de Don Alfonso XII*, libro V, cap. XXXVII (ed. Madrid, 1906; t. II, pp. 94 ss).— Francisco Pi y Margall y Francisco Pi y Arsuaga, *Historia de España en el siglo XIX*, t. IV (Barcelona, 1902), pp. 370-371.

[5] Tomo este escueto relato del clásico manual de Pío Zabala y Lera, *Edad Contemporánea* (tomo V de la *Historia de España y de la Civilización Española* de Rafael Altamira y Pío Zabala; Barcelona, 1930), vol. I, pp. 502 ss.—Al parecer, hubo un *lapsus calami* en la cifra de víctimas de la represión (76) que registra Zabala y que transcribo más adelante; las fuentes hablan de 66, y ésta creo que hubo de ser la cifra real de personas fusiladas en aquella ocasión.

[6] Tradición historiográfica propia del Sexenio; vid., por ejemplo, Carlos Navarro y Rodrigo, *O'Donnell y su tiempo* (Madrid, 1869). Esta tradición fue soslayada (no afirmada ni negada expresamente) por el mismo Galdós en *Prim* y en *La de los tristes destinos*. Lafuente deja en duda la atribución a la reina del impulso a una represión desmedida ("...Secundaran o no elevados deseos..."), haciendo recaer éste sobre "menguados palaciegos que pedían más ejecuciones" (loc. cit., p. 303), y éste parece ser también el criterio de Pirala que se limita a transcribir un párrafo de Navarro y Rodrigo (*Anales desde 1843...*, II, p. 95). Harto más dura y categórica es la acusación lanzada sobre la Reina por Pi y Margall y Pi y Arsuaga (obra y lugar citados).

[7] Véase José María Jover Zamora, *Situación social y poder político en la España de Isabel II* (en *Historia social de Espa-*

ña. Siglo XIX de la ed. Guadiana, Madrid, 1972; pp. 241-308), espec. pp. 271 ss.

[8] Es sumamente expresiva de la mentalidad a que se alude en el texto la actitud del cronista Ildefonso Antonio Bermejo ante los trágicos sucesos del verano del 66. Me refiero, no ya a la breve referencia, de corte más bien retórico, contenida en la *Historia de la interinidad y guerra civil de España desde 1868* (t. I, Madrid, 1875; p. 7), la cual no deja de prestarse, por otra parte, a un jugoso análisis; sino al amplio relato del levantamiento del Cuartel de San Gil y subsiguiente represión que aparece en *La estafeta de Palacio,* t. III (Madrid, 1872), pp. 722 ss. La atención prestada a la novelesca fuga del capitán Hidalgo (cinco páginas enteras), contrasta con el silencio acerca de los fusilamientos: ni una sola línea dedicada a los desdichados sargentos que no tuvieron, como el capitán Hidalgo o como el general Pierrad —este último, disfrazado de lacayo, según Bermejo— la fortuna de escapar a sus perseguidores.—En el texto que hemos de analizar, Galdós pone en boca del personaje femenino central —Rafaela la Zorrera— un apóstrofe que corresponde a esta ponderación recíproca: "A un general sublevado le das cruces, y a un pobre sargento, *pum*... Tu justicia me da asco" (líneas 212-214).

[9] Lafuente, obra y lugar citados: "...muriendo algunos sargentos perfectamente inocentes, pues estando para cumplir, rehusaron tomar parte en la sublevación, se quedaron en el cuartel donde fueron hallados, y como sublevados los sentenció el consejo, que no dio muestras seguramente de imparcialidad ni aun de cumplir con su deber en tan solemnes circunstancias" (p. 303).

[10] Pirala, *Historia contemporánea...*, p. 95.—Pirala continúa su referencia con una especificación de los ejecutados que ya conocemos a través de las líneas de Zabala reproducidas más arriba, e inspiradas, sin duda, en el texto de aquél: sesenta y seis individuos "entre sargentos, cabos y soldados, un antiguo coronel carlista y un paisano". Es evidente, pues, la relativa imprecisión con que tanto Galdós como, en general, toda la historiografía referente al caso, habla de "el fusilamiento de los sargentos de San Gil", como si todas las víctimas de la represión hubieran pertenecido a esta clase. El hecho, en sí, no es demasiado relevante, y bien puede responder a la simplificación expresiva de designar la totalidad por su conjunto más numeroso y significativo; sin descartar, en el caso de Galdós, la posibilidad de que sus recuerdos personales fueran referidos a una tanda integrada exclusivamente por sargentos.

[11] El cual, ante la descomedida respuesta del mayor que mandaba la fuerza, "dijo que ya que se obraba con tanta iniquidad, no podían estar presentes los ministros de Dios, y cogiendo el Cristo se retiraron" (Pirala, obra y lugar citados).

[12] Benito Pérez Galdós, *Memorias de un desmemoriado* (en t. VI de la edic. Aguilar de *Obras completas,* Madrid, 1961), pp. 1655-1656.

[13] Federico Carlos Sáinz de Robles, introducción a *Ángel Guerra* (en la edic. citada de *Obras completas* de Pérez Galdós, t. V, pp. 1197 ss.).

[14] *Ángel Guerra,* parte I, cap. III, VI.

[15] Ibídem, I, III, V.

[16] Véase al respecto Francisco Ruiz Ramón, *Tres personajes galdosianos. Ensayo de aproximación a un mundo religioso y moral* (Madrid, 1964), pp. 37 ss.—Joseph Schraibman, *Dreams in the novels of Pérez Galdós: A psychological approach* (en: "Literature and Psychology", X, IV, 1960; pp. 91-96).

[17] Acerca de la "inspiración pictórica" en la obra galdosiana, véase Hans Hinterhäuser, *Los "Episodios Nacionales" de Benito Pérez Galdós* (versión esp.: Madrid, 1963), pp. 79 ss. El eslabón intermedio entre el cuadro de Goya aludido en el texto y el vivaz trasunto de su personaje central que aparece en *Ángel Guerra* pudiera encontrarse en la descripción literaria de los fusilamientos de 1808, impresionantemente vívida y subjetivada, que aparece en la página final del episodio relativo a *El 19 de marzo y el 2 de mayo.* Pero, en realidad, es evidente que la enorme fuerza sugestiva de aquella imagen del espanto no necesitaba de eslabones intermedios para actuar, diecisiete años después de la redacción del episodio mencionado, sobre la imaginación creadora del autor de *Ángel Guerra.*

[18] Acerca del ambiente y las tensiones de la España de 1907, véase el excelente libro de Joan Connelly Ullman, *La Semana Trágica. Estudio sobre las causas socioeconómicas del anticlericalismo en España (1898-1912),* traduc. esp., Barcelona, 1972.

[19] Sobre el pesimismo y el talante humano y literario del Galdós de estos años, véanse las observaciones de José F. Montesinos, *Galdós,* t. III (Valencia, 1973), pp. 245-256. Observaciones referidas a los episodios de la serie final, pero que valen también, sin distorsión, para la gestación de *La de los tristes destinos*; recuérdese que Galdós redacta en el mismo año este episodio y la mayor parte del primero de la serie final (*España sin rey*).—Y sin embargo, como ha ponderado Casalduero, a nuestro juicio con pleno acierto, "por la ironía, por la serenidad, por la penetración histórica, por la creación de personajes, la cuarta serie quizás sea la mejor junto con la quinta que dejó sin terminar" (Joaquín Casalduero, *Vida y obra de Galdós (1843-1920),* 3.ª ed., Madrid, 1970; p. 188).

[20] Luis Antón del Olmet y Arturo García Carraffa, *Galdós* (Madrid, 1912), p. 30.

[21] Entre los más recientes, Montesinos, obra citada, III, pp. 107-108 ("...aquel acto de barbarie que tan honda resonancia dejó en el ánimo del joven Galdós —como en el del joven Ángel Guerra"). Montesinos anota aquí una observación muy

aguda, que apunta indirectamente en la misma dirección: en contraste con la preocupación por las "determinaciones cronológicas", por que cada acontecimiento importante lleve su fecha exacta, que campea en el episodio dedicado a *Prim,* surge la nota curiosa, dentro del mismo, de que ni la revuelta de los sargentos de San Gil ni la tentativa de pronunciamiento en Villarejo de Salvanés, con la subsiguiente retirada a Portugal, llevan fecha alguna. "Algunas veces —concluye Montesinos— se tiene la impresión de que Galdós supone que sus lectores conocen al dedillo la historia de estos días". A continuación, y pasando ya al episodio que directamente nos interesa, afirma que "*La de los tristes destinos* comienza con una fecha precisa, julio de 1866, y un hecho histórico destacado, pero visto en reflejo novelesco: el fusilamiento de los sargentos de San Gil". Más adelante (véase nota núm. 30) habré de poner de manifiesto que la mencionada indicación cronológica no tiene nada de precisa, y que, en el fondo, el fusilamiento de los sargentos de San Gil queda envuelto en la misma indeterminación cronológica que su revuelta.

[22] Para Casalduero, "la doble versión de este suceso hay que completarla leyendo *Ángel Guerra* y *La de los tristes destinos,* en donde vuelve a aparecer, proyectado de manera diferente", el tema del paso de los sargentos. Casalduero, que acaba de consignar que este recuerdo "quedó grabado en su mente [en la de Galdós] para siempre, y [que] en su vida intelectual y emotiva dejó profunda huella", pone de relieve justamente la mayor elaboración que, desde este punto de vista autobiográfico, recibe el tema en la novela. (*Vida y obra de Galdós...*, p. 19).

[23] Cfr. Montesinos, obra citada, III, pp. 78-81, 149-157.

[24] Hinterhäuser, *Los "Episodios Nacionales"...*, pp. 119-121, 344.

[25] Las referencias que siguen corresponden a los capítulos XXV y XXVI de *La de los tristes destinos.* Las páginas van citadas por la edición mencionada en la nota núm. 1.

[26] Benito Pérez Galdós, *La reina Isabel* (en *Memoranda,* edic. cit. de *Obras Completas,* t. VI, pp. 1414-1420).

[27] El mismo Fernando VII, tan despiadadamente presentado en el cap. XLI de *La Fontana de Oro* —obra de juventud, que, ciertamente, queda "más cerca de *Doña Perfecta* que de los *Episodios*", como apuntó Montesinos (*Galdós,* t. I, Valencia, 1968, p. 54)—, aparece relativamente desmitificado, reducido a sus dimensiones humanas, nada brillantes por otra parte, en las *Memorias de un cortesano de 1815* (espec. cap. XVI).—Por otra parte, Pilar Faus Sevilla ha publicado recientemente, en su libro sobre *La sociedad española del siglo XIX en la obra de Pérez Galdós* (Valencia, 1972), unas interesantísimas cartas de personalidades carlistas interesándose, con simpatía

y satisfacción, en el proyecto galdosiano de dedicar a Zumalacárregui uno de sus Episodios Nacionales (pp. 317-319).

[28] Es curioso anotar que en 1906 —es decir, en el inmediatamente anterior a la redacción y publicación de *La de los tristes destinos*— aparece una edición de los *Anales desde 1843 hasta el fallecimiento de Don Alfonso XII* de Pirala, la cual incluye, en su tomo II y entre las páginas destinadas a narrar la derrota y castigo de los sargentos, una estampa a toda plana, en color, representando los "Fusilamientos del 25 de junio de 1866", que pudo proporcionar a Galdós una imagen plástica del fusilamiento. Cierto que Alaminos —autor de la mencionada estampa— no es precisamente Goya; pero compuso una escena —los sargentos maniatados, arrodillados de espaldas al pelotón, cara a una miserable tapia— que tiene en relación con el texto galdosiano analizado el relativo valor de su casi contemporaneidad.

[29] La primera parte del relato de *Ángel Guerra* —es decir, la que antecede a la llegada de los reos al lugar de ejecución— contiene sin embargo, muy probablemente, noticias y recuerdos procedentes de la experiencia vivida por Galdós, y que éste no volverá a utilizar en *La de los tristes destinos*: así la vívida narración del encuentro, en la calle de Alcalá, con la "fúnebre procesión", la escolta de la Guardia Civil a caballo, la pugna de la Veterana por represar una "muchedumbre no muy grande" de curiosos, o la inolvidable imagen de los rostros de las víctimas —"lividez de la muerte" sobre "rostros atezados". En cuanto a la mujer que ofrecía cigarros a los condenados y a la negra y sarcástica respuesta de uno de éstos, parece, por lo anecdótico del relato y por lo expreso del testimonio —"Guerrita vio"—, trasunto de una imagen vivida por Galdós o escuchada muy poco después; otro tanto cabría decir del feroz esperpento de la aguadora "que intentaba vender vasos de agua fresca a las víctimas; pero hubo de salir a espetaperros". Todo lo que viene después, el arbolillo y los escombros, el hombre que parecía loco, la disposición de la escena y el fusilamiento mismo, nos consta fue ajeno a la experiencia personal de Galdós.

[30] En efecto, Galdós sitúa en una "mañana de julio", en "un día de julio del 66" la escena evocada tanto en *La de los tristes destinos* (línea 5) como en *Ángel Guerra* (parte I, cap. III, V). Ya la mención de un mes, pero no de un día, resulta imprecisa en el episodio mencionado, en comparación con la que marca la cronología de otros eventos (por ejemplo, la batalla de Alcolea o el exilio de la reina), por más que no disuene, en principio, aplicada a un hecho histórico que hubo de repetirse en distintas fechas separadas entre sí por pocos días (las sucesivas tandas de ejecuciones). Pero lo chocante es que incluso esa referencia a un mes —julio— parezca estar en contradicción con el resto de las escasas precisiones de hecho

que Galdós anota a lo largo de estos dos primeros capítulos. En efecto, el texto de Galdós afirma que se trata de "la primera tanda" de sargentos fusilados, integrada por "diez y seis nombres" (líneas 29-31); estos datos se completan con la información puesta en boca de Malrecado, según la cual "la segunda ristra de sargentos saldrá pasado mañana. Diez y ocho individuos van en ella", y "quedará la tercera cuerda de sargentos para la semana que entra" (líneas 316-318, 325-327). Ahora bien, los más autorizados relatos historiográficos nos precisan que las ejecuciones comenzaron el día *25 de junio* con el fusilamiento de *veintiún* sargentos; que la segunda ejecución colectiva tuvo lugar, en efecto, dos días más tarde (es decir, el 27 de junio), ocasionando diecinueve víctimas; en fin, que en dos nuevas ulteriores tandas fueron fusiladas veintiséis personos más, totalizando así esos "sesenta y seis individuos" que iban "fusilados hasta el 7 de julio" (cfr. Pirala, y Pi y Margall & Pi y Arsuaga, obras y lugares citados). Todo ello nos induce, pues, a poner en cuarentena la indicación cronológica —mañana de julio— puesta a la cabeza de un relato que dice versar sobre la primera tanda de ejecuciones. Es natural que Galdós quisiera iniciar el episodio con una referencia precisamente al comienzo de las mismas; ello confiere más fuerza al choque emocional sobre la sensibilidad del pueblo, al mismo tiempo que permite el efecto dramático del siniestro anuncio de Malrecado según el cual la matanza no había hecho más que comenzar. En cuanto a la discordante referencia a julio puede ser un fallo de memoria, o quizá la injerencia de un recuerdo personal (el de una mañana de julio en que Galdós presenciara el paso de unos simones correspondientes a alguna de las últimas tandas), en un relato que, por razones novelísticas, ha querido centrar sobre la primera de las mismas.—En lo que afecta al problema general de lo autobiográfico como fuente de los últimos Episodios Nacionales de Galdós, véase Hinterhäuser, op. cit., pp. 71-79.—Véase también Faus Sevilla, op. cit., cap. II; y Montesinos, *Galdós,* t. III, pp. 248 ss.

[31] José Antonio Maravall trabaja actualmente en la preparación de un libro sobre el pensamiento de Galdós, que ha de marcar, sin duda, un hito en la definición de ese contexto moral e ideológico.

[32] Hinterhäuser, op. cit., pp. 28 ss.

[33] Manuel Tuñón de Lara se ha referido a "la aportación que recibe [Galdós] del grupo generacional llamado del 68. Vive Galdós el intento renovador que comienza ese mismo año, y vive también su fracaso, lo que le deja un poso de escepticismo, que tardará años en desaparecer. Pero en su múltiple otear sobre la vida española se ha situado en la trayectoria prometedora de una burguesía liberal, y no en el anacrónico sistema social, mal disimulado con las vestiduras doctrinarias de la Constitución canovista de 1876" (*Medio siglo*

de cultura española (1885-1936), Madrid, 1970; pp. 21-22.—Véase, en relación con Galdós, todo el cap. II).

[34] Véase el artículo de M. C. Fernández-Cordero, *En el primer centenario de "La Gloriosa". La Revolución de Setiembre de 1868 vista por Pereda* (en "Boletín de la Biblioteca de Menéndez Pelayo", Santander, 1968; pp. 355-414).

[35] Es sumamente significativa al respecto la novela *Riverita* (1886), que es, entre todas las de Palacio Valdés, tal vez aquélla en que más claramente se manifiesta el despego y el alejamiento afectivo del autor con respecto a la Revolución de Septiembre. El capítulo III contiene, incluso, una disparatada referencia (disparatada desde el punto de vista histórico; no entro en la utilización novelesca de esta última) a "los fusilamientos de algunos sargentos que se habían sublevado". El hecho aparece descolocado cronológicamente, como muestra el contexto de la obra, y traducido a las formas expresivas de un café de sobremesa. Se trata, sin embargo, del drama del verano del 66, como demuestra la mención —deformada— de la anécdota del eclesiástico que intercede en favor de unos reos no abatidos por los disparos.

[36] Véanse al respecto los libros de: Vicente Cacho Viu, *La Institución Libre de Enseñanza.—I. Orígenes y etapa universitaria (1860-1881)* (Madrid, 1962); María Dolores Gómez Molleda, *Los reformadores de la España contemporánea* (Madrid, 1966), espec. cap. V; Antonio Jiménez-Landi, *La Institución Libre de Enseñanza y su ambiente.—I. Los orígenes* (Madrid, 1973).

[37] La expresión, significativa del clamor de todo un conjunto de pensadores y sociólogos inscritos en la línea regeneracionista, corresponde como es sabido a Joaquín Costa, *Oligarquía y caciquismo como la forma actual de gobierno en España: urgencia y modo de cambiarla* (Madrid, 1902; segunda edición aumentada), p. 15.

[38] Véanse los testimonios recogidos por Hinterhäuser, op. cit., pp. 118-119.

[39] Sherman H. Eoff, *El pensamiento moderno y la novela española* (Barcelona, 1965), p. 151.

[40] Hinterhäuser, op. cit., pp. 117 ss.

[41] Pérez Galdós, *Zaragoza*; apud Hinterhäuser, p. 120.—El contexto de estas líneas —final del penúltimo capítulo del episodio indicado—, así como el hecho de haber sido redactadas en abril del 74, poco después del naufragio de la República del 73 tras el golpe de Estado de Pavía, son datos a tener muy en cuenta para valorar las reflexiones que allí expresa Galdós.

[42] Pérez Galdós, *Los Apostólicos*, cap. VI; apud Hinterhäuser, ibídem. Las palabras que copio en el texto datan, pues, de 1879.

[43] En efecto, la imagen del hombre vencido, entregado a la justicia de sus vencedores, obligado coactiva e inexorablemente

a participar en un proceso encaminado a su destrucción —comparecencia a un juicio sumario y parcial, marcha al lugar del suplicio donde le será administrada la muerte de acuerdo con un ritual preestablecido—, y que muestra en la faz su resignación ante el suplicio, queda suficientemente bosquejada en el texto galdosiano, como intentaré precisar más adelante (2.1.2.; nota núm. 55). La relación, más o menos remota, que el lector establece con los temas del texto profético de Isaías (Is 53, espec. 7-8 y 11), queda reforzada en el parlamento de Rafaela que cierra el cap. II ("Señor Santísimo, mire cómo me han puesto, cómo me han acribillado"), y ello inmediatamente después de dejar afirmada la inocencia de Simón en la matanza de los oficiales, motivo formal de la condena a muerte.—En cuanto a las reminiscencias, ya neotestamentarias, del tema de la Pasión, véase más adelante, 2.1.3.

[44] Recuérdense los capítulos cartageneros de *La primera República* (espec. XXVI y XXVII), tan cargados de simbolismo. Los herreros de Santa Lucía, "forjadores de los caracteres hispanos del porvenir", trasuntan una inspiración plástica de indudable procedencia velazqueña ("La fragua de Vulcano") al marco minero e industrial de una ciudad que era llamada, por los días en que redactaba Galdós este episodio, "el Bilbao del Mediterráneo".

[45] Véase Hinterhäuser, pp. 126-127.—Como habrá observado el lector, he intentado dar al concepto "pueblo", en cuanto principal protagonista de la obra galdosiana —junto con las clases medias—, un significado sociológicamente más preciso que el apuntado aquí por Hinterhäuser. El término "pueblo" como equivalente de "la nación toda", constituida a su vez "sobre todo por la clase media", tiene un mero valor retórico y generalizador en amplias reflexiones históricas; pero no resiste la aplicación a cada página galdosiana en que la "gente del pueblo" es inconfundible con las gentes de clases medias en cualquiera de sus grupos. Piénsese, por ejemplo, en *Fortunata y Jacinta* y, sin ir más lejos, en el mismo texto que estamos comentando.

[46] Montesinos se ha referido a Erasmo Gamoneda como una de "las figuras obligadas en todos los motines, en todas las asonadas"; "el honradísimo y brutísimo Erasmo Gamoneda, el fabricante de obleas, lacre y fósforos —su tienda, su vida, su medio, todo lo que a él se refiere es del mejor Galdós—; hombre de óptima intención [...]" (*Galdós,* III, p. 121).—Para una semblanza del personaje véase Galdós, *La Revolución de Julio,* espec. caps. XXVI, XXVII y XXVIII; su muerte, como queda indicado, al final del cap. XXX.

[47] Galdós, *La Revolución de Julio,* cap. XXVII (pp. 289-290 de la edic. de 1909).

[48] Galdós, *Fortunata y Jacinta* (Madrid, 1887); véanse espec. parte primera, cap. V; parte tercera, caps. II y III.

[49] Véase, por ejemplo, *Zumalacárregui*, cap. VI; *La campaña del Maestrazgo*, caps. IV, XIV, XV; *Vergara*, cap. II; y los capítulos finales de *Montes de Oca*.

[50] Hinterhäuser recuerda al respecto (op. cit., pp. 184-185) unas palabras que Galdós pone en boca de Salvador Monsalud, en *El Grande Oriente*: "Hemos vencido, basta ya de violencia. El derrotado, bastante amargura tiene en su derrota. Seamos generosos". Y apostilla: "en estas famosas palabras pronunciadas por el héroe ideal de Galdós, Monsalud, después del afortunado levantamiento liberal de 1820, hemos de ver el sentido más profundo del mensaje ético-político de los *Episodios Nacionales*".

[51] Véase el cap. XXV de *Carlos VI en La Rápita*, episodio redactado por Galdós en abril-mayo de 1905. En el relato que allí se hace del fusilamiento del general Ortega encontramos símbolos, comparaciones y expresión de sentimientos que hacen pensar en referencias hechas por el mismo Galdós, en otros lugares, al fusilamiento de los sargentos del 66: "Sentí aflicción hondísima, terror, vértigo, cual si me viera al borde de un abismo negro y sin fondo. Quise huir, mas ya no era posible: la multitud me enclavijaba en su cuerpo macizo. En mi retina se estampó la imagen del reo, calificado de traidor. Lo sería; mas a mí se apareció revestido de todo el esplendor de la dignidad... Cuando ví que se apartaban de él los curas; que le dejaban solo, cruzado de brazos, sin vendar los ojos, y que él miraba impávido los fusiles que pronto apuntarían a su pecho, cerré los ojos... No quería yo ver tal ultraje a la Naturaleza. Mi temblor y el temblor de todos anunciaban un cataclismo del mundo moral...". El contexto del párrafo transcrito no hace sino subrayar, aquí y allá, la correlación que ha sido apuntada.

[52] "Un rasgo que sólo se manifiesta en los personajes secundarios es [...] el de la caracterización por el modo de hablar [...]. En la mayor parte de los casos, este rasgo tiene la misión estética de proporcionar en la narración una nota humorística (de relajación y de contraste)" (Hinterhäuser, op. cit., p. 307). Relajación y contraste es, sin duda, la función encomendada por Galdós a la forma en que profiere la Jumos una exclamación cargada, por otra parte, de significación dramática.

[53] Cfr. Montesinos, *Galdós*, III, pp. 235 ss.

[54] *Los duendes de la camarilla*, cap. XX.

[55] En cuanto a la aceptación resignada de su destino por parte de las víctimas y, concretamente, por Simón Paternina (en relación con el tema a que aludí en la nota núm. 43), véanse líneas 64 ss., 95 ss. y, sobre todo, 137 ss. Que el talante de los reos aparece en este capítulo sutilmente idealizado en el sentido de la serenidad —tal vez buscando una armonía de conjunto acorde con la posible inspiración bíblica que allí apunté—, es cosa que se advierte fácilmente sin más que com-

parar las referencias señaladas con las que aparecen en el relato de *Ángel Guerra.* Según este último, "algunos llevaban ya la lividez de la muerte impresa en sus rostros atezados; los menos querían aparentar una serenidad que se les caía del semblante, como máscara mal sujeta"; según el relato de *La de los tristes destinos,* "casi todos los reos iban serenos y resignados".

[56] Es oportuno recordar aquí, por otra parte, la observación de Casalduero según la cual en *La revolución de Julio,* episodio escrito entre 1903 y 1904, se manifiesta quizá con especial intensidad el desaliento que producen en Galdós el desastre del 98 y el ambiente político y social de comienzos del XX; para el autor mencionado, en este episodio "Galdós se muestra completamente decaído". Y cita unas frases del mismo: "Mis ilusiones de ver a España en camino de su grandeza y bienestar han caído y son llevadas del viento. No espero nada; no creo en nada"; frases, comenta Casalduero, que "son las más explícitas, las que condensan el dolor y la depresión de ánimo que siente Galdós y que impregnan todo el episodio" (*Vida y obra de Galdós...,* p. 151). Que tres años después, al abordar, por exigirlo así la ilación de los Episodios, la narración de un hecho que tan profundamente le impresionara como el fusilamiento de los sargentos, Galdós traspusiera, no sólo un talante, sino también el conjunto de personajes que le ayudaron a explicitarlo en su relato de *La revolución de Julio,* no resulta del todo inverosímil. Recuérdese que en los episodios comprendidos entre uno y otro predomina la nota de extraversión narrativa, no exenta de fruición épica y colorista (*Aita Tettauen, La vuelta al mundo en la Numancia, Prim...*).

[57] Galdós alterna la designación genérica "coches" con la concreta "simones" al referirse a los vehículos que conducen a los sargentos al lugar de su ejecución. No obstante, la coincidencia de esta última ("simón" = coche de alquiler) con el nombre del personaje central del capítulo —*Simón* Paternina; cfr. "fúnebres simones", línea 62— plantea la probabilidad de que nos hallemos ante uno de esos "nombres alusivos", tan del gusto y de la utilización de Galdós. La fuerza plástica de la escena del desfile de los reos hubo de llegar a aquél, no mediante una procesión de personas, sino mediante una procesión de simones, cada uno de ellos con su pareja de condenados en el interior. Más arriesgado sería relacionar el apellido del sargento —Paternina— con la raíz (padecer, padecimiento) contenida en sus tres primeras letras. Acerca de los nombres alusivos o significativos en la obra de Galdós, véase Casalduero, *Vida y obra de Galdós...,* referencias dispersas, pero espec. pp. 238-239; Hinterhäuser, op. cit., pp. 284-289.

[58] Es preciso recordar que Rafaela la Zorrera, a la que cabe en estos dos capítulos un papel protagonista pleno de simbolismo ético, ha sido transfigurada por su creador a tal objeto,

precisamente aquí; el contexto biográfico del personaje mereció de Montesinos una valoración poco piadosa ("Las dos *Zorreras* hacen tragicómico cuanto tocan" ... "mezcla de ordinariez y buen sentido que caracteriza tantas veces los tipos populares de Galdós, por abyectos que sean, y las *Zorreras* han llegado a serlo mucho"; *Galdós,* III, p. 239). Véanse, en relación tanto con éste como con los demás personajes que se mencionan en el texto, los capítulos finales de *La Revolución de Julio* y los primeros de *O'Donnell.*

[59] No deja de ser curioso traer aquí la observación, análoga a la que acabo de hacer sobre las palabras de Pepa *Jumos,* hecha por Shoemaker sobre el mismo título del episodio *La de los tristes destinos*; "striking title", el cual "has the rhythm and metrical structure of an octosillabic *verso de romance*" (en: *Galdós' La de los tristes destinos*... cit. supra, p. 139).

[60] Así tendremos ocasión de comprobarlo en el parlamento final de Rafaela, que cierra el texto que estamos comentando, en el cual se hace recaer la responsabilidad de una historia sangrienta sobre "la Isabel y el Diablo, la Patrocinio y O'Donnell, y los malditos moderados". Cfr. líneas 207-209: "Yo confiaba... ¿verdad, Generosa? confiábamos en que *la Isabel* perdonaría...".

[61] Montesinos, op. cit., III, pp. 231 ss.: "En la materia histórica de un episodio Galdós incrusta un breve esbozo de novela que no es más que eso: la presentación de un acaecimiento humano, el culminar de una pasión incontrastable, el cumplirse un destino indefectible, el lograrse o malograrse una vida".

[62] *La Revolución de Julio,* cap. XXXI (ed. cit., p. 321).

[63] Este Ibraim, "curángano de tropa", es evidente reaparición o reencarnación del don Víctor Ibraim, o Ibrahim, que nos presenta D. Pedro Hillo, en octubre de 1837, como "capellán castrense, antaño en la Guardia Real, hogaño en un regimiento de artillería, y tengo que calificarle, con perdón, como uno de los más soberbios animales que han comido pan en el mundo [...]"; "marcial presbítero, andaluz por más señas". Pocas páginas después, otro presbítero, D. Fernando Maltrana, se referirá con el espíritu quebrado a los fusilamientos ordenados por Espartero en Miranda por las fechas indicadas: "no tuvimos que esperar largo tiempo los ministros espirituales, porque los de la ley humana *despacharon* en un periquete [...]. Ibraim me pareció satisfecho de contribuir con su capacidad eclesiástico-castrense a la purificación del ejército. Encontraba muy natural la pena, y se condolía de que hubiera tardado tanto su aplicación. Mejores entrañas revelaban los otros tres compañeros [...]" (*Vergara,* caps. I y II).—Que sea precisamente Ibraim el capellán castrense movilizado por Galdós, casi treinta años después de lo narrado en *Vergara,* para asistir en sus últimas horas a los sargentos de San Gil puede tener algún fundamento histórico real; lo ignoro, y desde luego lo creo poco probable.

Mucho más probable me parece —de acuerdo con la función atribuida por Galdós a sus personajes secundarios— que, al aparecer la figura del capellán "fuera" del mundo popular y de los sentimientos colectivos que impregnan este primer capítulo de *La de los tristes destinos,* e integrada, por tanto, en el impersonal e inexorable mecanismo que ha decidido, hasta en sus pormenores, el destino de los sargentos, haya requerido precisamente la presencia de don Víctor Ibraim —menos disonante con aquél— con preferencia a la del impresionable, humanitario y evangélico D. Fernando Maltrana, pongo por caso. El verbo *despachar* (que he subrayado en uno de los párrafos transcritos) aparece en *Vergara* muy ligado al talante de Ibraim en tal ocasión; cfr. la significación de la palabra en el texto referido en esta nota, con aquella a que aludo más adelante, en la página 90 de este comentario.

[64] La acepción más afin al vocablo aquí aludido que da el *Diccionario* de la RAE ("finura" = "urbanidad, cortesía") deja escapar el matiz de diferenciación social que la palabra ha tenido y tiene todavía en determinados medios populares o de clases medias tradicionales. En el lenguaje coloquial de estas últimas, "una persona fina" no es tanto una persona cortés, como una persona socialmente selecta (aunque forme parte del propio grupo).

[65] Al cual conocimos en *Los Ayacuchos* (cap. XXXI) como joven "honradote, de buena posición, elegante, con un barniz parisiense que le hace parecer lo que no es" (edic. de 1916, p. 309).

[66] Véase al respecto el reciente artículo de José Fontana sobre "Cambio económico y crisis política. Reflexiones sobre las causas de la Revolución de 1868", en *Cambio económico y actitudes políticas en la España del siglo XIX* (Madrid, 1973), pp. 97-145.

[67] Nos consta la atención prestada por Galdós a la pintura de Palmaroli, al que mencionará reiteradamente, entre los años 1887 y 1890, entre los maestros de antaño que, después de obtener los primeros premios en las Exposiciones Nacionales de Bellas Artes, han dejado de figurar en sus catálogos. Refiriéndose a estas últimas, podrá escribir Galdós en junio del 87: "He visto todas las que se han sucedido desde hace veinte años" (Véase Shoemaker, *Las cartas desconocidas de Galdós en "La Prensa" de Buenos Aires,* Madrid, 1973; pp. 243 ss., 402 ss.).

[68] Facha y modos que no cuadran exactamente con los del tipo de policía secreta que registrara el mismo Galdós como una de *Las siete plagas del año 65* (es decir, del año inmediatamente anterior al aquí referido). Por entonces —cuenta Galdós en el tono ligero de sus crónicas periodísticas de aquella época— "reinaba en Madrid una alarma espantosa. Formábanse corrillos de maledicientes, hablábase en todos los tonos imaginables

del ministerio que entonces se entronizaba en el poder, y se temía entre todas cosas la presencia de un culto y bien educado individuo de la policía secreta, que a lo mejor de la discusión enseñara no sabemos qué bastón mágico y condujera bonitamente a los interlocutores a la prevención. Los cafés estaban plagados de esos individuos" (artículo publ. en "La Nación", Madrid, 31 diciembre 1865; ed. de William H. Shoemaker, *Los artículos de Galdós en "La Nación"...*, Madrid, 1972, p. 251). La forma súbita de aparecer el personaje, e incluso el momento en que surge, en el comienzo del cap. II de *La de los tristes destinos* guarda no escasa semejanza con lo allí esbozado; la traza externa del personaje (líneas 261-270) guarda empero relación inmediata con el tipo de procedencia en el marco de los Episodios Nacionales, Telesforo del Portillo, alias *Sebo*. Sobre ello volvemos más adelante.

69 Es claro que siempre que hago referencia en estas páginas al moderantismo, a la oligarquía moderada, etc., estoy dando a estas expresiones, no su significación estricta (derivada del concreto "partido moderado", susceptible de ser contrapuesto, en la época a que hace referencia el texto analizado, a la "Unión Liberal" de O'Donnell). Sino la que corresponde al régimen oligárquico, formalmente liberal y parlamentario y filosóficamente doctrinario que cubre, bajo la dirección inmediata de unos u otros, la mayor parte de la era isabelina. Véase mi artículo arriba citado *Situación social y poder político en la España de Isabel II.*

70 Estamos, evidentemente, ante un nombre alusivo. Lo de "Malrecado" lo mismo puede hacer referencia al mal recado (recado = "precaución, seguridad") que aporta a la sociedad semejante policía; al mal recado (recado = "mensaje o respuesta que de palabra se da o se envía a otro") de que fuera portavoz cuando avisó a Rafaela "del mal que a Simón le vendría por meterse en aquellos dibujos" (líneas 379-381); o a la significación global de la locución "mal recado" (= "mala acción, travesura, descuido". DRAE). En cuanto al nombre de Valentín, aplicado a este sujeto, puede interpretarse, sin forzar las cosas, como un irónico diminutivo de "valiente".

71 Sobre el parentesco entre ambos tipos, *Sebo* y Malrecado, véase Montesinos, op. cit., III, pp. 220-221.—Acerca de la traza física y moral de Telesforo del Portillo (a) *Sebo,* véase el cap. XII de *La Revolución de Julio.*—La primera página del cap. III de *La de los tristes destinos,* que continúa inmediatamente el texto aquí analizado, contiene una jugosa semblanza personal de Malrecado de la que por cierto no sale éste muy favorecido —sordidez, corrupción, cinismo—. Por lo demás, es evidente que Galdós ha confiado al ubicuo Malrecado la función de conectar dos ambientes y dos medios sociales tan distintos como son los de los capítulos II (taberna de la calle del Turco) y III (Palacio; alta política).

[72] Hinterhäuser, op. cit., p. 234.

[73] Cfr. Montesinos, op. cit., t. III, p. 239.—Como apreciación global, Montesinos se limita a observar que los dos primeros capítulos de *La de los tristes destinos* —es decir, los dos aquí analizados— "son sainetescos y macabros a la vez en alto grado".

[74] Como se ha visto, Valentín Malrecado, "hombre sin ninguna instrucción" (cap. III), no se ha elevado por sus propios medios a estas sombrías lucubraciones filosófico-históricas, sino que cita sus autoridades: don *Toro Godo* y Juan Santiuste, alias *Juanito Confusio*.

[75] Véanse las referencias dedicadas a Chaves y a don Ricardo Múñiz en *Prim*, cap. XXVIII.

[76] Obsérvese que en la actitud comprensiva de Pepa Jumos hacia la capacidad de acomodación de Malrecado juega un factor que vale la pena señalar: una subyacente distribución de papeles y actitudes por edades: "cuando vamos para viejos, traemos a casa todos los rábanos que pasan"; es entonces cuando "en comer de esta olla y de la otra no hay ningún desmerecimiento" (líneas 349-352).—Por lo demás, fuera ya de la reunión en la taberna, cuando Galdós nos presenta la verdad del personaje en los comienzos del capítulo III, aprendemos que no era hambre, sino avaricia y sordidez —tal vez consecuencia, en última instancia, de un atávico miedo al hambre— lo que motivaba el comportamiento ambiguo de Malrecado: "Era solo y cínico; de su empleo había hecho una granjería sorda, que sin ruido le daba para vivir desahogadamente, ocultando su bienestar debajo de una mala capa y de ropas que ya eran viejas cuando pasaron de ajenos cuerpos al suyo desgarbado...".

[77] Véase la nota núm. 69.—En efecto, obsérvese cómo Rafaela globaliza su condena haciéndola recaer conjuntamente sobre la Corte, sobre O'Donnell —caudillo de la Unión Liberal— y sobre el partido moderado. Es decir, sobre las fuerzas que, de hecho, se habían identificado con el régimen.

[78] *La de los tristes destinos*, cap. XXXVI (pp. 369-370 de la edic. cit.).

[79] "Media compañía de Ingenieros" había sido encargada de escoltar hasta Hendaya a la reina destronada; "dos oficiales de Ingenieros" entran, junto con un Diputado de la provincia, en el mismo coche de primera en que lo hace Beramendi... Esta triple mención, en apenas dos páginas, no puede menos de reforzar, por vía acústica, aquella impresión de buscada simetría entre el inicio y el desenlace del episodio que quedó analizada en las páginas 43-45; recuérdese "la vulgar fachada del cuartel de Ingenieros" (líneas 17-18) que forma parte del escenario del primer capítulo.

Barojiana: el "Elogio sentimental del acordeón"

JOSÉ LUIS VARELA

"EL AUTOR.—¿No habéis visto, algún domingo, al caer la tarde, en cualquier puertecillo abandonado del Cantábrico, sobre la cubierta de un negro quechemarín, o en la borda de un patache, tres o cuatro hombres de boina que escuchan inmóviles las notas que un grumete arranca de un viejo acordeón?

Yo no sé por qué, pero esas melodías sentimentales, repetidas hasta el infinito, al anochecer, en el mar, ante el horizonte sin límites, producen una tristeza solemne.

A veces, el viejo instrumento tiene paradas, sobrealientos de asmático; a veces, la media voz de un marinero le acompaña; a veces también, la ola que sube por las gradas de la escalera del muelle, y que se retira después murmurando con estruendo, oculta las notas del acordeón y de la voz humana; pero luego aparecen nuevamente, y siguen llenando con sus giros vulgares y sus vueltas conocidas el silencio de la tarde del día de fiesta, apacible y triste.

Y mientras el señorío del pueblo torna del paseo; mientras los mozos campesinos terminan el partido de pelota, y más animado está el baile en la plaza, y más llenas de gente las tabernas y las sidrerías; mientras en las callejuelas, negruzcas por la humedad, comienzan a brillar debajo de los aleros salientes las cansadas lámparas eléctricas, y pasan las viejas, envueltas en sus mantones, al rosario o a la novena, en el negro quechemarín, en el patache cargado de cemento, sigue el acordeón lanzando sus notas tristes, sus melodías lentas, conocidas y vulgares, en el aire silencioso del anochecer.

¡Oh, la enorme tristeza de la voz cascada, de la voz mortecina que sale del pulmón de ese plebeyo, de ese poco romántico instrumento!

Es una voz que dice algo monótono, como la misma vida; algo que no es gallardo, ni aristocrático, ni antiguo; algo que no es extraordinario ni grande, sino pequeño y vulgar, como los trabajos y los dolores cotidianos de la existencia.

¡Oh, la extraña poesía de las cosas vulgares!

Esa voz humilde que aburre, que cansa, que fastidia al principio, revela poco a poco los secretos que oculta entre sus notas, se clarea, se transparenta, y en ella se traslucen las miserias del vivir de los rudos marineros, de los infelices pescadores; las penalidades de los que luchan en el mar y en la tierra, con la vela y con la máquina; las amarguras de todos los hombres uniformados con el traje azul sufrido y pobre del trabajo.

¡Oh, modestos acordeones! ¡Simpáticos acordeones! Vosotros no contáis grandes mentiras poéticas, como la fastuosa guitarra; vosotros no inventáis leyendas pastoriles, como la zampoña o la gaita; vosotros no llenáis de humo la cabeza de los hombres, como las estridentes cornetas o los bélicos tambores. Vosotros sois de vuestra época: humildes, sinceros, dulcemente plebeyos, quizá * ridículamente plebeyos; pero vosotros decís de la vida lo que quizá la vida es en realidad: una melodía, vulgar, monótona, ramplona, ante el horizonte ilimitado..."

(Pío Baroja, *Paradox, rey*. En *Obras completas*, Madrid, Biblioteca Nueva, t. II, 1947, 169-70.)

COMO una confidencia lírica en medio de acción y diálogos extravagantes, este "elogio" —simple, directo, sin artificio oculto ni patente, sin apenas conexión con lo que precede y menos con lo que sigue en la novela, ingenuo, inmarchitable— se hizo pronto famoso y consiguió un rarísimo favor para textos en prosa: ser, como un poema, aprendido de memoria por los jóvenes de la generación de 1914.[1] Baroja tuvo conciencia de su acierto y de su valor de pieza independiente: lo reprodujo mucho más tarde en un volumen de cuentos y lo escogió entre su obra para grabarlo con su propia voz en el Archivo de la Palabra.[2]

La melancolía cantábrica nos reboza, como una ola, con su interrogante inicial y su apelación directa ("¿No habéis visto...?"). Las indeterminaciones —temporales, locales, numerales— del arranque (*algún domingo, al caer la tarde, en cualquier puertecillo,* quechemarín o patache, *tres o cuatro hombres*) nos sitúan ante la nebulosa vaguedad melancólica del escenario, pero no por indiferencia o ignorancia del autor, sino por la inhibición volitiva

* *quizás,* en 1906.

en toda atmósfera sentimental, como la que necesariamente crean un acordeón viejo, el puerto abandonado, las tardes deshilachadas de los domingos. En esta atmósfera parecen carecer los elementos de fronteras, son inaprehensibles y fluidos: melodías sentimentales, al anochecer, infinito, mar, horizontes sin límites.... Ese "yo no sé qué" parece, pues, un alivio o petición de auxilio; es un resuello, para dar paso a nuevos elementos descriptivos que, como la ola o la melodía del viejo instrumento, dejará paso a su vez a una nueva exclamación, a un nuevo escape lírico. No se oculta el estado afectivo de partida y de llegada: *una tristeza solemne.* Y aun la monotonía producida por la repetición de elementos viene a determinar la palabra clave del sentimiento del autor: tarde *triste,* notas *tristes, tristeza* de la voz cascada. Estamos ante un mundo usado, gratamente cotidiano, hasta gastado; las callejuelas del pueblo marinero son negruzcas, las lámparas eléctricas están cansadas, el acordeón es viejo, pasan unas viejas a su novena, los hombres están uniformados con el traje del trabajo, las melodías son conocidas.

El conjunto resulta cómodamente vulgar; los giros de la canción, la melodía, su lección o "las cosas todas" son *vulgares.*

Baroja se identifica con el viejo instrumento por su modestia y por su verdad: porque dice lo que la vida realmente es. Se identifica, mediante su arte sin artificio, con la vida. Establece por modo dialéctico —frente a la corneta delirante, la fantasiosa guitarra, el tambor trepidante y belicoso— su simpatía por lo monótono, ramplón, plebeyo y cotidiano de la existencia. Hay, pues, dos elementos progresivos en el texto: las exclamaciones, que mantienen el tono evocativo para dar paso a otra parcela descriptiva, y la antítesis arte-vida, que conduce a una afirmación estética: el menosprecio de la Estética.

De los aspectos formal e ideológico volveremos a hablar. Ahora, los datos suministrados por la memoria nos hacen dirigir la atención a otras obras de Baroja en las que surgen —como vergeles inesperados dentro de la acción, como un oasis de subjetividad dentro de la garrulería, tan chispeante como extravagante, de los personajes— escapes líricos similares. Por lo pronto, el mismo *Paradox, rey* ofrece el "Elogio de los viejos caballos del tío vivo" y el "Elogio metafísico de la destrucción"; *El laberinto de las sirenas* nos brinda "Los mascarones de proa", "La canción del capitán Galardi" o "La canción de la libertad del mar"; *La caverna del humorismo* contiene una "Balada de los buenos burgueses"; el *Tablado de Arlequín* nos provee de otro ejemplo semejante con "triste país"; *Juventud, egolatría* contiene la canción masoquista "No serás nunca nada"; *La leyenda de Juan de Alzate,* en fin, "Los ferrones", "Los marineros de Fuenterrabía", "El mar", "El aventurero", etc. Podría componerse una bella antología de divagaciones, en las que, como en una canción, se repite siempre, a modo de estribillo, una frase significativa:

A mí dadme los viejos, los viejos caballos del tío vivo
("Elogio")

¡Mascarones! ¡Viejos mascarones de proa!
("Los mascarones de proa")

¡Capitán! ¡Capitán! Ya es tiempo de partir
("Canción del capitán Galardi")

¡Thalassa! ¡Thalassa! ¡El mar!
("La canción de la libertad del mar)"

Buen vino, buen botín, chicas guapas en los puertos, y ¡ade-
[lante!
("Los marineros de Fuenterrabía")

¡Dale, Machin! Resuene de día y de noche nuestra canción
[del martillo: ¡tin tan, tin tan!
("Los ferrones")

Vosotros sois la parte; yo soy el todo. Vosotros sois la línea;
[yo soy la esfera
("El mar")

¡Viva el lujo! ¡Viva la alegría! Gozad, gozad, buenos bur-
[gueses.
("Balada de los buenos burgueses")

La lista admite prolongación.[3] Lo curioso, sin embargo, no es la libertad insólita que el novelista se concede para la inserción de este *collage,* porque en punto a libertades —sean ideológicas o formales, sean de procedimiento o de falta de procedimientos— está el lector de Baroja curado de todo espanto; lo curioso es la inclusión de estos fragmentos en libros genéricamente distintos, lo que, por supuesto, implica la fluidez genérica en la que el autor se mueve a gusto. Los elogios del acordeón, de la destrucción o de los caballos del tío vivo reaparecen como piezas independientes en *Nuevos cuentos,* y la "Balada de los buenos burgueses" forma parte de un libro de ensayo. Y todos, desde el título a sus recursos, evidencian su entraña lírica ("canción", "balada", "elogio" se titulan; se montan todos sobre la repetición evocadora). Se trata generalmente de un *collage* expresionista. En la "Paleta del arte de hacer novelas" de Pío Baroja, cartel grafiado que le dedica en 1927 Giménez Caballero, una de las manchas de la paleta dice: "manchones líricos intercalados en la acción como divagaciones sentimentales".[4]

Pero sucede que esas divagaciones surgen de un subsuelo ideológico, a veces explícito, montado sobre una antítesis polémica que implica una agresividad intelectual, y por lo tanto una intención ideológica; las divagaciones rebasan, pues, la pura efusión. Con lo cual, ¿son ensayo o son mera canción?

La omnipresencia amistosa y al par disidente de Ortega en las páginas de don Pío (*La nave de los locos, El Tablado de Arlequín, La caverna del humorismo, Divagaciones apasionadas, Memorias,* etc.) tienen su origen, a mi ver, en que Baroja "también" opina; opina de lo suyo, que es de lo que sabe, y con libertad; quiere moverse con holgura personal dentro de los géneros y le sobran definiciones teóricas más o menos dogmáticas, programas apriorísticos, etc. Baroja se sabe artista que configura, al que no siempre resulta certero e imprescindible el intelectual que formula. Baroja ensaya con su oficio y escribe ensayos sobre su oficio.

Los elementos líricos del "elogio" son su *prima facies*: lo subjetivo, que se advierte ya en ese "El autor" o connotación teatral del comienzo, irrupción en el escenario de un inesperado personaje que interrumpe la acción de los protagonistas, y se advierte también en la abundancia afectiva de exclamaciones e interrogaciones. Las reiteraciones verbales, la repetición casi paralelística de las exclamaciones *(oh la enorme tristeza; oh la extraña poesía; oh modestos acordeones...)* son un recurso, tan viejo como el mundo, de la poesía popular y lírica. La brevedad, la casi instantaneidad, lo no progresivo del estado descrito, pertenecen también a un rasgo inequívocamente lírico; Baroja no narra, no argumenta, simplemente prefiere y exclama, exhibe su gusto personal y un estado de alma. [5]

Dicho esto, recordemos que el "elogio" está montado sobre una antítesis que parece otorgarle un matiz ensayístico; esta antítesis nos conduce a una de las características más acusadas de su obra: una actitud beligerante propicia al improperio.

Una forma de pedir compañía.

Ya en 1917 (en *Juventud, egolatría*) reconoce su fama de hombre agresivo y refuta a su amigo Ortega por calificar de improperios lo que él considera mera "forma violenta" de manifestar sus preferencias.

En el *Tablado de Arlequín* recuerda haberle dicho la Pardo Bazán que no era propiamente un intelectual, sino un sensual; a lo que, pasado el tiempo, don Pío asiente con estas palabras:

> Yo no soy un intelectual, ni un hombre de discurso, ni un hombre de pensamientos profundos, no; no soy más que un hombre que tiene las grandes condiciones para no hacer nada. Yo, si pudiese, no haría más que esto: estar tendido perezosamente en la hierba, respirar con las narices abiertas como los bueyes el aire lleno de perfumes del campo, ver cerca de mi las pupilas claras y dulces de una mujer sonriente... [6]

Demasiado idilismo, sin duda; idilismo que no disgustaría a muchos intelectuales. Verdad a medias, en realidad. O fuga ocasional de la verdad recta. Porque si dice Baroja que ni en la lógica ni en la creencia está su fuerte, sino en el mundo cambiante de la opinión y de las ideas, entonces no hay por qué ahogar la propia persona en la sensualidad, ni asfixiarla en un intelectualismo desespiritualizado. Intelectual es quien hace su oficio con la inteligencia, aunque no tenga mucha; Baroja es un hombre inteligente sin ejercicio sistemático, metódico y consecuente de la inteligencia, y, por la misma inconsecuencia y discontinuidad de su ejercicio, un artista con *impromptus* caprichosos de divo. Sus opiniones son agresivas, o sea, nacen con una disposición dialéctica, en general contra algo o alguien. Aciertan siempre, no porque den en la diana de la verdad, sino porque aciertan con el objeto o finalidad perseguidos. ¿Afirma Baroja la ciencia? Luego es para negar, de paso, a la Iglesia. Combate el énfasis; como consecuencia u origen, se ensalza a la naturalidad. Va contra la sociedad para defender el individualismo anarquista. Defiende valores universales cuando quiere combatir al bizcaitarrismo de sus valles nativos. La larga lista de sus fobias (semitas, Roma, Francia) viene compensada ideológicamente o flanqueada en el aspecto formal por una lista paralela de filias (Ciencia, Naturaleza, Libertad). Enarbola una o combate la contraria en el momento de mayor audiencia o mayor impertinencia.

Baroja era el primer convencido de la media o nula verdad objetiva de muchas opiniones; pero sabía sacarles un jugo humorístico que no podía por menos de despertar simpatías y antipatías igualmente provechosas para el trazado de su propia semblanza pública. La desmesurada truculencia de algunas afirmaciones ridiculiza el argumento expuesto; pero detrás nos aguarda el rostro inocente de un niño que ha querido amedrentarnos. Baroja juega con la inteligencia. Menudas anécdotas cotidianas (un apagón de luz en Vera, la adquisición de unos rododendros en San Sebastián) provocan la arbitraria conclusión de que detrás está la Iglesia española o el mismísimo Catolicismo.[7] Después de una conferencia en Barcelona,[8] en la que da terribles fustazos a diestro y siniestro, sobre instituciones, costumbres y letras catalanas, una revista, que reseña tales desenfados, termina preguntándose si el señor Baroja no tenía también algo que decir de sus madres.

Se sabía y confesaba arbitrario; se contentaba con ser sincero.[9] Pero la sinceridad puede acompañarse de prudencia, y la prudencia, lo mismo que la humildad, suele ser silenciosa. Porque Baroja —y este es punto que puede conducirnos a la razón íntima de los improperios— estampa un día en el album del Museo de San Sebastián lo de "hombre humilde y errante", luego repetido hasta la saciedad. Pues bien, si recurrimos a sus propias palabras y subrayamos simplemente aquellas que parecen denunciar sentimientos ocultos, el retrato resulta muy otro. Baroja observa que otros visitantes relacionan tras su nombre la lista de títulos y condecoraciones. "Entonces yo —confiesa— quizá un poco *molestado* por no tener títulos y honores (el *rencor* anarquista y cristiano, que diría Nietzsche), escribí *unas palabras impertinentes* debajo de mi firma: "Pío Baroja, hombre humilde y errante" (...) Y allí quedé yo como hombre humilde y errante, *aplastado* por jefes de Administración de todas las clases, por Comandantes de todas las Armas, por caballeros de todas las cruces", etc.[10] O sea, recogiendo la lección de lo subrayado: rencor (manso, retórico rencor), impertinencia (agresividad), masoquismo gracioso y cierta ingenua exhibición de humildad que es una forma tolerable y tibia de vanidad. Baroja, cuando se confesaba inepto para el éxito social, político, etc., llamaba la atención sobre su persona y su obra del modo más impertinente posible.[11]

Juventud, egolatría conserva una a modo de canción masoquista —o de sublimación lírica del masoquismo— acogida a la fórmula reiterativa que ya conocemos por el "Elogio"; téngase presente que este masoquismo no es más que la cara oculta de su agresividad. Baroja rememora a todos aquellos que desde su infancia (en la escuela de San Sebastián, en el Instituto de Pamplona) o en su juventud (el profesor de Terapéutica de San Carlos, un amigo que emigra a América) o el mismo Ortega, en *El Espectador,* han pronosticado que "no será nunca nada". Y añade:

> La idea de que no seré nunca nada está ya muy arraigada en mi espíritu. Está visto: no seré diputado, ni académico, ni caballero de Isabel la Católica, ni caballero de industria, ni concejal, ni chanchullero, ni tendré una buena ropa negra... Y sin embargo, cuando se pasan los cuarenta años, cuando el vientre empieza a hincharse de tejido adiposo y de ambición, el hombre quiere ser algo: tener un título, llevar un cintajo, vestirse con una levita negra y un chaleco blanco; pero a mí me están vedadas estas ambiciones. Los profesores de la infancia y de la juventud se levantan ante mis ojos como la sombra de Banquo, y me dicen: "Baroja, tu no serás nunca nada".
>
> Cuando voy a la orilla del mar, las olas que se agitan a mis pies murmuran: "Baroja, tu no serás nunca nada". La lechuza sabia, que por las noches suele venir al tejado de Itzea, me dice: "Baroja, tu no serás nunca nada", y hasta los cuervos que cruzan desde el cielo suelen gritarme desde arriba: "Baroja, tu no serás nunca nada". Y yo estoy convencido de que no seré nunca nada.[12]

Pero, vista la cara oculta (lírica) de la agresividad barojiana, es hora de volver a nuestro "Elogio". No sin recordar, sin embargo, que los improperios surgen de la soledad del náufrago, que busca precisamente la compañía de aquello que, por próximo e imperfecto, hiere su sensibilidad y su afecto. Si a Baroja no le importaba molestar a parientes, paisanos y amigos, ¿cómo se iba a arredrar su ánimo polémico ante las instituciones amadas o admiradas por sus parientes, paisanos o amigos? [13] Reconozcamos su libertad, su sinceridad y su patriotismo; pero también que ejerció esta libertad con mayor amplitud ante la Iglesia católica, por ejemplo, que ante personas o instituciones de su tiempo que representaban actitudes de un espiritualismo laico que pretendían en cierta forma suceder a aquella.

Lo plebeyo y la tradición eterna.

Frente al arte, Baroja se identifica en el "Elogio" con la vida. Pero, ¿qué vida? Porque la idílica, que canta la gaita, la heroica del tambor o la trompeta, la lírica de la guitarra, son también modos de vida...

Baroja se identifica con lo que no es "mentira poética": con la vida plebeya, vulgar, monótona del trabajo. Le es simpático lo modesto que el acordeón expresa; y el acordeón, "monótono como la vida misma", dice "lo que quizá la vida es en realidad", algo situado ante el misterio ("ante el horizonte ilimitado") y de naturaleza vulgar.

Esta reivindicación de una forma de vida plebeya y preferencia estética por un instrumento que la exprese, se apoya en la famosa tradición eterna de Unamuno, defendida por su autor, también polémicamente, desde 1895, aunque recogida por su libro *En torno al casticismo,* de 1902. [14]

La tesis es conocida y también su valor capital —como señaló en su día Laín Entralgo [15]— para comprender el andamiaje estético-literario del 98.

Vale la pena que recapitulemos aquí económicamente lo más significativo.

Hay una tradición eterna —viene a decir don Miguel—, una tradición del pasado y una tradición del presente. Pero ya una frase de lugar común nos advierte que hay un "presente momento histórico", lo que equivale a reconocer la existencia de otro que no lo es, precisamente por existir una tradición del presente.

Las olas de la historia [añade], con su rumor y su espuma que reverbera al sol, ruedan sobre un mar silencioso y a cuyo último fondo nunca llega el sol. Todo lo que cuentan a diario los periódicos, la historia toda del "presente momento histórico", no es sino la superficie del mar, una superficie que se hiela y cristaliza en los libros y registros [...] Los periódicos nada dicen de la vida silenciosa de los millones de hombres sin historia que a todas horas del día y en todos los países del globo se levantan a una orden del sol y van a sus campos a proseguir la oscura y silenciosa labor cotidiana y eterna... [...] Sobre el silencio augusto se apoya y vive el sonido; sobre la inmensa humanidad silenciosa se levantan los que meten bulla en la historia. Esa vida intrahistórica [...] es la sustancia del progreso, la verdadera tradición, la tradición eterna [...] La tradición eterna española, que al ser eterna es más bien humana que española, es la que hemos de buscar los españoles en el presente vivo y no en el pasado muerto [...] La vida más oscura y humilde vale infinitamente más que la más grande obra de arte. [16]

He aquí pues la médula del programa vitalista. Sea el "elogio" un eco directo de este programa o constituya éste, sin más, la formulación cabal de un sentimiento difuso en la estética del 900, no cabe duda que el plebeyismo barojiano tiene su sustrato en la reivindicación de la tradición eterna. (Recordemos, de paso, que son los años de las *Sonatas* de Valle, con las que éste no se ha incorporado todavía a las preocupaciones comunes de su generación y prolonga un decadentismo aristocratizante con el que no romperá hasta 1912 en *La marquesa Rosalinda,* o sea, cuando advierte las posibilidades expresivas de lo grotesco). Históricamente considerada, esta "intrahistoria" viene a ofrecer la salida al descontento político de la nueva promoción; es el rechazo ético de la "tradición" invocada por la Restauración canovista y por el mundo oficial o periodístico. Ante la intrahistoria, los bullangueros gestores del bienestar público aparecen como los falsos protagonistas del verdadero progreso o como meros artífices de un presente efímero. Es evidente, además, que no se hubiese sentido este antagonismo si el configurador de la intrahistoria no tuviese conciencia de su propio y posible protagonismo cívico, merced a su actividad intelectual, y no se considerase, al mismo tiempo, arrinconado o con menos posibilidades que el hombre de acción pública. Tal antagonismo nos parece hoy desplazado de la realidad española. Pero en 1900, con una literatura regeneracionista inmediatamente detrás y tan próxima al Desastre, era inevitable que —salvo el caso de "raros" esteticistas como Valle, a los que las cuestiones públicas parecían entonces ocupaciones filisteas— se viesen como afines y próximas actividades que, aunque admitan un punto de convergencia, parten de una actitud y se mantienen con una gestión totalmente distintas. El antagonismo entre el sujeto de la intrahistoria y el hombre público es gratuito, ya que no se concibe el uno sin la actividad y reconocimiento del otro, lo mismo que parece improcedente contraponer "la vida más oscura y humilde" a la más grande obra de arte.

Pero esto nos aleja algo del texto. Nos importa ahora recordar que también Baroja recoge la tesis unamuniana (o al menos coincide con él) sobre el testimonio superficial de los periódicos y el disgusto ante todo lo insustancialmente aparatoso y solemne.[17] En *Paradox, rey*, novela que contiene el "Elogio", encontramos otro posible eco unamunesco a propósito del papel del arte en la sociedad.

> PARADOX.—¡Ah! ¿Pero ustedes también tienen el fetichismo del arte, ese fetichismo ridículo que obliga a creer que las cosas inútiles son más útiles que las necesarias?
>
> GANEREAU.—Pero el arte es una cosa útil.
>
> PARADOX.—El arte es una cosa llamada a desaparecer, es un producto de una época bárbara, metafísica y atrasada.
>
> SIPSOM.—¡Magnífico, Paradox! ¡Magnífico!
>
> PARADOX.—Y si del arte pasa usted al artista, ¿hay nada más repulsivo, más mezquino, más necio, más francamente abominable que un hombrecillo de esos con los nervios descompuestos que se pasa la vida rimando palabras o tocando el violín?[18]

Paradox proclama unamunescamente la necesidad de africanizar el mundo,[19] lo cual constituye lección cronológicamente posterior al libro sobre el casticismo que, como es bien sabido, termina exigiendo para la regeneración de nuestra "estepa moral" chapuzarnos en pueblo y abrir las ventanas a los vientos europeos.[20] La africanización agustiniana de España y la españolización de Europa serán consigna del mismo año 1906, en el que aparecen "Sobre la europeización", de Unamuno, y el *Paradox, rey*.

Paradox y el acordeón.

El "elogio" nos fija melancólicamente en un puertecillo abandonado del Cantábrico, mientras la acción de la novela transcurre por aguas del Atlántico, cerca de las Canarias, rumbo a África; nos sitúa sentimentalmente ante un acordeón evocador, cuando lo que acabamos de dejar en *Paradox* es la cháchara gárrula de unos seres extravagantes e iconoclastas. El elogio constituye un *collage* figurativo en medio de una narración que se intitula novela, pero que resulta en realidad un capricho expresionista.

Baroja configura en *Paradox* la capacidad destructora de la civilización occidental cuando es impuesta a unos salvajes, una civilización cuyos gérmenes son inocuos para los portadores, pero anarquizantes para los que viven en estado natural: una civilización que emborracha con whisky a los gallos, como ocurre al principio de la obra. La configuración es arbitraria, subjetiva, lúdica e irresponsable, divertida. Habla el gallo, el viento, un cíclope, el Autor, las serpientes, el sapo, el pez, una golondrina, la luna. Hablan irresponsable, desenfadadamente, todos los personajes. Ni lo verosímil ni el decoro importan a Baroja un pito: la empresa es absurda, los tipos son unos chiflados, sus figuras están abocetadas o deformadas adrede. Entre el "jemanfutismo" y el idealismo, una frivolidad eutrapélica —muy próxima, como toda frivolidad consciente, a la desesperación— mueve a esta tropa de irresponsables en torno a Paradox; su extravagancia determina una configuración casi esperpéntica, que preludia. Desde el punto de vista formal, la disposición dialogada y las acotaciones teatrales son del mismo linaje que *Luces de bohemia,* trece años posterior, y, como el *Paradox, rey,* no dispuesta en principio para su representación, pero representables ambas. En las dos obras, el nihilismo anarquizante conduce al absurdo: todo se frustra, aunque de modo humorístico o no doloroso, grotesco. Y, como es característico de lo grotesco, una soterrada intención moral alienta bajo una acción distorsionada. Las caracterizaciones de personajes, sobre todo en boca de Paradox, llevan el sello de lo científico-caricaturesco y tienden, como en Valle, a emparentar los rasgos humanos con el reino animal (Ferragut, por ejemplo, es un ave de rapiña, del género Vultur; Mingote pertenece a los cetáceos carnívoros o sopladores con aparato hidráulico en la cabeza; Piperazzini es una lacerta africana o camaleón vulgar, etc.).[21] El mismo autor advierte del carácter grotesco de alguna escena, calificándola así expresamente: "Entra una cáfila de negras horribles y van haciendo *grotescas* ceremonias delante del rey" (II, 2a. P.). Estos bohemios libertarios se pronuncian con el mismo radical desenfado ácrata que la cohorte de Max Estrella:

PARADOX.—Vivamos hechos unas bárbaros. Vivamos la vida libre, sin trabas, sin escuelas, sin leyes, sin maestros, sin pedagogos, sin farsantes.

SIPSOM.—¡Bravo! Vivan los hombres silvestres, aunque sean reyes.

PARADOX.—Y ¡abajo las Universidades, los Institutos, los Conservatorios, las escuelas especiales, las Academias, donde se refugian todas las pedanterías!

SIPSOM.—¡Abajo!

PARADOX.—¡Abajo esos viveros de calabacines que se llaman Ateneos!

SIPSOM.—¡Abajo!

PARADOX.—¡Abajo todos los métodos de enseñanza!

SIPSOM.—¡Abajo!

PARADOX.—Acabemos con los rectores pedantes, con los pedagogos, con los catedráticos, con los decanos, con los auxiliares, con los bedeles.

SIPSOM.—Acabemos con ellos. ¡Hip! ¡Hip! ¡Hurra![22]

La intención moral —se habla de "la regeneración de España" y se advierte de un personaje que "es un bolo, como los ministros españoles"— no nos detendrá aquí. Sí nos importa el modo de su expresión mediante la conocida agresividad barojiana y precisamente en la obra que contiene el "Elogio": en el capitulillo final (XII, 3a. P.), después de informarnos del "progreso" importado a Bu-Tata en forma de sífilis, prostitución, asesinato, alcoholismo y tuberculosis, antes desconocidos, se transcribe la arenga del abate Vivet después de la misa: "Demos gracias a Dios —exclama— porque la civilización verdadera, la civilización de paz y concordia de Cristo, ha entrado definitivamente en el reino de Uganga".

La contraposición Baroja-Valle, con base en el presunto realismo, no nos vale. No existe ese "escamoteo" de la realidad, como se ha escrito a propósito de Valle, sino transfiguración enriquecedora del universo; y Baroja rechaza la enseñanza naturalista para permitirse el gozo de configurar subjetivamente.[23] Para ambos escritores tiene la memoria un valor fundamental. Baroja se interesa por un arte que refleja la vida en la pantalla del recuerdo, no de los ojos, y Valle procura incorporar, mediante el recuerdo, la metafísica de las cosas. De modo que el modelo inmediato no son nunca las cosas, ni la vista su notario, sino el recuerdo que las cosas nos dejan. Ambas estéticas propenden, pues, a una ordenación subjetiva y expresionista de sus modelos.

Baroja, ¿ensayista?

El problema final que nos plantea el "Elogio" es el posible carácter ensayístico de estos *collages* híbridos y delicados.

La actividad ensayística de Baroja ha sido bastante desatendida por culpa del propio Baroja, quien llama ensayo, sin mayores escrúpulos, a todo lo que no sea pura narración. Por otra parte, el formidable volumen de su obra novelística impide que estimemos en su verdadera significación el hecho de que el t. V de sus *Obras Completas*, destinado a sus ensayos, comprenda más de mil páginas, a las que, además, cabe añadir páginas y páginas de coloquio ideológico y de opiniones e hipótesis sagaces sobre materias distintas que nos brindan sus novelas o sus libros de memorias.

Baroja es un ensayista egregio; un ensayista del tipo Montaigne y en cierta medida Unamuno, pero que sigue cultivando el ensayo con sus características originarias, cuando el género se ha enriquecido ya con experiencias nuevas que lo alejan considerablemente de su forma primigenia para adquirir un carácter más doctrinal y científico.

En su origen —de Montaigne a Feijoo, digamos— el ensayo equivalía a una divagación o exposición libre sobre temas varios. En el s. XVIII, merced a la decadencia de la fabulación y al ansia de conocimiento experimental, adquiere un amplio y universal cultivo. El trimembre dialéctico sobre el que se apoya Feijoo (experiencia, razón y autoridad) parece válido para muchos otros ensayistas, y aun, *mutatis mutandis,* para el propio y libre divagar de Baroja, quien se apoya en autoridades más o menos científicas, parte de su observación personal y elabora sus datos con "razones" más o menos sentimentales.

Pero si hubiese que definir la esencia del género, sería más fácil hacerlo partiendo de su cara negativa; v. gr., el ensayo no es tratado o estudio sistemático, objetivo, exhaustivo, con tesis explícita del tema en cuestión; el ensayo no es ciencia, porque es, por el contrario y por esencia, fragmentario, subjetivo, asistemático. La ciencia persigue una verdad demostrable, mientras el ensayo se autolimita y satisface con una opinión verosímil. Y precisamente aquí, en su limitación, cuando es deliberada, reside su grandeza peculiar, porque se arriesga a emitir una explicación verosímil allí donde la ciencia no ha podido todavía romper las nubes de la ignorancia. Donde se tropieza con el misterio de la naturaleza, donde pisamos las fronteras del conocimiento, enciende el ensayo sus haces de luz tentando las sombras y aventura caminos que luego puede seguir la ciencia para partir hacia fronteras más lejanas de conocimiento. Mientras haya misterio en la naturaleza y sombras en torno a la luz del hombre, habrá ensayo.

Con lo cual estamos ante los dos modos actuales de ensayo, dos denominadores comunes de lo que hoy entendemos por ensayo. Uno es el que podríamos llamar ensayo por defecto; otro el propiamente dicho. El primero se origina por la limitación, deliberada o no, de información, que se suple por ingenio, lirismo, imaginación, estilo, etc. El segundo aparece originado por la necesidad de brindar una versión personal, arriesgada e indemostrable, de los hechos ofrecidos por toda la información accesible. Uno mantiene todavía una parentesco próximo con la divagación libre, si se quiere irresponsable y fresca, que caracterizaba al ensayo de un Montaigne; el segundo no es posible sin la absorción de una metodología científica y la tradición universitaria. En el primer campo están Unamuno, Azorín, Baroja; en el segundo aparecen hombres de la generación siguiente, la de 1914, como Marañón o Américo Castro. Uno va a remolque de la ciencia, y su hibridismo literario-científico lo aleja de nuestras exigencias o gustos actuales; el segundo se anticipa y aun hace posible a la ciencia.

Las características obvias del ensayo —subjetivismo, variedad temática, función patriótica, marginación ocasional de la ciencia— aparecen en la obra de Baroja de modo constante. Por lo que se refiere al subjetivismo, apenas si merece la pena subrayarlo: está en la configuración de *Paradox,* en la primera persona evocadora, ensalzadora o denigratoria, en la comodidad de sus movimientos en el mundo de la opinión, en el improperio gracioso y arbitrario, en la comunicación de la propia duda y reconocimiento de sus contradicciones, en la gustosa anécdota, en la autobiografía fácilmente reconocible entre su material novelesco; y, por lo que al "Elogio" se refiere, basta recontar interrogantes y exclamaciones. El carácter misceláneo viene amparado, y a veces determinado, por la fluidez genérica en la que se encuentra a gusto, y que permite la narración ocasional en un libro de ensayo y la divagación crítica dentro de la novela, además de aparecer explícita en títulos como *Vitrina pintoresca* o *El tablado de Arlequín,* título éste que nos remite inmediatamente al *Teatro crítico* feijoniano; el índice de *Paradox,* por otra parte, sirve para advertir que solamente uno de los "elogios" que contiene —el monólogo del cíclope— está cosido necesariamente al relato argumental, mientras los otros dos —el del acordeón y el de los caballos del tío vivo— son piezas seguramente preexistentes que Baroja intercala con un pretexto fragilísimo. La función patriótica, a pesar de tantas "salidas" de hirsuta superficie, es muy patente [24] y ya queda advertido que en el fondo antiprogresista de *Paradox, rey* late una preocupación nacional. Finalmente, cuando Baroja ensaya conscientemente, recurre a lo que llama "impresionismo" (a la iniciativa y riesgo personal) para superar los límites del conocimiento científico o culto. He aquí un ejemplo muy claro en *La caverna del humorismo,* precedido precisamente de las opiniones de Kant, Bergson y Lipps sobre el humor:

> Madama la Ciencia dirá que sería mejor un método más ceñido, más experimental; pero no debe de haberlo, porque los sabios del museo de Humour-point, que tienen el oficio de saberlo, no lo saben. Con permiso de madame la Ciencia, hay que entregarse, pues, al impresionismo. [25]

Se trata, en realidad, de un ejemplo, en Baroja infrecuente, del camino moderno del ensayo, que consistió en sumar y resumir autoridades antes de partir hacia la hipótesis personal, en vez de suplir esas autoridades por la desgana disfrazada de inspiración o por la ignorancia más o menos borracha de soberbia literaria.

Pero, aun siendo laxo su concepto de ensayo, ¿incluiría Baroja el "Elogio" entre sus prosas ensayísticas? Evidentemente, no, y de hecho aparece incluido entre prosa narrativa (el *Paradox, Otros cuentos*). Lo que ocurre es que el suave sostén ideológico de estas piezas les confiere, dentro de su carácter eminentemente lírico, un género híbrido. La antítesis arte-vida y la identificación del autor con la vida plebeya como auténtica, no es suficiente para adscribir esta divagación a ninguno de los tipos de ensayo que hemos expuesto. Esta antítesis y la preferencia del autor nos permiten inscribirlo en una línea irracionalista o vitalista, muy 1900 (la sensibilidad de Azorín, la pasión de Unamuno, la emoción machadiana: todos, hermanos de leche de la sinceridad y el improperio barojianos) y establecer su parentesco con Unamuno, cuya intrahistoria o rehabilitación de la tradición eterna y silenciosa constituye su sustrato ideológico. El *Paradox, rey,* que lo incluye caprichosamente —como caprichosa es la concepción de la obra y caprichosos sus personajes— se nos presenta como una anticipación expresionista del esperpento de Valle Inclán. El capricho presupone, claro está, insubordinación ante el posible dictado de la naturaleza o de las reglas, más o menos flexibles, del género. Pero la construcción subjetiva y eutrapélica de Baroja desdeña en *Paradox* la verosimilitud y el "decoro", si bien ha de hacer casar una acción anarquizante con opiniones anarquizantes dentro de una arquitectura descoyuntada o anarquizante, lo cual constituye otro "decoro".

En medio de esta acción y cháchara desenfrenadas, el "Elogio" constituye un remanso de dulzura melancólica y figurativa donde el autor se evade, descansa y nos permite descansar: una canción triste con frágil apoyo descriptivo, un ensayo lírico con subsuelo polémico y vitalista. Si su médula conceptual está en Unamuno, su parentesco estético lleva al Azorín ("algo que no es extraordinario, ni grande, sino pequeño y vulgar") que ha sabido libar como nadie "la extraña poesía de las cosas vulgares". Claro que una misma estética —y este es un punto singular de coincidencia, nada más— puede conducir estilos diferentes. El de Baroja, en el "Elogio", una de sus más bellas páginas, es natural y simple, como todo lo que en arte sale de la necesidad y conserva su fuerza.

NOTAS

[1] G. Marañón, en su discurso de contestación al de ingreso de don Pío en la Academia (12.5.1935), dice que Baroja "ha escrito páginas, como las dedicadas a los viejos caballos del tío vivo, el "elogio sentimental del acordeón" y aquella otra, de puro truculenta inofensiva, "balada de los buenos burgueses", que los lectores de entonces aprendimos de memoria, por pura fruición musical, como las piezas de Machado, de Juan Ramón Jiménez o de los otros grandes poetas del tiempo" (Madrid, E. Calpe, 1935, p. 113).

[2] En *Otros cuentos* (*Obras Completas,* ed. cit., VI, 1074) donde también aparecen incluidos el "Elogio metafísico de la destrucción" y el "Elogio de los viejos caballos del tío vivo". En adelante, citaremos esta ed. por O.C.

La grabación del Archivo de la Palabra la realizó Baroja el 2 de diciembre de 1931.

[3] En el mismo *Paradox, rey,* otros monólogos van provistos del mismo ritornello lírico, si bien carecen de la unidad y entidad literarias que los citados; v. gr., el monólogo de la princesa Mahu, el del rey Kiri y el del mago Bagú en cap. III, 2a. P.

Lo mismo cabría decir de los caps. XVII ("El aventurero"), XVIII ("El buhonero y el perro") y XIX ("El pescador de caña") en *La leyenda de Juan de Alzate* (en O.C., VI).

También el *Tablado de Arlequín* nos obsequia con otro ej. parecido: "Triste país en donde no se pueden satisfacer las tonterías que uno tiene.... Triste país este, donde, por divertirse, etc. (OC, V, 49).

[4] Se trata del cartel dedicado a *El gran torbellino del mundo* (1926). Vid. *Carteles* (Madrid, E. Calpe, 1927), p. 247.

[5] Aboceto aquí, hasta la raquítica síntesis, el concepto de lo lírico, tan brillantemente expuesto por E. Staiger, *Grundbegriffe der Poetik* (Zurich, Atlantis Verlag, 2 ed., 1951), 13-84.

[6] O.C., V, 48.

[7] "Cuando alguna vez las luces eléctricas del pueblo se apagan, yo siempre lo achaco al catolicismo. Los que me oyen creen que hablo en broma; pero no, lo creo así. En un pueblo de dos o tres mil almas debía de haber, por lo menos, quince, veinte, treinta personas que leyeran de noche y otras tantas que estuvieran en un casino, y todas ellas tendrían interés grande en que no se apagara la luz.

Si se piensa por qué no hay esas personas que les gusta leer, se verá que una de las causas principales, la principal quizá, es el catolicismo, que proscribe todos los libros" (*Horas solitarias,* OC, V, 321).

En San Sebastián, "una pequeña Roma de verano" por su continuo desfile de curas, frailes, monjas y monseñores, no hay a la venta rododendros, ni se conoce el cultivo. La consternación del escritor origina este solo de pífano: "Este es un país donde no se conoce más que el cultivo del cura" (Ib., V, 328).

[8] Vid. el texto de la conferencia ("Divagaciones acerca de Barcelona") en OC, V, 524-37.

[9] "No pretendo ser exacto; sé que soy arbitrario, pero me basta con ser sincero" (*Divagaciones apasionadas*, OC, V, 537).

[10] *Juventud, egolatría*, en OC, V, 157-8.

[11] El propio Baroja reconoce que "lo mismo que puse hombre humilde y errante podría poner hoy hombre orgulloso y sedentario" (Ib., V, 158).

Vid. un caso especialmente significativo en el homenaje que le tributan en Bilbao unos amigos, sus palabras de gratitud en el banquete y las "Cuartillas de un álalo" que envía con este motivo a *El Liberal*, escritas con el ánimo de "irritar un poco los sentimientos religiosos del pueblo" (*Horas solitarias*, OC, V, 250-1).

En el *Tablado* comunica su propósito de escribir la historia de su familia, impulsado por el convencimiento de "no servir para nada" y por "el gusto de molestar un poco a mi respetable parentela" (OC, V, 70).

[12] *Juventud, egolatría*, en OC, V, 167-68.

[13] "Inadaptado al ambiente, he vivido un poco solitario, lo que quizá ha exacerbado mi descontento. No es raro, pues, que yo haya hablado mal de todo lo próximo a mí y bien de lo más lejano; no es raro que haya sido anticatólico, antimonárquico y antilatino por haber vivido en un país latino, monárquico y católico que se descomponía..." (*Divagaciones apasionadas*, OC, V, 495).

[14] Los ensayos que forman el libro fueron apareciendo, efectivamente, en *La España Moderna*, núms. 74-78, t. VII (1895).

[15] Vid. el cap. VI ("Historia sine Historia") de *La generación del Noventa y Ocho*, especialmente las pp. 145-155 (Madrid, E. Calpe, 1970, 7.ª ed.) por lo que se refiere a la visión unamuniana de la historia, y 163-165 para conocer las opiniones de Baroja sobre la historia y su concepción de las novelas históricas, cuyo mundo equivale, afirma Laín, "a la intrahistoria de Unamuno, a los menudos hechos, de *Azorín*, a la zona del vivir en que más directamente se expresa la "constitución ideal" de Ganivet" (p. 165).

[16] *En torno al casticismo*, ed. Francisco F. Turienzo (Madrid, Ed. Alcalá, 1971), pp. 109-110 y 113 especialmente.

[17] "En el periódico no se refleja la vida tal cual es; el periódico no da nunca más que el aspecto exterior de las cosas, y aun eso cuando lo da (*Tablado*, OC, V, 52).

"Yo creo que los tipos de pintores del Renacimiento son Botticelli, Mantegna, Fra Filippo Lippi y otros semejantes, y los tipos de escultores el Donatello y Della Robbia. ¿Por qué han considerado como lo más saliente a Rafael y a Miguel Ángel? Parte, por la universalidad de Roma y de la Iglesia; parte, por ser artistas más aparatosos y de más forma" (*Nuevo tablado,* OC, V, 113).

Otras declaraciones paralelas en *Juventud, egolatría,* V, 175 o en VI, 1101 ("Tengo más simpatía por lo pequeño que por lo enorme y lo colosal").

[18] OC, II, 214.

[19] Ibd., II, 161. Frente a un general, que sostiene la americanización del mundo, replica Paradox: "Yo creo que hay que africanizarlo".

[20] Ob. y ed. cits., p. 243.

[21] Vid., para una caracterización referida especialmente a Valle, "El mundo de lo grotesco en Valle Inclán", en mi libro *La transfiguración literaria* (Madrid, 1970), 213-255.

[22] OC, II, 214-15, "El Progreso de Bu-Tata".

[23] "La única diferencia que yo tengo con los naturalistas es que éstos toman las notas inmediatamente y yo las tomo después, recordando las cosas" (*Horas solitarias,* V, 253).

[24] Baste recordar sus palabras a propósito de los bizcaitarras (en *Momentum catastroficum,* por ejemplo, OC, V, 377 y 382) o su valoración de la cultura española en *Divagaciones apasionadas,* OC, V, 517 y sts.

[25] *La caverna del humorismo,* OC, V, 405.

Valle-Inclán: "Tirano Banderas"

RICARDO SENABRE

"El coronelito Domiciano de la Gándara templa el guitarrón: camisa y calzones, por aberturas coincidentes, muestran el vientre rotundo y risueño de dios tibetano: en los pies desnudos arrastra chancletas, y se toca con un jaranillo mambís, que al revirón descubre el rojo de un pañuelo y la oreja con arete: el ojo guiñate, la mano en los trastes, platica leperón con las manflotas en cabellos y bata escotada: era negrote, membrudo, rizoso, vestido con sudada guayabera y calzones mamelucos, sujetos por un cincho con gran broche de plata."

(Valle-Inclán: *Tirano Banderas* [1927], Madrid, Espasa-Calpe, 1961, p. 52.)

SITUACIÓN DEL TEXTO

EL fragmento reproducido corresponde a la tercera parte de *Tirano Banderas,* en la versión definitiva de 1927. Existe otra anterior, de 1926, así como elaboraciones previas de algunas partes de la obra, publicadas antes como relatos sueltos. [1] Tanto la primera edición como los esbozos aislados —singularmente el cuento *Zacarías el cruzado*— ofrecen cambios y variantes de extraordinario interés para rastrear el lento proceso de elaboración a que Valle-Inclán sometió su novela. Pero todo ello deberá quedar forzosamente al margen de este comentario, que se propone tan sólo analizar algunos procedimientos expresivos del autor sin alejarse del breve texto escogido.

Tema y composición

Todo el fragmento está constituido por el retrato de un personaje de la novela. Como es sabido, la descripción de tipos aparece con frecuencia en la literatura narrativa de todos los tiempos. Lo que varía —y no tanto como pudiera suponerse— son las técnicas descriptivas. El caso que nos ocupa ofrece una primera particularidad extraordinariamente llamativa: los rasgos físicos que el autor selecciona no aparecen ordenados, o, más exactamente, no aparecen ordenados de acuerdo con los cánones descriptivos habituales. Arrastrados por la preceptiva de raíz clásica, los escritores españoles —y no sólo ellos, claro está— han tendido a componer sus retratos según el esquema cabeza-tronco-extremidades, es decir, adoptando un orden descendente,[2] e incluso conservándolo dentro de cada parte. Los ejemplos posibles son tan abundantes que bastará con seleccionar algunos.

En la *Crónica General* se nos cuenta que Nerón

> auie los cabellos castannos et la cara fremosa mas que de buen donario; no auie el uiso claro ni ueye bien de los oios; la ceruiz auie delgada, et el vientre colgado, et las piernas muy delgadas.

Reléase la descripción de la serrana gigantesca que atemoriza al Arcipreste en el *Libro de Buen Amor* (1012 y ss.), donde el poeta enumera sucesivamente la cabeza, el pelo, los ojos, la boca, los dientes y la barba hasta llegar a los tobillos. El mismo esquema, idéntica distribución de elementos encontramos en el inmisericorde retrato del licenciado Cabra trazado por la pluma de Quevedo:

...Una cabeza pequeña, pelo bermejo [...], los ojos avecindados en el cogote [...]; la nariz, entre Roma y Francia [...]; las barbas descoloridas de miedo de la boca vecina [...]; los dientes, le faltaban no sé cuántos [...]; el gaznate largo [...]; los brazos secos, las manos como un manojo de sarmientos cada una. Mirado de medio abajo, parecía tenedor o compás, con dos piernas largas y flacas.

Resulta fácil comprobar cómo se repite el método de composición. Ya en el siglo XVIII, el Padre Isla, muy influido por los modelos áureos, esboza la figura de Antón Zotes:

Su estatura mediana, pero fornido y repolludo; cabeza grande y redonda, frente estrecha, ojos pequeños, desiguales y algo taimados; guedejas rabicortas [...]; pestorejo, se supone, a la jeronimiana.

Recuérdese, por último, un pasaje de *La gaviota*, de Fernán Caballero:

Sus cabellos negros y rizados adornaban su frente blanca y majestuosa: las miradas de sus grandes y negros ojos eran plácidas y penetrantes a la vez. En sus labios sombreados por un ligero bigote negro, se notaba una blanda sonrisa...

La gran novela española del siglo XIX proporcionaría innumerables ejemplos para añadir a los ya citados. Pero volvamos al texto de Valle-Inclán. Es indudable que el método descriptivo ha cambiado.

El autor no sigue una ordenación lineal, de arriba abajo. Aquí, los elementos aislados parecen yuxtaponerse sin un designio previo: del vientre se pasa a los pies, luego se vuelve a la cabeza; sólo se habla de una oreja y un ojo. Estamos —en 1927— muy lejos ya del retrato tradicional. Pero ello no quiere decir que nos encontremos frente a un texto inorgánico. Muy al contrario, constituye un modelo de precisión constructiva, como tendremos ocasión de comprobar. Lo que desorienta es justamente algo que constituye un importante avance en los procedimientos narrativos: la ordenación convencional de los caracteres físicos ha sido sustituida por una jerarquización de las impresiones. Los rasgos más hirientes son los que se anotan en primer lugar, sin tener en cuenta su situación en la figura. El procedimiento permite también eliminar detalles que el autor juzga irrelevantes, al mismo tiempo que confiere mayor rapidez y ligereza a la descripción. Al no estar sometidas a un esquema prefijado, tanto la síntesis de impresiones como su enumeración —o su "colocación" en el retrato— responden a un criterio valorativo del autor, que destaca así, mediante procedimientos puramente literarios, lo más llamativo del personaje. No parten de supuestos distintos algunos estilos pictóricos de principios de siglo al enfatizar o descolocar deliberadamente un elemento del conjunto —una mano, un ojo, un pie— y suprimir otros que buscará en vano el contemplador acostumbrado a la pintura figurativa y "realista".

Ante una técnica como la que ofrece el fragmento que analizamos, se ha hablado de impresionismo [3] y hasta de expresionismo. [4] No es ésta la ocasión adecuada para discutir la validez de marbetes y clasificaciones, pero sí conviene recordar que algunos procedimientos ya habituales en la literatura contemporánea derivan en buena medida de la pintura impresionista [5] y de otras escuelas posteriores. En el texto de Valle-Inclán hay, como veremos, indicios que delatan cierta concepción pictórica de la escena.

La descripción se halla distribuida en tres partes perfectamente diferenciadas. En la primera —desde el comienzo hasta el sustantivo *arete*—, el autor selecciona algunos rasgos aislados del personaje que puedan sintetizar su aspecto físico; la segunda parte —hasta *escotada*— pretende plasmar la postura, la actitud de Domiciano; la parte última —marcada incluso con el cambio de tiempo verbal— ofrece una visión de conjunto, más distante, propia del espectador que aúna y resume, ya con mayor reposo, las rápidas impresiones anteriores. De este modo, el retrato pone en primer término los elementos más llamativos, que se ordenan según la *impresión* que producen en el hipotético contemplador y que condicionarán ya inevitablemente su posterior juicio.

Primera parte

La visión pictórica a que antes se aludía aparece ya con claridad en la primera frase, que equivale inequívocamente a lo que en el cuadro sería su pie o título. De hecho, todo cuanto el autor describe tiene como contexto esta única acción de Domiciano. Lo que sucede en la escena es que el personaje templa la guitarra. Lo demás son agilísimos toques descriptivos captados instantáneamente por la pupila de un observador perspicaz que no se conforma con una mirada superficial. Así, de la visión global de la escena pasamos al examen de algunos de sus detalles. Adviértase, de paso, la imitación del habla americana en el diminutivo *coronelito*. Hay datos que atestiguan cómo Valle-Inclán cuidó este matiz de manera especial. Si se coteja el cuento *Zacarías el cruzado* —primera versión de una parte de *Tirano Banderas*— con el texto definitivo de la novela, se advierten correcciones significativas en este sentido. Así, por ejemplo, un pasaje de *Zacarías* en que se lee "el Coronel de la Gándara se quitó una sortija", ha pasado a la novela con una corrección: "El Coronelito se quitó una sortija". En otra ocasión, Valle-Inclán había escrito, refiriéndose a Domiciano: "El tagarote, adormilado, abría los brazos". Y al redactar la versión definitiva de *Tirano Banderas* corrigió de nuevo: "El Coronelito abría los brazos". Son indicios considerables que muestran hasta qué punto la insistencia en utilizar el término ha sido producto de una búsqueda deliberada y no de un mero hallazgo fortuito. Sin duda, hay en este simplicísimo rasgo lingüístico —como en otros de la novela— un deseo de acercarse a las formas populares y coloquiales americanas, donde los diminutivos afectivos tienen una extensión mayor que en España. [6] Pero, además, este diminutivo contrasta en el texto con el aumentativo *guitarrón*. Y este jocoso contraste inicial no es el único. A la contraposición morfológica entre aumentativo y diminutivo se une otra de naturaleza semántica: el *coronelito* —ya sea forma afectiva, ya realmente empequeñecedora— contrasta bruscamente con el nombre *Domiciano*, evocador del sanguinario emperador de Roma y cargado, por consiguiente, de violentas connotaciones. La técnica de contrastes que se advierte ya en la frase inicial es sumamente reveladora, porque nos brinda una primera imagen caricaturesca del personaje y constituye, además, el primer indicio de una armazón constructiva que se prolongará a lo largo de todo el pasaje.

Después del enunciado general, el autor se dispone a *pintar*. Para ello fijará la atención, de acuerdo con la técnica indicada, en los rasgos más sobresalientes: "Camisa y calzones, por aberturas coincidentes..." Se destaca la zafiedad del personaje, vestido con absoluto descuido. Pero importa sobre todo la primera nota física que lo define: el vientre —una parte nada noble del cuerpo—, que asoma por las aberturas de la camisa y los calzones. Además es "rotundo y risueño", generosamente grueso. Domiciano es un glotón satisfecho. Sería superfluo insistir en que la determinación "de dios tibetano" es una nota exótica que alude a la redondez e inmovilidad de las figuras sedentes orientales.

Zafiedad y glotonería son, pues, las dos primeras caracterizaciones del personaje, y establecen, además, un nuevo y sutil contraste con su condición de coronel. Aparentemente, el autor no juzga, no entra en el carácter de su criatura, sino que se limita a contemplarla desde fuera. La deducción y el juicio corresponden al lector, que deberá descifrar adecuadamente las pistas, las sugestiones visuales que se le ofrecen, puesto que todo el retrato está organizado mediante una técnica de alusiones y guiños al lector. No se olvide que en *La lámpara maravillosa,* el curioso e importante tratado valleinclanesco de estética, ya había escrito el autor, muy significativamente: "La creación estética es el milagro de la alusión y de la alegoría".

Dos notas estilísticas conviene aún destacar en este enunciado. En primer lugar, la buscada concurrencia de consonantes nasales, que ayudan a sugerir plásticamente la sensación de redondez:

muestrAN el vIENtre rotUNdo

Hay que aclarar que no se trata de un caso aislado en la prosa valleinclanesca. Ejemplos análogos son muy frecuentes en las obras más maduras del autor. Recordemos aquí dos de gran perfección, el primero de los cuales corresponde también a *Tirano Banderas*:

Don Celestino Gal**in**do, or**on**do, red**on**do, ped**an**te.

La Majestad de Isabel II, p**om**posa, fr**on**dosa, b**om**bona, **cam**pane**an**do sobre los erguidos chapines.

Por otra parte, no hay que perder de vista la estructura melódica del enunciado, apoyada en una sucesión de sílabas tónicas y átonas con las que se intenta imitar las sílabas largas y breves de la métrica latina. El resultado es, en el texto de Valle-Inclán, un auténtico hexámetro.[7] He aquí su esquema (las sílabas tónicas corresponden a las largas y las átonas a las breves):

Muéstran el viéntre rotúndo y risuéño de diós tibetáno
/— — /— —/— — /— — / ——/—

La estructura es idéntica a la utilizada por Rubén Darío en el primer verso de su "Salutación del optimista":

Ínclitas rázas ubérrimas, sángre de Hispánia fecúnda
/—— /——/—— /— — /— —/ —

Vale la pena recordar, a propósito de todos estos ejemplos, la afirmación de Valle-Inclán —en *La lámpara maravillosa*— según la cual lo fundamental en las palabras es su "esencia musical". Lo cierto es que esa búsqueda tenaz de unas determinadas estructuras melódicas emparenta al escritor —todavía en *Tirano Banderas* y en sus últimas novelas— con el Modernismo inmediatamente anterior. Y no es éste, como veremos, el único caso que ofrece el fragmento.

En los pies desnudos arrastra chancletas...

Los rasgos siguientes continúan insistiendo en la caricaturesca degradación del personaje, que, a pesar de ser un "coronelito", lleva los pies desnudos, sin calcetines. Ni siquiera el calzado puede suplir esta carencia, porque Domiciano lleva chancletas. La chancleta es un tipo de zapatilla sin talón, para ir por casa. Pero se dice también que alguien va en chancletas cuando pisa el contrafuerte del zapato o alpargata; es un síntoma de descuido, de abandono o dejadez, que se corresponde mejor con la elección de la forma verbal *arrastra*. Las chancletas no están puestas con cuidado, sino metidas de cualquier modo. Sólo así puede interpretarse el verbo, dado que su sentido literal sería en este lugar imposible por estar el personaje inmóvil.

He aquí ya, pues, perfectamente esbozados a través de las vivísimas impresiones visuales, algunos rasgos del personaje: es descuidado, grosero, sensual y glotón. Se desarrolla así, con absoluta coherencia, la caricatura insinuada desde la primera frase.

Claro está que el retrato no progresaría si el autor se dedicase a repetir sus hallazgos sin ofrecernos nuevos toques caracterizadores. Pero la prosa está bien organizada y Valle-Inclán no pierde el pulso, sino que añade, con indudable inventiva de escritor, otros rasgos.

Domiciano lleva un sombrero jarano. Obsérvese, en primer lugar, cómo se sigue utilizando el procedimiento del contraste —típico de la caricatura, por otra parte—: el diminutivo *jaranillo* se contrapone cómicamente a las nociones de 'tamaño grande' implícitas en *vientre* y en *guitarrón*. Además, el sombrero jarano, típicamente americano —nuevo rasgo ambiental—, suele tener alrededor de la copa un cordón cuyos extremos caen por detrás rematados por unas borlas. El dato es muy significativo: el cordón y las borlas no sirven para nada, y tienen, por consiguiente, una función meramente ornamental. Este inesperado elemento de ornato contrasta con el grosero descuido de su poseedor, que lleva los pies desnudos y la camisa abierta. No olvidemos que la tensión interna del fragmento, producto de una medida disposición de los elementos, se logra por medio de contrastes: aumentativo / diminutivo; descuido / coquetería.

El jarano es *mambís*. El vocablo —variante del más frecuente *mambí*— corresponde al español antillano y fue acuñado durante la guerra de independencia contra España para designar a los insurrectos. Como se ve, el lenguaje de la novela no coincide exactamente con el de un determinado país americano. Pero lo importante aquí es que la palabra, además de ayudar a la caracterización ambiental, tiene cierto valor peyorativo y añade al personaje una nota desdeñosa de belicosidad.

El sombrero es pequeño, como ya habíamos sospechado, puesto que deja al descubierto otros elementos. La construcción *al revirón* es una de esas formas valleinclanescas que sólo por aproximación pueden definirse. Existen *revirar* 'torcer' y *reviro* 'torcimiento o curvatura de la madera' (y, en el español de Cuba, *revirón* 'propenso a revirarse o torcerse'). Lo que se quiere decir es, naturalmente, que el sombrerillo, torcido o ladeado —por descuido o por coquetería, ya que ambos rasgos se dan en Domiciano—, deja ver un trozo de pañuelo y la oreja. Obsérvese, en primer lugar, un procedimiento estilístico frecuente en el Valle-Inclán más maduro: la nominalización de una construcción atributiva. *El rojo de un pañuelo* permite evitar la fórmula sintáctica habitual, con adjetivo calificativo, * *un pañuelo rojo*. Por una parte, pues, la expresión posee la novedad que le confiere su carácter inesperado. Pero, además, este recurso —claramente impresionista— permite, gracias al carácter lineal del lenguaje, poner de relieve, destacándola por delante, la nota más llamativa e hiriente, que suele coincidir casi siempre con un rasgo visual o auditivo.

En la misma novela hay otros ejemplos similares, como "el brillo de su bayoneta" o "el rojo de los cigarros". Pero conviene decir que también aquí nos hallamos frente a un recurso tenazmente ensayado por el autor desde su primera época. Ya en la *Sonata de otoño*, por ejemplo, se lee: "Adiviné sus cabelleras sueltas sobre *la albura del ropaje*". De las *Sonatas* procede igualmente la forma "el temblor de un rezo". En la primera página de *Los cruzados de la causa* encontramos "el misterio de los manteos". Y más tarde, en las novelas del *Ruedo Ibérico*, el autor llegará a formas como "La Santidad de Pío IX". [7 bis]

Volvamos al texto. Lo que el sombrero deja ver es un pañuelo y un aro metálico que pende de la oreja. El pañuelo y el arete están en la misma línea que el jaranillo y su cordón con borlas: son elementos de ornato. Domiciano es un tipo coquetón —y ya hemos visto cómo este rasgo contrasta con el de su descuidada indumentaria—, pero de una coquetería tosca y sin refinamiento. El mismo arete que cuelga de la oreja delata a un personaje primitivo y elemental, lo que hace aún más grotesca su afición al adorno y al embellecimiento. El autor continúa, así, operando mediante la aplicación de contrastes y notas degradantes que ayudan a perfilar un retrato abiertamente caricaturesco.

Si tanto el pañuelo como el arete poseen la misma función en el contexto, nada tiene de extraño que ambos sintagmas presenten estructuras rítmicas idénticas. La igualdad de rango semántico tiene de este modo una absoluta correspondencia en el plano formal. Ambas expresiones constituyen dos heptasílabos [8] con análoga distribución acentual:

el rójo de un pañuélo — / — — — / ——
la oréja con aréte — / — — — / ——

Tal acumulación de recursos estilísticos sabiamente dosificados nos revela, sin duda, la presencia de un prodigioso artista.

Segunda parte

Después de esta primera parte, en la que se nos han descrito rasgos aislados del personaje, el autor cambia de enfoque para ofrecernos la actitud de Domiciano, que guiña el ojo con aire socarrón al tiempo que trastea la guitarra. *Guiñate* responde al designio de buscar el sufijo sorprendente e insólito, rasgo muy frecuente en el Valle Inclán de la madurez y del que no es difícil espigar abundantísimos ejemplos (*jaulote, vainípedo, carácula, papitolín, agorinar* —formado sobre un hipotético * *agorino* 'agorero'—, etc.). La sufijación actúa también, aunque por otras razones, sobre *leperón,* aumentativo de *lépero,* que en Centroamérica suele tener el significado de 'individuo soez, ordinario, poco decente'. *Leperón* cubre varias funciones en el contexto. Por una parte es adjetivo valorativo y definidor del personaje; por otra, como sucede con este tipo de calificaciones,[9] tiene también carácter adverbial —'leperonamente', 'obscenamente'—, e implica tanto al individuo que habla de este modo como a sus interlocutores —las mujeres, en este caso—, anticipando así un dato sobre la calidad de las personas que escuchan al "leperón". Además, la noción de aumentativo contenida en el sufijo continúa la línea "guitarrón —vientre rotundo", y alude no sólo al tamaño físico del Coronelito sino también a la magnitud de sus salacidades. (No parece necesario insistir en que *platica* y *leperón* son dos voces de uso típicamente americano, acordes, por tanto, con el escenario en que se desarrolla la novela). Por último, la voluntad rítmica sigue manifestándose en estos dos hexasílabos consecutivos, con idéntica acentuación y con asonancia:

el ójo guiñáte	— / — — / —
la máno en los trástes	— / — — / —

... *Las manflotas en cabellos y bata escotada.*

Hay que suponer que las interlocutoras de Domiciano son tan "leperonas" como él y de análogo rango. No debe extrañar, por tanto, que si el Coronelito aparecía caracterizado con formas aumentativas, el autor utilice el mismo procedimiento para designar a las mujeres. *Manflota* es, en efecto, un aumentativo de *manfla* 'prostituta'; está en el mismo plano que "leperón" o que el "negrote" que aparecerá luego. Pero *manflotas* no es una creación acertada. Seducido tal vez por la sonoridad del sufijo, Valle Inclán ha incurrido en una leve impropiedad léxica: en rigor, la base *manfla* no puede admitir una derivación *manflota* —sí * *manflona* u otra similar—, puesto que *manflota* significa ya 'prostíbulo'.

Las mujeres están "en cabellos y bata escotada". Si, por las razones ya expuestas, el aumentativo de las mujeres se correspondía con el de Domiciano, estas dos notas amplían el plano de correspondencias. Las manflas "en cabellos", es decir, 'con el cabello suelto y sin adornos', contrastan con el Coronelito, que tiene la cabeza cubierta con un sombrero adornado. Conviene destacar la cómica inversión de las actitudes que serían esperables: en el interior del cafetín donde la escena tiene lugar, las manflas llevan la cabeza descubierta y Domiciano está con sombrero; ellas aparecen sin adornos en la cabeza y el Coronelito tiene varios elementos ornamentales. Hemos visto un rasgo común —la conversación "leperona"— y ahora aparece otro: la "bata escotada" de las mujeres da la réplica, en un plano de igualdad, a la camisa abierta de Domiciano. De este modo, los sutiles contrastes y paralelismos que el análisis descubre constituyen una estructura, una sólida red de tensiones internas en torno a las cuales se organiza un texto en el que, como resulta obvio, nada es producto de la casualidad.

TERCERA PARTE

De las rápidas impresiones visuales pasamos ahora a un enfoque más amplio y de conjunto. El cambio de tono aparece ya marcado por la irrupción del pasado narrativo *era* con que comienza esta parte. El observador abandona la técnica de los destellos impresionistas y resume todo lo anterior. Esta visión, más reposada, se traduce en un alargamiento de los períodos sintácticos. Frente a las frases sincopadas, con seis o siete sílabas, de las dos primeras partes, ésta se inicia con dos endecasílabos:

era negrote, membrudo, rizoso,
vestido con sudada guayabera

La preocupación melódica no se muestra únicamente en estos metricismos, sino en la cuidadosa elección y distribución de los sufijos *-ote, -udo* y *-oso* y en la construcción con tres adjetivos sucesivos, procedimiento que aparece muy pronto en Valle-Inclán [10] y cuya frecuencia va disminuyendo a medida que su obra avanza hacia la plenitud. La disposición del fragmento exige ahora concluir y recoger los datos enumerados antes sin descuidar la técnica de simetrías y contrastes que constituye, como hemos visto, su armazón básica. Así, *negrote* y *membrudo* prolongan la línea de aumentativos morfológicos y nocionales ya examinados; la "sudada guayabera" insiste en las impresiones de zafiedad y desaliño del Coronelito; el "gran broche de plata" es un nuevo elemento de ostentación sobre el que habrá que insistir. En cuanto al ritmo melódico, nótense los tres octosílabos finales con la misma acentuación:

calzónes mamelúcos	— / — — — / —
sujétos por un cíncho	— / — — — / —
con grán broche de pláta	— / — — — / —

Los rasgos estilísticos de esta parte son, pues, evidentes. Pero lo fundamental es considerarlos en relación con el resto del fragmento. Si se observa ahora detenidamente todo el texto, se advertirá que el cierre se produce repitiendo, en el mismo orden, los tres primeros elementos de la descripción. Si al principio se enumeraban la *camisa,* los *calzones* y las *aberturas* de ambas prendas, el autor, buscando una construcción circular, acaba con la *guayabera* —variante de "camisa"—, los *calzones* y el *cincho.* Expresado más gráficamente:

camisa	———————→	*sudada guayabera*
calzones	———————→	*calzones mamelucos*
aberturas	———————→	*cincho*

Pero, además, no se trata de una mera repetición inerte —aunque así fuese, revelaría ya una notable voluntad de construcción—, sino progresiva: el autor añade datos que desconocíamos y que encajan en el contexto: la camisa está sudada —rasgo nada sorprendente después de lo que ya sabemos de Domiciano—, y los calzones son de un determinado tipo. Los valores estilísticos de *cincho* ofrecen mayor complejidad. Su acepción secundaria de 'cinturón' no puede hacer olvidar que *cincho* es, en el español mejicano, 'cincha de caballería', [11] lo cual añade a Domiciano una inequívoca nota degradante. Y este rasgo envilecedor no se agota aquí. La eficacia del cinturón es muy dudosa —puesto que ni siquiera cierra los calzones— y, en consecuencia, el "gran broche de plata" es absolutamente superfluo y tiene el mismo valor que el sombrero adornado, el pañuelo rojo o el arete: destaca la vana jactancia del desaliñado y sucio personaje y prosigue así, hasta el último instante, la línea constructiva que vertebra el fragmento desde las palabras iniciales. Hay que repetirlo una vez más: este continuo despliegue de hallazgos estilísticos sometidos a un riguroso hilo conductor no puede ser un logro fortuito, sino resultado de una búsqueda consciente y felicísima llevada a cabo por un prosista excepcional.

NOTAS

1 Para todos estos problemas son siempre esclarecedores los estudios de Emma Susana Speratti-Piñero recogidos en el vol. *De "Sonata de Otoño" al esperpento,* London, Tamesis Books, 1968.

2 Recuérdese, por ejemplo, la afirmación de Quintiliano: "Nam nec pingere quisquam aut fingere coepit a pedibus, nec denique ars ulla consummatur ibi, unde ordiendum est" (III, IX, 9). Los tratadistas medievales defendieron sistemáticamente esta técnica descriptiva y la difundieron a través de sus enseñanzas. Así, Geoffroi de Vinsauf, en su *Documentum de arte versificandi,* II, 2: "Circinus est auctor capitis, flavescit in aurum / Caerula forma comae, parit ex se lilia frontis / Lactea strata, suum vaccinia nigra colorem / Appingunt ciliis, radiant in margine frontis / Cristalli gemine, nasum moderata venustas / Protrahit, in facie color est argenteus auro / Mixtus in electrum, scintillant labra benigne / Igne, color dentis investi eburneus..." (*apud* E. Faral, *Les arts poétiques du XII*^e^ *et du XIII*^e^ *siècle,* Paris, Champion, 1924, p. 271 s.; otro ejemplo muy similar, en la *Poetria nova* del mismo autor, vs. 562 ss., *ibid.,* 214. La lista de citas y ejemplos posibles es abundantísima).

3 El estudio básico, de referencia obligada al tocar este tema, es el de A. Alonso y R. Lida, "El concepto lingüístico del impresionismo", en el vol. *El impresionismo en el lenguaje* 3, Universidad de Buenos Aires, 1956.

4 Así, V. Risco, *La estética de Valle-Inclán,* Madrid, Gredos, 1966, pp. 272 ss., niega el impresionismo de Valle Inclán porque el autor "no busca una impresión puramente visual" en sus obras, y considera sus procedimientos más bien expresionistas, lo que, dicho sea de paso, es igualmente plausible si se acepta

la caracterización que del expresionismo ofrece, por ejemplo, Giacomo Prampolini (vid. G. de Torre, *Historia de las literaturas de vanguardia,* Madrid, Guadarrama, 1965, p. 204).

[5] Hay páginas muy sagaces sobre todo esto en el libro de José F. Montesinos, *Pereda o la novela idilio,* Madrid, Castalia, pp. 264 ss. (ed. de 1969).

[6] Ya señalaba García Icazbalceta en su *Vocabulario de mexicanismos* (1899) que "prodigamos hasta el fastidio los diminutivos y términos de cariño", *apud* A. Alonso, *Estudios lingüísticos (temas españoles)* [3], Madrid, Gredos, 1967, p. 173.

[7] Esta imitación de la métrica clásica se ha intentado en muchas ocasiones y mediante diversos procedimientos. Vid. E. Huidobro, "El ritmo latino en la poesía española", BRAE, espec. XXVII, 1957, donde se señalan, por ejemplo, casos de lo que el autor llama "hexámetro acentual dactílico", en versos como "Ya Jesucristo preside la tierra desde árida roca" (p. 467), de tipo idéntico al enunciado de Valle Inclán examinado aquí.

[7 bis] Construcción con antecedentes clásicos, por otra parte: "Por servicios que hizo a la majestad de Felipe III en Flandes tuvo un hábito con encomienda" (BAE, XXXIII, 248 *b*).

[8] La inclusión de unidades métricas en la prosa valleinclanesca no ha sido suficientemente estudiada, aunque hay alguna excepción parcial, como la de R. Benítez Claros, "Metricismos en las *Comedias bárbaras* de Valle-Inclán", en *Visión de la literatura española,* Madrid, Rialp, 1963, pp. 235 ss. También señala algunos metricismos, esta vez de *Tirano Banderas,* Emma Susana Speratti, *ob. cit.,* pp. 144 s., aunque no coinciden con los del fragmento que nos ocupa.

[9] R. Navas Ruiz (*Ser y estar. Estudio sobre el sistema atributivo español,* Salamanca, Acta Salmanticensia, 1963) habla, en casos como éste, de "complemento atributivo", y señala que "no es propiamente un atributo, porque modifica al verbo; pero tampoco es un adverbio, porque modifica al sujeto. Participa, pues, de una doble naturaleza" (p. 45).

[10] Lo señaló ya muy tempranamente J. Casares (vid. *Crítica profana,* Madrid, Espasa Calpe, 1964, espec. p. 54).

[11] Así aparece consignado, por ejemplo, en el DRAE y en el DUE.

Dos lugares paralelos de Gabriel Miró

ENRIQUE MORENO BÁEZ

HACE doce años publiqué un trabajo sobre el impresionismo de *Nuestro Padre San Daniel,* en el que sostuve que el desplazamiento del eje de esta novela desde los personajes hasta el ambiente físico y moral de la ciudad de Oleza es un eco o reflejo del esfuerzo por pintar, no las cosas, sino la atmósfera en que están sumergidas; por ello no se describen monumentos ni calles, plazas ni interiores, pues la atención es absorbida por la transparencia del aire y el azul del cielo y por esos brillos y reflejos que nos deslumbran desde tales páginas, cruzadas por unos seres cuyos perfiles sicológicos se diluyen, como las formas, en el ambiente, por lo que resultan un poco enigmáticos, y las dos acciones en que se apoya el relato, la lucha de Elvira por imponer su voluntad a los que la rodean y la del obispo por podar el árbol de la piedad de sus ramas nocivas, tienen menos importancia que la luz que baja de las vidrieras y se descompone en las nubes de incienso, que el olor de chocolate y cera de la calle de la Verónica o que el sonido de plata, cristal y loza de la cena en casa de don Magín, ya que el autor transporta a los demás sentidos lo que sus ojos aprendieron de los impresionistas. No es por tanto extraño que los personajes formen dos grupos: el de los que gozan de los sentidos, que son los más buenos, y el de los secos y duros, que profesan una religiosidad austera y sombría y que, en contraste con aquéllos, son todos muy flacos, como si las pasiones los consumieran y las aristas de sus almas se reflejaran en las de sus cuerpos. Ejemplo de los primeros es el ya mencionado don Magín, virtuoso de las sensaciones, que conoce el olor de cada calle y cada plazuela en las distintas épocas del año, que en el horno de la Visitación se deleita con el del pan reciente, que los lunes se embriaga con los del mercado del puente de los Azudes, que lleva en la mano siempre una flor o una hierba aromática y que para a una moza para que le deje oler unos jazmines; limpio y atildado sin afectación, culto y estudioso sin pedantería, muy sosegado en sus movimientos, apuesto y gallardo, desconcierta la zumba de este sacerdote, que pretende esconder el fondo de su alma, de la que brota esa caridad que le lleva a ver por Santa Ana a los pobres del arrabal, a amparar a los rapazuelos que roban fruta, a recoger en su casa al pobre capellán desvalido, a proteger a Cararrajada, a condolerse de la soledad de don Daniel y a indignarse con el trato que dan a Paulina su marido y cuñada. Tal es el personaje que contempla la ciudad de Oleza en su visita anual a los arrabaleros en los descansos a que le obligan las cuestas que sube, lo que permite que la visión primera se complete y amplíe con lo descubierto desde más alto:

La ciudad se volcaba rota, parda, blanca. Porches morenos, azoteas de sol, las enormes tortugas de los tejados, paredones rojizos, rasgaduras de atrios, y plazuelas, jardines señoriales y monásticos. Un ciprés, un magnolio, una palmera, dos araucarias mellizas. Muros de hiedras, de mirtos; huertos anchos, calientes; frescor jugoso de limoneros, de parras, de higueras. Eucaliptos estilizados sobre piedras doradas y de apariciones de cielo de un azul inmediato. Un volar delirante de golondrinas y palomos. La torre descabezada de la catedral, la flecha de palacio entre coronas de vencejos, la cúpula de aristas cerámicas del seminario, el piñón nítido de las tres espadañas de Santa Lucía. Más lejos, la torrecilla remendada de las Clarisas. A la derecha, un pedazo de la loriga azul del cimborrio de Nuestro Padre, y la antorcha del campanario que brotaba de un hervor del río.

Y unas líneas más abajo, cuando don Magín se detiene bajo un almendro a limpiarse el sudor y se vuelve de nuevo hacia la ciudad:

Más costras y quillas de techumbres; más tapiales de adobes y de yeso con encarnaduras de ladrillos; terrados blancos de Oriente; cauces foscos de calles. Llamas de vidrieras. Sombras acostadas. Follajes dormidos. Vuelos de una nube gloriosa en el encanto de las albercas frías que dan sed. Júbilo de palomares. Un humo recio. Cupulillas, agujas, contrafuertes, gárgolas y buhardas de más monasterios, colegios, residencias y parroquias. La suya, no. Ni San Bartolomé ni la Visitación. Las ocultaba la ladera.

> En cambio, aparecía, entre todo, una figurita de mujer, exacta y blanca, inclinándose desde una solana al patio, un patio como un pozo, donde balaba un cordero atado. Se fijó, se orientó don Magín. Esa criatura, toda hecha de nardos, debía ser Purita, una de las novias más cortejadas de Oleza, que se aburría en casa de sus tíos. [1]

Lo que primero nos impresiona de esta descripción es la falta de verbos en forma personal. En el primer trozo, desde el *se volcaba* del comienzo hasta el *brotaba* del final no hallamos ninguno; en el segundo, antes de la aparición de Purita, cuyo vestido blanco y cuyos movimientos llaman la atención de don Magín, que reflexiona y descubre su identidad, solo encontramos el contenido en la subordinada *que dan sed* y el *ocultaba,* que refleja un razonamiento del personaje. Ello produce una sensación de inmovilidad, pues el movimiento, es decir, la acción es lo que se expresa por medio del verbo; que el efecto es buscado nos lo demuestra lo indirecto de la referencia al vuelo de los pájaros por medio de un infinitivo sustantivado o diversas metáforas: *un volar delirante..., coronas de vencejos, júbilo de palomares.* Tampoco hay aquí nada que nos haga poner unas cosas delante y otras detrás ni que despierte la sensación de la profundidad; todo, reducido a manchas de color, se yuxtapone y hemos de ordenarlo mediante el mismo proceso mental a que nos obliga un paisaje de Beruete, pues ni el *más lejos* ni el *a la derecha* suponen necesariamente tres dimensiones. En un caso en el que pudiera parecernos que la tercera es sugerida tiene el autor buen cuidado de neutralizar su mención del cielo con el complemento *de un azul inmediato,* o, lo que es lo mismo, situado en el mismo plano que los edificios, árboles o pájaros. La operación mental de don Magín, no para ordenar un paisaje urbano que le es familiar, sino para saber quién es la muchacha vestida de blanco que se asoma al balcón, es una incitación a la que nosotros tenemos que hacer. La abundancia de verbos de que se acompañan la aparición de la muchacha y las cavilaciones del sacerdote marca el tránsito a lo narrativo. La manchita blanca del vestido es el punto alrededor del cual hemos de ordenar, don Magín y nosotros, todo lo que vemos, que por ella queda unificado.

Nuevas lecturas de esta descripción nos descubren que, aunque no se prescinde totalmente de la copulativa *y,* lo más frecuente es la enumeración asindética, en la que parece que quedan aún otras cosas por enumerar y que diluye lo enumerado, que queda flotando con imprecisión. También nos permiten observar mucha inclinación por los brillos y por los reflejos: *azoteas de sol, cúpula de aristas cerámicas del seminario, loriga azul del cimborrio de Nuestro Padre,* que tenemos que imaginar cubierto también de loza vidriada, *antorcha del campanario, terrados blancos de Oriente,* encalados y cegadores, como las azoteas de que se nos ha hablado, *llamas de vidrieras.* Brillos y reflejos que forman como una sinfonía de luces, en las que se disuelven los perfiles.

Otra característica impresionista es la abundancia de metáforas, cuya imprecisión contrasta con el claro dibujo de las comparaciones. Con frecuencia el autor introduce lo aludido como complemento, sin lo que la expresión ennoblecedora pudiera llegar a resultarnos un poco enigmática: *las enormes tortugas de los tejados, rasgaduras de atrios, coronas de vence-*

jos, loriga azul del cimborrio de Nuestro Padre, antorcha del campanario, quillas de techumbres, encarnaduras de ladrillos, cauces foscos de calles, llamas de vidrieras, júbilo de palomares. Este tipo de metáfora es reflejo de hábitos mentales impresionistas, pues en *las enormes tortugas de los tejados,* pongo por ejemplo, la percepción primera es lo sugerido y solo se menciona la realidad subyacente al ser descubierta. En la última de las metáforas aquí citadas el proceso mental es más complejo, pues don Magín comienza por ver un movimiento rápido, que su mente, no sus ojos, asocian, como el de la danza, con la alegría, para después descubrir que su causa son las palomas, solo indirectamente aludidas con la referencia a los palomares. Otras metáforas nacen de lo sintético de la expresión, como *azoteas de sol* o *muros de hiedras,* sintetismo que expresa lo percibido antes de que el análisis lo descomponga. En algunos casos el valor metafórico queda reducido a un verbo, como sucede en *la ciudad se volcaba,* que alude al hecho de que el caserío parece precipitarse desde las colinas, o a un participio en función de adjetivo: *torre descabezada, torrecilla remendada, sombras acostadas, follajes dormidos.* Es indudable que tal riqueza metafórica le da a esta prosa calidades estéticas poco comunes; no creo casual que solo cuando la aparición de la manchita blanca rompe la sensación de la inmovilidad y don Magín reflexiona, aparezca, junto con varios verbos, una comparación: *un patio como un pozo,* aunque pronto volvamos a las metáforas: *Esa criatura, toda hecha de nardos.*

Después de la primera visión de Oleza, calificada de *parda* y *blanca,* don Magín detiene sus ojos en cada una de las cosas que se enumeran y descubre nuevos colores, como el verde de las plantas y el azul del cielo y del cimborrio de Nuestro Padre, y dentro de cada color diversos matices, lo que en el caso del verde se deja al lector, que recordará el propio de cada árbol, desde el oscuro de los cipreses al claro y grisáceo de las higueras, pasando por los intermedios entre tales extremos de los limoneros y de las parras. Por el contrario, los colores de la gama cálida están, ya expresados, como en *porches morenos, paredones rojizos, piedras doradas, tapiales... de yeso, encarnaduras de ladrillos, terrados blancos,* ya sugeridos, como en *antorcha del campanario,* que nos lleva a ver reverberar la piedra o el ladrillo. En dos ocasiones el autor sustantiva los infinitivos, los que, al poner la acción expresada fuera del tiempo y considerarla como en abstracto, disminuyen la sensación de movimiento que el verbo produce: *un volar delirante de golondrinas y palomos, un hervor del río.*

De la rica gama de sensaciones auditivas y gustativas, olfativas y táctiles de Gabriel Miró apenas si aquí encontramos la sensación táctil sugerida por la expresión *huertos anchos, calientes*; las táctiles y gustativas del *frescor jugoso de limoneros...* y *las albercas frías que dan sed*; y, una vez que con la aparición de la manchita blanca lo descriptivo ha cedido ante lo narrativo, la auditiva de *donde balaba un cordero.* Es natural que el autor no quisiera disminuir el carácter pictórico de su descripción mezclando sensaciones de distinto orden, máxime cuando poco después don Magín se detiene a saborear en un lugar de evidente paralelismo los ruidos de Oleza:

> Crujía el aire serrano. Subían deshojándose en la altitud los rumores del pueblo y del contorno: la palpitación de un molino, el alarido de un pavo real, el repique de una fragua, un retozo de colleras de una diligencia, una tonada labradora, la rota quejumbre de las llantas de un carro, un berrinche de criatura, un hablar y reír de dos hidalgos que se saludaban desde un huerto a una galería, y campanas, campanas anchas, lentas, menuditas, rápidas. Sobre la tarde iba resbalando el fresco retumbo de las presas espumosas del río. Y entre todo revibró inflamado y afiladísimo el cántico de un gallo. Y don Magín incorporóse diciendo: —¡Ese es el mío! [2]

También en este trozo se evitan los verbos en forma personal, más por haberse convertido su falta en un rasgo estilístico que por deseo de inmovilidad, pues si las formas y los colores se encuentran en el espacio, los sonidos, por el contrario, están en el tiempo y son resultado de un movimiento. El hecho es que desde el *crujía* y el *subían deshojándose* de las dos primeras oraciones y el *iba resbalando* de la antepenúltima no hallamos más verbos que el recíproco *se saludaban.* Si allí comenzaba el autor con la visión de la ciudad que se precipitaba desde la altura para enumerar luego lo que en ella había, aquí se nos dice que *subían deshojándose en la altitud los rumores del pueblo y del contorno,* lo que sugiere la imagen de un cohete que se desgranara, dándonos al hacerlo ocasión de observar cada una de sus chispas.

Abundan también las metáforas en que lo aludido es un complemento de lo imaginado, lo que, como dijimos, enriquece la expresión sin oscurecerla: *la palpitación de un molino, el repique de una fragua, un retozo de colleras de una diligencia, la rota quejumbre de las llantas de un carro...* Como *la palpitación, el repique,* el *retozo* y *la rota quejumbre* son ruidos que se definen al repetirse, insertándose en el tiempo, se confirma lo dicho sobre la evitación de los verbos como carente de expresividad. Lo mismo cabría decir de la sustantivación de los infinitivos, que no puede sacar del tiempo lo que en él se inscribe: *un hablar y reír de dos hidalgos...* Hasta que el tiempo se impone con una forma compuesta que indica precisamente la duración: *Sobre la tarde iba resbalando el fresco retumbo de las presas espumosas del río.* Tanto el significado del verbo como el ritmo subrayan la lentitud de la acción enunciada.

En el análisis del ruido, que, como hemos dicho, es primero considerado como unidad nacida del tono que cobra con la altura y con la distancia, se distinguen los continuos y apagados, como *la palpitación de un molino,* de los estridentes y momentáneos, como *el alarido de un pavo real.* Entre unos y otros están las campanas, a las que, en una ciudad como Oleza, donde las oímos a toda hora, solo atendemos cuando nos anuncian un peligro inminente, como la riada, pero entre las que don Magín reconoce las *anchas* y *lentas,* que deben de ser de la catedral, y las *menuditas* y *rápidas,* que nos imaginamos en las espadañas de las monjas. Luego tenemos como remanso el ruido *de las presas espumosas del río,* calificado de *fresco retumbo,* es decir, de grato y placentero, que sirve de fondo para el canto de un gallo, que, como el vestido blanco de Purita hace con los colores, subordina los demás ruidos.

Si aquella manchita despierta la curiosidad de don Magín y le hace calcular quiénes viven allí, el canto del gallo le produce la satisfacción que le lleva a incorporarse y a decir que es el suyo. El que se asegure del canto del gallo que *revibró* no significa que vibrara varias veces, sino que lo hizo de modo muy agudo; los dos adjetivos en función de adverbio que modifican al verbo, *inflamado* y *afiladísimo,* se explican por la sinestesia o trasposición a un sentido de las sensaciones propias de otro. En esta misma novela se nos habla de *una voz abrasada y roja,* lo que ayuda a intuir lo que el autor quiere decir aquí, donde *inflamado,* como allí *abrasado,* es un superlativo de 'cálido'; *afiladísimo* es lo mismo que 'agudísimo', lo que no es extraño para el canto de un gallo que, al dominarlos, unifica todos los ruidos.

Tanto el vestido blanco de Purita como el canto del gallo despiertan los sentimientos de don Magín, sacándole de la contemplación en que parecía estar sumergido. En el primer caso el sentimiento es el de una afectuosa admiración, pues la virtud de don Magín no le impide apreciar la belleza femenina: *Esa criatura, toda hecha de nardos...* A esto se une una tenue conmiseración por la hermosa doncella, obligada a vivir en una atmósfera poco a propósito para sus años: *...que se aburría en casa de sus tíos.* Ya hemos hablado de la abundancia de verbos que acompañan la aparición de la manchita blanca, de los que dijimos que marcan la transición de lo descriptivo a lo narrativo. La alternancia entre el tiempo cantaba y el tiempo cantó da a estas oraciones mucha agilidad. El que en ambos casos la figurita blanca y el canto del gallo saquen a don Magín del embelesamiento que le producen su sensaciones facilita mucho la vuelta a un relato que por estar escrito en pasado con predominio del tiempo cantaba queda envuelto en una poética vaguedad. De los dos adjetivos empleados para describir a la muchacha que se asoma al balcón, *exacta y blanca,* el primero parece aludir a los claros perfiles de su figurita, que estaría iluminada de un modo indirecto, y que por contrastar con la imprecisión de las demás manchas ayudarían a organizarlo todo a su alrededor. Un caso parecido es *el piñón nítido de las tres espadañas de Santa Lucía,* al que vemos recortarse sobre el azul con la claridad de que carece lo que reverbera.

Hemos visto cómo en los dos lugares paralelos de *Nuestro Padre San Daniel* que hemos analizado hay escasez de verbos, en el primer caso con el objeto de producir una sensación de inmovilidad y en el segundo como hábito estilístico sin valor expresivo. Tampoco hay en la descripción plástica nada que nos lleve a poner unas cosas delante y otras detrás, sino que todo se reduce a manchas de color que mediante un proceso mental tenemos que ordenar alrededor del blanco vestido de la muchachita; por el contrario, abunda aquí el asíndeton, que deja flotando lo enumerado. Muy notable es la inclinación por los brillos y por los reflejos, en los que se disuelven los perfiles. Tanto en el terreno de lo visual como luego en el de lo auditivo hay muchas metáforas, casi siempre acompañadas de un complemento en el que se menciona lo subyacente. A la riqueza de colores del primer lugar corresponde la de sonidos del segundo; entre ellos se distinguen, como entre los colores los de la gama fría y de la gama cálida, los continuos y apagados de los estridentes y momentáneos, a los que aquéllos sirven de fondo. El que tanto la manchita blanca como el canto del gallo sirvan para subordinar colores y sonidos, para sacar a don Magín del ensimismamiento producido por las sensaciones que saborea y para marcar, con la reaparición de los verbos, el tránsito de lo descriptivo a lo narrativo, prueba el paralelismo de los dos lugares, en el segundo de los cuales se esforzó Miró por trasponer al plano de lo auditivo lo que pudiera ser traspuesto de la técnica impresionista aprendida en nuestros pintores de fines del XIX y comienzos del XX.

NOTAS

[1] G. Miró, *Obras completas,* Biblioteca Nueva, Madrid, 1943, p. 734 *a* y *b.*

[2] G. Miró, *Ed. cit.,* p. 736 *b.*

El decir de la razón vital (Un capítulo de Ortega sobre la caza)

JULIÁN MARÍAS

"LISBOA, junio, 1942". Así está fechado el prólogo que escribió José Ortega y Gasset al libro *Veinte años de caza mayor*, del Conde de Yebes (Espasa-Calpe, Madrid 1943). Tenía Ortega cincuenta y nueve años (sus fechas son 1883-1955). Llevaba seis años de exilio, desde el comienzo de la guerra civil en 1936. Después de residir en Francia, Holanda y la Argentina, acababa de instalarse en Lisboa, donde habría de tener su residencia oficial hasta su muerte, aunque desde 1945 vivió largas temporadas —la mayor parte del año— en Madrid, alternadas con estancias en Lisboa, permanencias en Alemania, algunos viajes a los Estados Unidos, Inglaterra o Italia. Este Prólogo pertenece a la época de plena madurez de Ortega, y a la de mayor fecundidad como escritor. Parte del tomo VI de sus *Obras Completas* —el último publicado en vida— y la mayoría de los textos incluidos en los tomos VII-IX proceden de estos años finales, en que Ortega escribió —aunque no publicó— aproximadamente un 40 % de su obra total.

El Prólogo sobre la caza trata muy directamente de este tema, con la mayor concreción; pero es un texto *filosófico* de máxima importancia. En 1945 publiqué (en la revista *Leonardo,* de Barcelona) un ensayo titulado "La razón vital en marcha" (reimpreso en varias colecciones de artículos, últimamente en el volumen *Acerca de Ortega,* colección El Alción, Revista de Occidente, Madrid 1971, p. 78-97), del cual tomo algunos elementos para este comentario. Es además un texto *literario* —todos los de Ortega lo son, y creo que todos los buenos textos filosóficos— en el sentido concreto de que los recursos literarios funcionan directamente en la comprensión de la realidad estudiada. Por esto, y por su brevedad, me parece que estas páginas ejemplifican admirablemente el estilo intelectual de Ortega.

Ortega está investigando la caza en la vida humana: su significación biográfica, lo cual requiere una consideración histórica, social y biológica. Al advertir que la caza no es solo una ocupación humana, sino también animal (los animales cazan, unas especies a otras, y el hombre caza en cuanto es también animal), tiene que ampliar el concepto y después contraerlo a esa forma particular que es la caza humana. Ortega muestra cómo la caza, además de su dimensión utilitaria, tiene relación estrecha con la felicidad, es una ocupación "felicitaria", ligada a la vocación, y examina su larguísima vigencia histórica. Solo así puede preguntarse eficazmente por la esencia o, mejor, *mismidad* de la caza, sobre lo que ella misma es y no simplemente "tiene que ver con ella". Rechaza la definición de la caza como "persecución razonada", al advertir por una parte la existencia de la caza entre especies animales y, por otra, el hecho de que la caza humana apenas admite progreso sustancial y que el hombre reduce su razón y no la emplea a fondo, porque si lo hiciera desaparecería la caza como tal y quedaría el descaste o exterminio. "*Caza* —escribe Ortega— *es lo que un animal hace para apoderarse, vivo o muerto, de otro que pertenece a una especie vitalmente inferior a la suya.*" Y la superioridad del cazador no puede ser absoluta; por eso el cazador renuncia libérrimamente a la supremacía de su humanidad. La escasez de la caza, su capacidad de esconderse y huir, en ocasiones su defensa, todo eso restablece el equilibrio.

El único progreso sustancial de la caza humana ha sido la intervención del perro: "intercalar el hombre, entre el animal y su razón, otro animal". El perro es espontáneamente cazador entusiasta. El hombre lo asocia a su empresa, aprovecha su instinto de detección frente a la pieza escondidiza. El texto que quiero comentar es la porción esencial del capítulo titulado:

DE PRONTO, EN ESTE PRÓLOGO, SE OYEN LADRIDOS.

1 Hasta ahora no pasa nada en el campo. Sobre los cazadores pesan aún las cadenas del sueño. Los batidores cruzan remolones, aún mudos y sin jovialidad. Diríase que nadie tiene gana de cazar. Todo es aún estático. El escenario es todavía puramente vegetal y, por tanto, paralítico. A lo sumo, las puntas de retama, brezo y tomillar se estremecen un poco al peine del viento mañanero. Hay algunos otros movimientos de aspecto cinemático, sin dinamismo que revele fuerzas operantes. Aves vagas reman lentas hacia algún tranquilo menester. Más veloces, resbalan junto al oído insectos musicantes zumbando su

aria de microscópicos violines. El cazador se recoge dentro de sí mismo. Se dicen a esa hora, claro está, cosas estúpidas que le invitan a encerrarse más dentro de sí. No hace nada. No desea hacer nada. La súbita inmersión en la campiña le ha entumecido y como anulado. Se siente planta, entidad botánica, y se entrega a lo que en el animal es casi vegetal: respirar. Mas ya llegan, ya llegan las jaurías..., e instantáneamente todo el horizonte se carga de una extraña electricidad; empieza a movilizarse, a distenderse elástico. Brota subitáneo el elemento orgiástico, dionisíaco, que fluye y hierve en el fondo de toda cacería. Dionysos es el dios cazador: 'diestro cinegeta' —*kynegétas sophós*— le llama Eurípides en las Bacantes: '¡Sí, sí —responde el coro—; el dios es cazador!' Y hay una vibración universal. Y a las cosas antes inertes y flácidas les han salido nervios, y gesticulan, anuncian, presagian. ¡Ya está ahí, ya está ahí la jauría: baba densa, jadeo, coral de encías, y los arcos de los rabos inquietos fustigando el paisaje! Difícil contenerlos. No pueden más de ganas de cazar: les rezuma por ojo, morro y pelambre. Fantasmas de reses veloces atraviesan sus caletres enardecidos de can pura sangre, mientras, por dentro, están ellos ya en carrera loca.

2 Vuelve a haber una larga pausa de silencio e inmovilidad. Pero ahora la quietud está llena de movimiento retenido, como la vaina está llena de espada. Se oyen lejanos los primeros gritos del ojeo. Ante el cazador todo sigue igual, y, sin embargo, le parece estar, ya que no viendo, palpando un comienzo de hervor latente en toda la

mancha: breves desplazamientos de matorral a matorral, indecisas fugas, y toda la fauna menuda del monte que se yergue, empina la oreja, avizora. Sin quererlo, al cazador se le sale el alma fuera, quedando tendido sobre su campo de tiro como una red, agarrada aquí y allá con las uñas de la atención. Porque ya todo es inminencia y en cualquier instante cualquiera figura de mata puede transmutarse mágicamente en res a la vista.

3 De pronto, un ladrido de can apuñala el silencio reinante. Este ladrido no es meramente un punto sonoro que brota en un punto del monte y allí se queda, sino que parece estirarse rápido en una línea de ladra. Oímos y casi que vemos correr suelto el ladrido, hilvanarse veloz por el espacio con algo de errática estrella. En un instante, sobre la placa del paisaje se ha trazado la raya del ladrido. A éste siguen muchos de voces distintas avanzando en el mismo sentido. Se adivina la res que, levantada, va en carrera vertiginosa, como viento en el viento. Todo el campo se polariza entonces; parece imantado. El miedo del animal perseguido es como un vacío donde se precipita cuanto hay en el contorno. Batidores, perros, caza menor, todo allá va, y aun los pájaros, asustados, vuelan presurosos en esa dirección. El miedo que hace huir a la res sorbe entero el paisaje, lo succiona, se lo lleva corriendo tras de sí, y hasta al mismo cazador, que por fuera está quieto, le golpea el corazón montado en su taquicardia. El miedo de la res... Pero ¿es tan cierto que la res tiene miedo? Por lo menos su miedo nada tiene que ver con lo que es el miedo en el hombre. En el animal el miedo es

permanente, es su modo de existir, es su oficio. Se trata, pues, de un miedo profesional, y cuando algo se profesionaliza es ya otra cosa. Por eso, mientras el pavor hace al hombre torpe de mente y moción, lleva las facultades del bruto a su mayor rendimiento. La vida animal culmina en el miedo. Sortea el venado, certero, el obstáculo; con precisión milimétrica se enhebra raudo por el hueco entre dos troncos. Hocico al venteo, corvo hacia atrás el cuello, deja gravitar a su peso la regia astamenta que equilibra su acrobacia, como el balancín la del funámbulo. Gana espacio con prisa de meteoro. Su pezuña apenas toca la tierra; más bien —como dice Nietzsche del bailarín— se limita a reconocerla con la punta del pie; reconocerla para eliminarla, para dejársela atrás. De súbito, sobre el lomo de un jaro aparece al cazador el ciervo; lo ve sesgar el cielo con garbo de constelación, lanzado allá al dispararse los resortes de sus cabos finísimos. El brinco de corzo o venado —y más aún el de ciertos antílopes— es, acaso, el acontecimiento más bonito que se da en la Naturaleza. De nuevo gana el suelo a distancia, y acelera su fuga porque le andan ya en los jarretes resoplando los perros —los perros, fautores de todo este vértigo, que han transmitido al monte su genial frenesí y ahora, en pos de la pieza, con la lengua péndula, tendidos a todo su largo los cuerpos, galopan obsesos: podenco, alano, sabueso, lebrel.

(*Obras completas,* VI, pp. 455-457. Madrid, 1947.)

Ortega emplea, en un tema concreto, el método de la *razón vital.* Es el primer ejemplo pleno de su utilización, y él permite la reconstrucción teórica de sus ingredientes o requisitos y de las etapas o pasos que envuelve (véase *Acerca de Ortega,* p. 96-97). Pero la voz *lógos,* que suele traducirse por 'razón', significa en griego primariamente 'palabra' (sobre la semántica de 'razón', véase mi *Introducción a la Filosofía,* cap. V). La nueva idea de la razón que aparece en la obra de Ortega lleva consigo una *transformación del decir*; hay un *lógos* de la razón vital, una forma peculiar de elocución, cuya mejor muestra es el pasaje que comentamos. Examinemos algunos de sus caracteres.

El título.—"De pronto, en este prólogo, se oyen ladridos"; no se esperaría esta forma de título en un estudio de carácter teórico; normalmente el título sería un nombre o una expresión nominal; acaso un enunciado, una "tesis". El de Ortega tiene un carácter *circunstancial* ("de pronto, en este prólogo"), y lo que en él pudiera parecer un enunciado no lo es, sino una frase *narrativa* ("se oyen ladridos"). Esto preludia lo que va a ser la estructura del capítulo. El título crea la expectativa del lector, lo prepara para el tipo de elocución que va a seguir; anticipa el mínimo "género literario" que allí se realiza.

La estructura dramática.—Ortega no escribe una serie de enunciados teóricos engarzados en raciocinios más o menos remotamente silogísticos. Imagínese que se intentara hacer con este texto lo que los escolásticos llamaban "ponerlo en forma": se lo alteraría sustancialmente, se cometería una *metábasis eis állo génos,* un "paso a otro género", por lo pronto literario, pero a la vez intelectual. Ortega *imagina un drama* en miniatura, con *protagonistas y escenario* —cazadores, animales y campo— y lo *narra.* La estructura rigurosa de este *decir* es precisamente la narración, con un propósito cognoscitivo y científico. En mi libro *Miguel de Unamuno* (1943) estudié detalladamente el valor cognoscitivo de la novela como relato. En otros lugares (entre ellos, *Nuevos ensayos de filosofía*) me he ocupado de los géneros literarios de la filosofía y de "La filosofía como estructura dramática" (puede verse también *Philosophy as Dramatic Theory,* Pennsylvania State University Press, 1971); la razón vital —en su forma concreta, razón histórica— es una razón *narrativa,* fundada en una estructura analítica que en cada caso se llena de contenido circunstancial y entonces se convierte en verdadero conocimiento de realidad.

Esa dramatización supone, ante todo, el sustituir el punto de vista abstracto y *sub specie aeterni* por un punto de vista real y concreto; pero esto requiere a su vez la *multiplicidad de las perspectivas.* No hay un ojo impasible que desde un solo lugar —o desde el lugar ninguno— contemple la escena: la pupila se va desplazando e intenta ponerse sucesivamente en el puesto del cazador, de los perros, de la res perseguida, del paisaje ya animado. El escenario, a su vez —la campiña con cuanto hay dentro de ella—, no se toma como una "cosa" en sí, fija e inerte, ni como una colección de cosas, sino que se lo vive como "mundo", es decir, como "horizonte" mudable, definido por su centro, por el cambiante punto de vista.

Los recursos lingüísticos.—Compárese, dentro del párrafo 1, su primera mitad (hasta la palabra "respirar") con la segunda (desde "Mas ya llegan, ya llegan las jaurías"), casi exactamente de la misma extensión. La primera tiene 16 frases separadas por puntos; la segunda, 9. Es decir, a las frases muy cortas del principio siguen otras mucho más largas. Las pausas iniciales, que sugieren la calma, lo estático, van a ser sucedidas por una aceleración en que todo se pone en marcha. Para expresar lo estático, escribe frases en que la calma de las significaciones viene multiplicada por la lentitud fonética de las expresiones: "Aves vagas reman lentas hacia algún tranquilo menester". Compárese con la segunda parte del párrafo: "gesticulan, anuncian, presagian". O, todavía más: "¡Ya está ahí, ya está ahí la jauría: baba densa, jadeo, coral de encías, y los arcos de los rabos inquietos fustigando el paisaje!" O, en forma extrema, al final del párrafo 3, la realización rítmica de la carrera de los perros: "tendidos a todo su largo los cuerpos, galopan obsesos: podenco, alano, sabueso, lebrel".

La descripción.—Los elementos descriptivos en este pasaje son distintos de los que presentarían un repertorio de "cosas"; tampoco se trata de una visión "pictórica"; las notas que interesan no son morfológicas ni plásticas, sino *escénicas,* por una parte, y *dramáticas,* por otra. Es decir, aquellas que provocan en el lector la vivencia de los elementos *actuantes* en el drama. De los perros se recogen, de modo impresionista, las notas que hacen revivir su tensa e impaciente movilidad: la baba, el jadeo, el coral de las encías visibles, los rabos inquietos que fustigan el paisaje. Del ciervo en fuga se señalan los rasgos que hacen vivir su celeridad vertiginosa: el hocico, el cuello encorvado, la astamenta, la pezuña, los cabos finísimos cuyos "resortes" se "disparan". (Compárese con la descripción realista de una cacería, por ejemplo la de osos que cuenta Pereda en el cap. XX de *Peñas arriba.*)

Las metáforas.—Tampoco son plásticas ni morfológicas; no se mueven en un mundo de *cosas* fijas y estáticas; ni son metáforas meramente visuales, de pintor; no importa en rigor el aspecto de las cosas, sino su *función vital.* Se dice que el horizonte se distiende "elástico"; las cosas "gesticulan, anuncian, presagian"; no se nos dice *qué* cosas son, sino que son vividas como avisos o advertencias. Para explicar la nueva quietud —posterior a la aparición de los perros—, llena de movimiento retenido, se dice: "como la vaina está llena de espada"; esto es, se busca una metáfora instrumental y dinámica; la vaina contiene la espada de modo activo e inestable: remite a una futura "salida" de ella; es decir, la espada no está "guardada" en su vaina, sino *envainada,* por tanto, en *potencia* de desenvainarse, y esa potencia la constituye; por eso está llena y como rebosante; de modo análogo, la quietud de la campiña es ahora pura tensión e inminencia. Las imágenes de la polarización y el imán expresan la estructura de *orientación dinámica* que ha adquirido el campo, que es ya escenario del drama venatorio, no inerte superficie de terreno. El miedo del animal perseguido es como "un vacío", y se acumulan las imágenes de arrastre vertiginoso: sorbe el paisaje, lo succiona, lo lleva corriendo... Se ha eliminado todo resto de "cosas"; ya no hay cosas inmóviles y fijas; no hay más que ingredientes dinámicos de una realidad constituida por esencial movilidad. Y, por esto precisamente, al cazador "se le sale el alma fuera". ¿Qué quiere decir esta última metáfora? Con ella desembocamos en lo más importante.

La situación normal del hombre en el campo consiste en que el hombre, desde sí mismo, contempla la extensión que lo rodea; el hombre está dentro de sí, y el campo fuera, o lo que es lo mismo, el hombre está fuera del campo. Pero en la caza, el hombre *vive* cada elemento, cada ingrediente del paisaje, que se anima y adquiere para él una función inmediata, en función del acontecimiento venatorio que en aquel momento *constituye realmente su vida*; el hombre, entonces, está "dentro" del campo, y a la vez fuera de sí, presente en cada punto de la campiña móvil. Las cosas son vividas como *facilidades* y *dificultades,* como ingredientes con los cuales y frente a los cuales tiene el hombre que hacer aquella porción de su vida, por tanto, aparte de toda interpretación o teoría acerca de ellas. Una roca no es un sólido geométrico de cuarzo y feldespato; es una *opacidad* que oculta a la pieza, o bien una *inmovilidad* que asegura la puntería de mi rifle. Un árbol no es un organismo vegetal, sino lo que determina una *desviación* de la res fugitiva, o lo que me *protege* del ardor solar.

Cada "cosa" es, pues, literalmente muchas, no tiene un ser "en sí", sino que lo va recibiendo de las múltiples funciones vitales que va asumiendo (muchas, pero no cualesquiera, sino solo las que su estructura le permite recibir). La realidad se fluidifica; no hay en rigor *hechos*; solo *hacerse.* "La razón histórica —escribe Ortega en otro lugar [1]— no acepta nada como mero hecho, sino que fluidifica todo hecho en el *fieri* de que proviene; *ve* cómo se hace el hecho".

Esto es lo que exige una transformación del *decir* cuando el *lógos* no es abstracto, sino el *lógos* distinto y superior en que consiste la *razón vital*. En este fragmento de Ortega vemos un ejemplo concreto de lo que podríamos llamar su *detalle*; pero hay que extender esta transformación a la totalidad del *decir*, desde el uso del vocabulario hasta el "sistema metafórico" [2] y, muy principalmente, el género literario, las nuevas condiciones del sistema, las formas de justificación como formas de *vivificación*, no de mera "concatenación" o coherencia lógica abstracta. [3]

NOTAS

[1] *Historia como sistema. Obras Completas*, VI, p. 50.

[2] Véase mi ensayo "Philosophic Truth and the Metaphoric System" en *Interpretation: The Poetry of Meaning*, Edited by S. R. Hopper and D. L. Miller, Harcourt, Brace & World, Inc., New York 1967.

[3] Véase mi libro *Ortega. Circunstancia y vocación* (2.ª ed. El Alción, Revista de Occidente, Madrid 1973, Sección II: El escritor. Vol. II, p. 11-119). Como ejemplo maduro de "género literario" según la razón vital, puede verse mi *Antropología metafísica* (2.ª ed. El Alción, Madrid 1973).

Ignacio Aldecoa: "Seguir de pobres"

JOSÉ M.ª MARTÍNEZ CACHERO

1.ª A Las ciudades de provincias se llenan en la primavera de carteles. Carteles en los que un segador sonriente, fuerte, bien nutrido, abraza un haz de espigas solares; a su vera, un niño de amuñecada cara nos mira con ojos serenos; a sus pies, una hucha de barro recibe por la recta abertura del ahorro —boca sin dientes, como de vieja, como de batracio— una espuerta de monedas doradas. Son los anuncios de las Cajas de Ahorro. Son anuncios para los labradores que tienen parejas de bueyes, vacas, maquinaria agrícola y un hijo estudiando en la Universidad o en el Seminario. Estos carteles tan alegres, tan de primavera, tan de felicidad conquistada, nada dicen a las cuadrillas de segadores que, como una tormenta de melancolía, cruzan las ciudades buscando el pan del trabajo por los caminos del país.

B A principios de mayo el grillo sierra en lo verde el tallo de las mañanas; la lombriz enloquece buscando sus penúltimos agujeros de las noches; la cigüeña pasea los mediodías por las orillas fangosas del río haciendo melindres como una señorita. En los chopos altos se enredan vellones de nubes, y en el chaparral del monte bajo el agua estancada se encoge miedosa cuando las urracas van a beberla. La vida vuelve.

2.ª A La cuadrilla de la siega pasa las puertas a hora temprana, anda por la carretera de los grandes camiones y los automóviles de lujo en fila, en silencio, en oración —terrible oración— de esperanza. Al llegar al puente del río la abandonan por el camino de los pueblos del campo lontano. Se agrupan. Alguien canta. Alguien pasa la bota al compañero. Alguien reniega de una alpargata o de cualquier cosa pequeña e importante.

B En la cuadrilla van hombres solos. Cinco hombres solos. Dos del noroeste, donde un celemín de trigo es un tesoro. Otros dos de la parte húmeda de las Castillas. El quinto, de donde los hombres se muerden los dedos, lloran y es inútil.

C Con pan y vino se anda camino cuando se está hecho a andarlo. Con pan, vino y un cinturón ancho de cueras de becerra ahogada o una faja de estambre viejo, bien apretados, no hay hambre que rasque en el estómago. Con mala manta hay buen cobijo, hasta que la coz de un aire, entre medias cálido, tuerce el cuello y balda los riñones. Cuando a un segador le da el aire pardo que mata el cereal y quema la hierba —aire que viene de lejos, lento y a rastras, mefítico como el de las alcantarillas—, el segador se embadurna de miel donde le golpeó. Pero es pobre el remedio. Ha de estar tumbado en el pajar viendo a las arañas recorrer sus telas. Telas que de puro sutiles son impactos sobre el cristal de la nada.

D Cinco hombres solos. Cinco que forman un puño de trabajo. Dos del noroeste: Zito Moraña y Amadeo, el buen Amadeo, al que le salen barbas en el dorso de las manos, que se afeita con una hoz. Dos de la Castilla verde: San Juan y Conejo. El quinto, sin pueblo, del *estaribel* de Murcia por algo de cuando la guerra. El quinto, callado; cuando más, sí y no. El quinto, al que llaman desde que se les unió, sencillamente, "El Quinto", por un buen sentido nominador.

3.ª "El Quinto" les dijo en la cantina de la estación donde se lo tropezaron:

—Si van para el campo y no molesto voy con ustedes.

Zito Moraña le contestó:

—Pues venga.

"El Quinto" movió la cabeza, clavó los ojos en Moraña, pasó la vista sobre Amadeo, que se rascaba las manos; consultó con la mirada a San Juan, que liaba un cigarrillo parsimonioso sin que se le cayera una brizna de tabaco, y por fin miró a Conejo, que algo se buscaba en los bolsillos.

—Acabo de salir de la cárcel. ¿Qué dicen?

—¿Y usted? —respondió Zito.

—La guerra, y luego, mala conducta.

—¿Mala?

—De hombre, digo yo.

—Pues está dicho.

"El Quinto" pidió un cuartillo de vino tinto. La cita fue para los cinco y media de la mañana en el depuertas de la carretera. Se separaron.

4.ª A Ahora los cinco van agrupados por el camino largo de los segadores. Zito conoce el terreno. Todos los años deja su tierra para segar a jornal.

—Amadeo, de la revuelta esa nos salió el pasado una liebre como un burro.

—Sí, hombre; pero no el pasado, sino otro año atrás.

—Fue lástima...

Y Zito y Amadeo hablan del antaño perdiéndose en detalles, mientras San Juan se suena una y otra vez la nariz distraídamente, mientras Conejo se queja en un murmullo de su alpargata rota, mientras "El Quinto" va mirando los bordes del camino buscando no sabe qué.

B Al mediodía les para un sombrajo. De la bota del pobre se bebe poco y con mucha precaución. Al pan del pobre no se le dan mordiscos; hay que partirlo en trozos con la navaja. El queso del pobre no se descorteza, se raspa.

En el sombrajo descansan y fuman los cigarrillos de las mil muertes del fuego, de sus mil nacimientos en el encendedor tosco y seguro. Han dejado de hablar de las cosas de siempre, esas cosas que acaban como empiezan:

—La mujer habrá terminado de trabajar en el pañuelo de tierra que hemos arrendado tras de la casa. Los chavales estarán dándole vueltas al pucherillo.

Una larga pausa y la vuelta.

—Los chavales le estarán sacando brillo al puchero. La mujer saldrá a trabajar el pañuelo de tierra que hemos arrendado tras de la casa.

Dicen la mujer, los chavales, el que se fue de las calenturas, el que vino por San Juan de hará tres años. No poseen con la brutal terquedad de los afortunados y hasta parece que han olvidado en los rincones de la memoria los posesivos débiles de la vida. Están libres.

Callan hasta que otro repita la historia con escasas variantes. Callan hasta que se dan cuenta de que hay un ser de silencio y de sombras con ellos, uno que ha dicho sí y no y poca cosa más. Aquí está Zito Moraña para preguntar, porque a un compañero hay que darle ocasión, sin molestarle, de un suspiro, de una lágrima, de una risa. Un compañero puede estar necesitado de descanso y es necesario saber, cuando cuente, el momento en que hay que balancear la cabeza o agacharla hacia el suelo o levantarla hacia el sol.

—¿Usted que hará cuando acabe esto?

"El Quinto" encoge una pierna y duda.

—¿Yo?

—Nosotros volveremos para la tierra.

—Ya veré.

Y entre ellos, entre los cuatro y "El Quinto", el corazón de la comunidad naufraga.

C Zito tiene su orden. Se pone en pie, consulta su sombra, levanta su hato y se lo carga a la espalda.

—Bueno, andando. Para las cinco podemos estar en la hocina. Para las seis, en el teso del pueblo.

Por la ladera, hacia el río, vuela el ave que huele mal. Conejo, de los bolsillos, saca una madera que talla con la navaja.

—¿Qué haces? —le pregunta San Juan.

—La torre de los condes, para que juegue el chico a la vuelta. La hago con silbo de pájaro.

Zito y Amadeo recuerdan el antaño. Y "El Quinto" mira el camino.

5.ª A A las seis platea el río por medio del llano. En el pueblo, entre casa y casa, crece la tiniebla. Por los últimos alcores el cielo está morado. Los perros ladran al paso lento de los de la siega. Zito conoce a los que se asoman a las puertas a verlos llegar.

—Señor Ricardo, ¿se curó de los cólicos?

El campesino responde, cachazudo:

—Parece, parece.

La cuadrilla sigue adelante.

—Señora Rosario, ¿volvióle el santo a Patricio?

—Por ahí anda.

Zito hace un aparte a San Juan.

—Es que tiene un hijo que dio en manías el año pasado de una soleada en las fincas.

Hacen un alto en la plaza. El cuadrado de la plaza está quebrado por la irregularidad de las construcciones. En la mitad está el pilón; en él juegan los niños. Al verlos a los cinco parados y ensimismados, los niños se les acercan a una distancia de respeto y prudencia. Los segadores, como los gitanos, pueden robar criaturitas para venderlas en otros pueblos.

Zito vocea a un campesino sentado en el umbral de su casa:

—¿Qué, Martín, hay pajar para cinco hombres?

—Hay, pero no paja.

—Da igual. ¿A cuántos nos necesita usted?

—Con dos de vosotros me arreglo, porque tengo otros que llegaron ayer. Mañana temprano, a darle. El jornal, el de siempre.

—Ya aumentará usted una pesetilla.

—Están los tiempos malos, pero se ha de ver.

Precisamente están los tiempos malos. No se marcha la gente de su tierra porque estén buenos, ni porque la vida sea una delicia, ni porque los hijos tengan todo el pan que quieran. Zito arruga la frente y medita.

—Tú, San Juan, y tú, Conejo, podéis quedaros con él. Mañana arreglaremos nosotros.

B Dando la vuelta a la iglesia, a la que está pegada la casa, se abre un amplio portegado. El portegado está entre una era y un estercolero, que en las madrugadas tiene flotando un vaho de pantano y que está en perpetuo otoño de colores. Del portegado se sube al pajar. Las maderas brillan pulimentadas. Sólo hay un poco de paja en un rincón. Los trillos, apoyados sobre la pared, con los pedernales amenazantes, parecen fauces de perros guardianes.

—Dejad ahí los hatos. Vamos a ver si nos dan algo en la cocina.

En la cocina les dan un trozo de tocino a cada uno, pan y vino. La mujer de Martín les contempla desde una silla.

—Tú, Zito, alegra el ánimo con la comida. Canta algo, hombre, de por tu tierra.

—No estoy de buen año, señora.

—Canta, Zito —dice Martín, que está apoyado en la puerta.

—Tengo la garganta con nudos.

—Cuanto más viejo, más tuno, Zito.

—Pues cantaré, pero no de la tierra, y a ver si les va gustando.

—Tú canta, canta.

Zito, con el porrón apoyado sobre una pierna, entona una copla. Sus compañeros bajan la cabeza.

Al marchar a la siega
entran rencores
trabajar para ricos
seguir de pobres

... ...

6.ª Sobre los campos salta la noche. Un ratón corre por el pajar. Los segadores están tumbados.

—Oye, San Juan, son unos veinte días aquí. A doce pesetas, ¿cuánto viene a ser?

—Cuarenta y ocho duros.

—No está mal.

Abajo, en la cocina, habla Martín en términos comerciales y escogidos con un amigo.

—Me han ofrecido material humano a siete pesetas para hacer toda la campaña, pero son andaluces...

—Gente floja.

—Floja.

Martín hace con los labios un gesto de menosprecio.

... ...

7.ª A Trabajaban San Juan y Conejo con Martín. Zito Moraña, Amadeo y "El Quinto", con otros segadores que llegaron un día después, segaban en las fincas del alcalde. No se veían los dos grupos más que cuando marchaban al trabajo o volvían de él por los caminos. Zito, Amadeo y "El Quinto" dormían en el pajar del alcalde, sobre paja medio pulverizada. Se pasaban el día en el campo.

B A la cuarta jornada apretó el calor. En el fondo del llano una boca invisible alentaba un aire en llamas. Parecía que él iba a traer las nubes negras de la tormenta que cubrían el cielo, y sin embargo el sol se hacía más profundo, más pesado, más metálico. Los segadores sudaban. Buscaban las culebras la humedad debajo de las piedras. Los hombres se refrescaban la garganta con vinagre y agua. En el saucal, la dama del sapo, que tiene ojos de víbora y boca de pez, lo miraba todo maldiciendo. Los segadores, al dejar el trabajo un momento, tiraban, por costumbre, una piedra a bajo pierna en los arbustos para espantarla. Podía llegar la desgracia. El viento pardo vino por el camino levantando una polvareda. Su primer golpe fue tremendo. Todos lo recibieron de perfil para que no les dañase, excepto "El Quinto", que lo soportó de espaldas, lejano en la finca, con la camisa empapada en sudor, segando. Le gritaron y fue inútil. No se apercibió. Cuando levantó la cabeza era ya tarde.

b′ "El Quinto" llegó al pajar tiritando. Y no quiso cenar. Le dieron miel en las espaldas. El alcalde llamó al médico. El médico lo mandó lavar porque opinó que aquello eran tonterías. Y dictaminó.

—No es nada. Tal vez haya bebido agua demasiado fría.

Zito le explicó:

—Mire, doctor, fue el viento pardo...

El médico se enfadó.

—Cuanto más ignorantes, más queréis saber. ¿Qué me vas a decir tú?

—Mire, doctor, fue el viento que mata el cereal y quema la yerba. Hay que darle de miel. Las mantecas de los riñones las tiene blandas.

—Bah, bah, el viento pardo... —comentó.

Los compañeros volvieron a darle miel en las espaldas en cuanto se marchó el médico, y Zito le echó su manta.

—¿Y tú, Zito? —dijo "El Quinto".

—Yo, a medias con Amadeo.

"El Quinto" temblaba; le castañeteaban los dientes. El viento pardo en el saucal hacía un murmullo de risas.

… … … … … … … … … … … … … …

8.ª Allí estaba "El Quinto", entretenido con las arañas. Las iba conociendo. Contó a Zito y a Amadeo cómo había visto pelear a una de ellas, la de la gran tela, de la viga del rincón, con una avispa que atrapó. Lo contaba infantilmente. Zito callaba. De vez en cuando le interrumpía doblándole la manta.

—¿Qué tal ahora?

—Bien, no te preocupes.

—¿No me he de preocupar? Has venido con nosotros y no te vas a poder marchar. Nosotros dentro de cuatro días tiramos para el norte. Esto está ya dando las boqueadas.

—Bueno, qué más da. No me echarán a la calle de repente…

—No, no, desde luego… —dudaba Zito.

—Y si me echan, pues me voy.

—¿Y adónde?

—Para la ciudad, al hospital, hasta que sane.

—Hum…

… … … … … … … … … … … … … …

9.ª —Aquí tienes lo tuyo, Zito. Os doy doce perras más por día a cada uno.

—Gracias.

—Pues hasta el año que viene. Que haya suerte. Y dile al "Quinto" que para él, aunque no ha trabajado más que tres días y le he estado dando de comer todo este tiempo, hay diez duros. No se quejará.

—No, claro.

—Pues díselo y también que levante con vosotros.

—Pero si es imposible, si está tronzado.

—Y yo qué quieres que le haga.

... ...

10.ª Llegaron al puente. "El Quinto" andaba apoyado en un palo medio a rastras. Zito Moraña y Amadeo le ayudaban por turno.

—¿Qué tal? Ahora coges la carretera y te presentas en seguida en la ciudad.

—Si llego.

—No has de llegar. Mira, los compañeros y yo hemos hecho ... un ahorro. Es poco, pero no te vendrá mal. Tómalo.

Le dio un fajito de billetes pequeños.

—Os lo acepto porque... yo no sé... muchas gracias. Muchas gracias, Zito y todos.

"El Quinto" estaba a punto de llorar, pero no sabía o lo había olvidado.

—No digas nada, hombre.

Les dio la mano largamente a cada uno.

—Adiós, Zito; adiós, Amadeo; adiós, San Juan; adiós, Conejo.

—Adiós, Pablo, adiós.

Hacía quince días que habían aprendido el nombre del "Quinto".

Por la orillita de la carretera caminaba, vacilante, Pablo. Los segadores volvieron las espaldas y echaron a andar. Se alejaron del puente. Zito, para distraer a los compañeros, se puso a cantar a media voz algo de su tierra. [1]

(Ignacio Aldecoa: *Cuentos completos I*, recopilación y notas de Alicia Bleiberg. Madrid, n.º 436 de "El Libro de Bolsillo", Alianza Editorial, 1973; pp. 25-32.)

DISTINGO en *Seguir de pobres* diez unidades de significación, indicadas tipográficamente las cinco últimas (una línea de puntos como separación) por el mismo Ignacio Aldecoa. Para disponer mi comentario sigo el orden con que tales unidades se ofrecen.

La primera de ellas, comienzo del texto, no resulta, sin embargo, comienzo de la peripecia o sucedido. Consta de dos párrafos —*A* y *B*— que en su conjunto y, también, uno a uno, constituyen a manera de introducción lejana. Hacia el final de *A* se menciona a "las cuadrillas de segadores", una de las cuales será la protagonista de este cuento, pero se trata del único, y debilísimo, nexo con el resto por venir ya que las referencias temporales de *A* —carteles en "la primavera"— y de *B* —"a principios de mayo ..."— no coinciden con la época en que se realiza la faena encomendada a nuestros personajes. Nada más hay en *A*-*B* que permita vincular esta primera unidad a la entraña del cuento. ¿Cuál es, entonces, su cometido? Sencillamente, el de servir de entrada, lenta, lujosa, literaria entrada, procedimiento éste grato a Ignacio Aldecoa, el escritor de cuentos y de novelas cortas, incluso para abrir marcha en capítulos de alguna de sus novelas mayores.

Un contraste es el núcleo y fundamento de *A*, contraste entre lo pintado —el cartel de las Cajas de Ahorro, sin duda tan atractivo y feliz— y lo vivo —las cuadrillas de segadores, emigrantes de temporada en el propio país, que "cruzan las ciudades buscando el pan del trabajo"—; contraste entre la primavera y la ciudad de los carteles —mera apariencia engañosa— y el verano y el campo —realidades más bien duras para quienes hayan de conocerlas directa y trabajadoramente—. Pero semejante contraste, de índole económico-social, no sirve en manos de Aldecoa, que tiene ahora la palabra, de pretexto para el desahogo panfletario o para cualquier otra veleidad tremendista; como "una tormenta [sí] de *melancolía* [el subrayado es mío]" cruzan el país los segadores.

Hay una voluntad de estilo bastante acusada en *A-B*. *B* es un párrafo lírico-narrativo con incrustaciones descriptivas: presencia y acción de tres distintas especies animales (el grillo, la lombriz, la cigüeña), que son como sus personajes. La presencia de la última se prolonga algo más, cosa de un renglón, permitiendo así, de pasada, la referencia a otra especie animal (la urraca) y el establecimiento, apenas insinuado, de un contraste de signo locativo: *alto* (chopos, vellones de nubes) / *bajo* (chaparral, agua estancada), que no continúa el advertido en *A* y al que no cabe encontrar matización moral alguna dentro del párrafo o en contexto más extenso. La trimembración o mención triple, acompañada de informadora noticia —el grillo "sierra ...", la lombriz "enloquece ...", la cigüeña "pasea ..."—, lentifica el decurso, ya que se trata de otros tantos sintagmas no progresivos, y ayuda estéticamente a la apuntada voluntad de estilo. Otros ejemplos de andadura ternaria hallamos en *A*: tres calificativos para el mismo sustantivo, que comparecen o solos —"sonriente", "fuerte" para *segador*—, o acompañados e introducidos por un adverbio —"bien nutrido", también para *segador*; "tan alegres", para *carteles*—; a veces son sustantivos precedidos de adverbio + preposición los que actúan con función calificativa —"tan de primavera", "tan de felicidad ..." para *carteles*—. El predominio del ritmo impuesto por estas trimembraciones acaso sea compensado en *A* (alternancia muy próxima de ritmos diferentes), por la pareja "boca sin dientes" $<$ como de vieja / como de batracio, de claro sentido degradatorio, y por la doble pareja que forman "... bueyes, vacas, maquinaria agrícola y un hijo estudiando ...".

Añádase a lo dicho la relativa frecuencia de comparaciones, introducidas siempre por *como* menos en un caso (la abertura de la hucha de barro es llamada "boca sin dientes"; ésta, a su vez, parece boca "*como* de vieja" y "*como* de batracio"); cuadrillas de segadores que cruzan "*como* una tormenta ...", la cigüeña pasea haciendo melindres "*como* una señorita". Queda así evidente la voluntad de estilo y, también, la condición de entrada lenta, lujosa, literaria asignada a esta primera unidad de significación.

La segunda unidad comprende cuatro párrafos —*A*, *B*, *C*, *D*— y con ella se inicia efectivamente la peripecia o sucedido. Es unidad presentativa en la que, de mano y palabra del autor, van compareciendo los personajes fundamentales de *Seguir de pobres*.

Anónimos y sin que se indique número de ellos en *A*, párrafo de textura dinámica como explícitamente acreditan ocho verbos (uno, "llegar", en modo no personal), en su mayor parte, verbos de movimiento. La falta de pormenores geográficos concretos —una carretera que no es más que "la carretera de los grandes camiones y los automóviles de lujo"; un río y un puente; un camino, después, que conduce a "los pueblos del campo lontano"— refuerza la anonimia. Una y otra, más la no determinación numérica de la cuadrilla, crean esa atmósfera, por general, desleída que resulta conveniente para un párrafo como el *A*, de transición entre dos unidades significativas contiguas y harto distintas. (El avance hacia lo particular y concreto irá por sus pasos contados a lo largo de los tres párrafos que siguen.)

Como, por ejemplo, en *B*, donde, si bien continúa manteniéndose la anonimia, aprendemos que la cuadrilla está integrada por cinco personas, cinco hombres que se reagrupan en dos parejas, quedándose uno de ellos suelto, solo. Hay la pareja del noroeste, los dos habitantes de la Castilla húmeda y un quinto, cuya naturaleza no se indica por ahora.

Pasemos de *B* a *D* ya que a la altura de este párrafo ha llegado el momento de deshacer la anonimia ofreciendo los nombres casi completos (Zito Moraña), o los nombres sin otro aditamento de identificación legal (Amadeo, "buen Amadeo", "al que le salen barbas en el dorso de las manos, que se afeita con una hoz", aditamento éste de cuenta del autor), o sólo un apellido (San Juan, Conejo). El segador desparejado continúa siendo un anónimo, a quien "por un buen sentido nominador" sus ocasionales compañeros llamarán "El Quinto"; de él tendremos ahora una penumbrosa localización entre espacial y temporal: el *estaribel* de Murcia y la guerra (en *B* se leía que "El Quinto" es "de donde los hombres se muerden los dedos, lloran y es inútil"). Forman "un puño de trabajo" pero, antes de ahora, quienes constituyen las dos parejas tienen un arrimo natal y familiar en tanto "El Quinto", deseoso de olvidar el pasado, que le llenó de temor y le hizo "callado (de sí y no, "cuando más"), solamente es dueño de un patético desvalimiento.

De nuevo acechan la posibilidad panfletaria y/o la tremendista a poco que se le fuera la mano al autor tras la guerra y la cárcel de "El Quinto", tras la pobreza de la pareja del noroeste, donde una cierta medida de trigo se reputa como "un tesoro". Ignacio Aldecoa, que no rehuye escribir literatura social, piensa que la sencilla y objetiva enunciación es suficiente por sí misma, alcanza mayor relieve que el comentario sobrepuesto a los hechos.

Lo cual se reitera con el uso de refranes y dichos populares en *C,* párrafo que por interpuesto entre *B* y *D,* como interrumpiendo su secuencia, habíamos olvidado un momento. A seguido de ese saber tópico, viene un germen de situación más que dolorosa y harto posible en la faena de la siega, la premonición de "el aire pardo" que en la unidad séptima (y, otra parte, en la octava) va a realizarse en el cuerpo de "El Quinto" precisamente, tal como si éste hubiese de pagar en desgracias la comisión de alguna misteriosa falta.

La unidad tercera, una de las de menor extensión, ofrece dos novedades: introduce el diálogo, al que se juntan indicaciones complementarias obra del autor; y retrotrae el tiempo de la acción.

De ahora en adelante será frecuente el uso del diálogo pues los personajes fundamentales —los cinco segadores de la cuadrilla—, sólo incompleta e indirectamente presentados, seguirán siéndolo pero, casi siempre, por sí mismos, con sus acciones y palabras. (Va a quedarle al autor poco espacio propio, un mínimo espacio para complementar o para la pincelada descriptiva, y en ambas funciones se producirá bien escuetamente.) Un diálogo, igualmente escueto, con las solas palabras requeridas pues se trata de interlocutores nada dados a la palabrería, acostumbrados al silencio, también pobres y humildes en este orden de cosas; de parte del autor se refuerza esta elementalidad con la frecuente omisión del verbo *dicendi*.

En la cantina de una anónima estación ha ocurrido, el día anterior al que sirve de marco temporal a la segunda unidad, el encuentro que es núcleo de esta tercera. Levísimo salto atrás en el decurso tempóreo, salto que no va a tener repetición expresa a lo largo del cuento, el cual en la unidad de significación siguiente (la cuarta) recobra la secuencia momentáneamente abandonada y la continúa y progresa hacia adelante, dando como resultado un bloque temporal de hacia veinte días.

En tanto Zito Moraña y "El Quinto", que trata de incorporarse a las dos parejas, hablan, los otros tres, silenciosos y escuchándoles, entretienen el tiempo —Amadeo "se rascaba las manos", "consultaba con la mirada a San Juan"; éste, "liaba un cigarrillo"; Conejo, "algo se buscaba en los bolsillos"—. Zito parece destacarse del conjunto de sus compañeros, convirtiéndose en su portavoz y jefe; decide por todos, vgr., frente al caso biográfico que el hombre recién encontrado le plantea. He aquí cómo por encima de cuanto pudiera llevar al rechazo y a la marginación —desde una diferente ideología, no por elementalísima menos arraigada, hasta el miedo por la mala compañía—, se impone en Zito, y en sus compañeros, el instinto de solidaridad, tan decisivamente activo de ordinario entre los pobres de la tierra.

Recobramos en el mismo inicio de la cuarta unidad el tiempo y el lugar de la acción con los que veníamos operando antes del salto atrás y el consiguiente cambio locativo dado en la tercera. Estamos, seguimos, en el camino, pasado el puente sobre el río y rumbo a los pueblos del "campo lontano". Tres señalamientos temporales abren otros tantos apartados en la presente unidad —*A*: "*Ahora* los cinco ...", *B*: "*Al mediodía* ...", *C*: "—Bueno, *andando. Para las cinco* ..."—.

Contiene *A* una etapa de la jornada caminante que puede corresponder al trecho existente entre el abandono de la carretera y el sombrajo, y a un tiempo muy próximo al mediodía. Cada cual entretiene el camino a su modo, o a medias con algún compañero, como hacen Zito y Amadeo, los del noroeste, poseedores de un *antaño* respecto de la tierra y las gentes a que se encaminan, el cual les permite recordar complacidamente; San Juan y Conejo, la pareja de castellanos, llenan el camino separada y diferentemente (el uno "se suena", mientras el otro "se queja"). "El Quinto", pese a la compañía reciente, continúa en soledad y como sin objetivo preciso, "mirando los bordes del camino". (Adelantemos que el apartado *C* ofrece una situación análoga por cuanto, tras el alto cabe el sombrajo, "El Quinto" "mira el camino", Zito y Amadeo "recuerdan el antaño" y Conejo y San Juan se ocupan, como antes, variamente.) Un círculo se cierra y en su interior queda apresado —y realzado— el descanso de mediodía.

B es apartado más extenso y bastante más rico que sus compañeros de unidad. Cabe el sombrajo y a la hora de mediodía el grupo descansa, come y bebe, fuma y sus miembros charlan y recuerdan-imaginan. Hay quienes hablan dándole vueltas a lo mismo, y poco importaría que la vuelta se produjera a cargo de la misma persona o, como ocurre, abundando las dos parejas en lo dicho, repitiendo casi al pie de la letra. Lo dicho es tanto un recuerdo como una imaginación. El recuerdo —la mujer, la tierra arrendada, la casa, los hijos, el puchero; los hijos, el puchero, la mujer, la tierra arrendada y la casa— viene de lejos en el tiempo y de hondo en el afecto, y cuando rompe en palabras deja en la garganta un tierno sabor de lágrimas. La imaginación, la tan fácil imaginación, resulta más que verosímil al sustentarse sobre momentos y acciones cotidianamente repetidos. Una y otro, imaginación y recuerdo, conducen derechamente, tras el provisional alejamiento físico, a una costumbre segura y tranquilizadora. He aquí, junto con el estímulo económico, el ayudapesares de Zito y Amadeo, Conejo y San Juan —"nosotros volveremos para la tierra"—.

La riqueza de *B* lleva a considerar otras dos cuestiones. Sea la primera de ellas la participación del autor en forma de complementos o comentos a ciertas situaciones. Se insiste de este modo en la pobreza de los segadores y para subrayarla se recurre nuevamente a la comida y la bebida, fundamento de tópicas expresiones populares —"de la bota del pobre ...", "al pan del pobre ...", "el queso del pobre ..."—; poco más adelante se alude a la sufrida índole posesoria de estos pobres —"hasta parece que han olvidado en los rincones de la memoria los posesivos débiles de la vida"—. Diríase que Aldecoa se muestra distante espectador impasible que solamente constata, que hasta pretende cobijar su sentimiento bajo palabras ajenas, por muy divulgadas fácilmente reconocibles como tales.

La segunda de las cuestiones se centra en torno al diálogo y a lo que, inmediatamente, le antecede y sigue. De nuevo hablan Zito y "El Quinto", aún con alguna lejanía interpuesta entre ambos la cual se manifiesta paladinamente en el empleo del *usted* (habla Zito; otro tanto ha hecho en la unidad tercera) como tratamiento; frente a la decisión del primero cuando pregunta y cuando afirma (el segundo segmento de su intervención —"—Nosotros volveremos para la tierra"— se encabalga sobre el primero, sin apenas dejar hueco para el interlocutor), éste, tal vez sorprendido, se "encoge" y "duda". Lo que antecede y sigue a este sucinto diálogo es como una profesión de fe de Ignacio Aldecoa en la solidaridad entre los humildes —los integrantes del partido de "los pobres buenos", que decía Federico García Lorca—. Al recuerdo-imaginación de Zito y Amadeo, San Juan y Conejo sigue el silencio, que significa, sin duda, complacencia gustosa en la propia interioridad y consiguiente olvido del prójimo, entre el cual puede haber alguien (y, efectivamente, lo hay) aquejado de necesidades tan apremiantes —creo importa mucho su naturaleza sentimental— como dar escape a "un suspiro", a "una lágrima", a "una risa". Es en momentos como éste cuando el grupo humano adquiere coherencia solidaria y sus miembros actúan unánimes a favor de uno de ellos, contra el obstáculo amenazante; posee el grupo su peculiar impulso ofensivo-actuante, unas veces y defensivo-superador, en otras ocasiones, que va más allá de las solas palabras. Semejante actitud corrige el pesimismo vital de otras situaciones y páginas, corrección harto frecuente en Aldecoa. Esa sincera y nada ostentosa caridad se origina por vía cordial (hay un "corazón de la comunidad"), que nada tiene que ver con una irritada conciencia de clase explotada que se rebela e impropera.

C tiene extensión idéntica que *A* en esta cuarta unidad y, asimismo, función y contenido análogos. A lo ya adelantado, añádase: que Zito aparece también como presunto jefe de la cuadrilla —"conoce el terreno" (*A*), "tiene su orden" (*C*) y ordena—; que si *A* marca el comienzo de la recuperación de la secuencia temporal momentáneamente abandonada, *C* la continúa hacia adelante y llega a interferirse casi con la unidad siguiente.

La quinta unidad da comienzo cuando la cuadrilla de segadores hace su entrada en el innominado pueblo y concluye con la primera noche de estancia en el mismo. Son dos los apartados que la constituyen y podríamos designarlos con una palabra: *Llegada* (*A*); *Aposentamiento* (*B*). Ordenadamente transcurre el tiempo (unas horas: de las seis de la tarde a la cena y sobremesa); se ofrece el relato de cuanto va sucediendo y es el presente de indicativo el tiempo verbal que prepondera.

Sin embargo en *A*, de donde sale reforzada la dicha jefatura de Zito —que saluda y pregunta, que contrata y distribuye a los segadores de la cuadrilla—, desde la evidente instalación en la actualidad, se hacen apelaciones (que no escapadas o inversiones en el decurso temporal) al pasado y al futuro, lo que anima no poco el apartado. La condición de conocido de los pobladores del lugar permite a Zito hacer, ahora, preguntas acerca de la situación presente de personas enfermas cuando su anterior temporada en el mismo; así como su condición de jefe le faculta para aludir al deseable aumento de la soldada, asunto que se remite por Martín al futuro ("se ha de ver"), igual que para el inmediato mañana queda el colocarse con otro amo los tres de la cuadrilla que Zito ha dejado vacantes en su distribución ("Mañana arreglaremos nosotros"). De cara al pasado alternan en el diálogo el pretérito perfecto simple —"se curó", "volvióle", a cargo de Zito, que pregunta— con el presente de indicativo —"parece", "anda", a cargo del señor Ricardo y de la señora Rosario, respectivamente interpelados—.

Recién llegados (excepto "El Quinto") y habitantes del pueblo son conocidos de tiempo atrás. Se trata de gentes humildes, más bien pobres aunque algunos de entre ellos (Martín y el alcalde, explícitamente) lleguen a convertirse en patronos ocasionales. La relación de amo/servidor —vertical y momentánea— no anula la relación —horizontal y fija— de igualdad en lo económico y social que entre unos y otros existe.

La cena que los segadores hacen una vez aposentados, su ambiente quiero decir, no difiere gran cosa de la comida que horas antes han hecho cabe el sombrajo; las diferencias son (veámoslo) de insignificante pormenor:

En pleno campo (mediodía)	/	Bajo techo (noche);
La cuadrilla, solos	//	Acompañados por Martín y su mujer;
Conversación: recuerdo-imaginación (de los cuatro); Zito y "El Quinto"	///	Conversación: Martín y su mujer con Zito;
Remate: el camino, otra vez	////	Remate: una canción que canta Zito.

Esta canción llega sin que exista —a mi ver— una tensión previa que posibilite su empleo a manera de un climax coronador, la cresta más alta de la ola que avanza. Puede que la situación socio-económica que se apunta en unidades anteriores, junto con algún nuevo añadido —las condiciones materiales del aposento ofrecido a los segadores, vgr.— vayan conduciendo a un estallido, desahogo del fuego acumulado; cercanamente a ese estallido —la copla en cuestión— sólo encuentro los nudos que Zito dice tener en su garganta, acaso nudos sentimentales (recuérdese 4.ª *B*). Zito ha de ser insistido para que atienda la petición de cantar que le hacen la mujer de Martín, primero, y éste, a continuación; Zito se excusa alegando ánimo bajo (así interpreto el "—No estoy de buen año"), primero, y nudos en la garganta, después; únicamente ante la tercera arremetida, con visos de cariñoso insulto (los calificativos "viejo" y "tuno") vuelve de su negativa a una aceptación condicionada "cantaré, pero no de la tierra") y con tácitas intenciones ("y a ver si les va gustando"), lo cual parece encerrar algo de actitud desafiadora.

La frontera que separa en la unidad quinta los apartados *A* y *B* no resulta muy nítida y la hemos colocado tras el final de un período dialogado que deja paso a un párrafo descriptivo ("Dando vuelta a la iglesia ..."), a cuyo término reaparecerá el diálogo. Por ello hemos interferido en algún caso *A* y *B*; por lo mismo los reunimos de nuevo a la hora de referirse al pueblo, convertido en escenario de la acción. Innominado y sin que de las contadas noticias ofrecidas se deduzca una localización geográfica más precisa de lo que es decir: pueblo castellano, con sembrados de cereal. Claro está que la plaza, el pilón que la centra, la iglesia, el portegado, las irregulares construcciones no permiten identificar y sí, solamente, constatar de rechazo la apretada economía del pueblo y de sus vecinos. La llegada de las cuadrillas —los segadores que llegaron ayer, los cinco de hoy, los andaluces ofrecidos a Martín, otros— constituye sin duda la novedad más sobresaliente en la rutina cotidiana; una novedad que, si bien repetida año tras año, aún no ha conseguido vencer el recelo miedoso de los niños, crédulos de cuentos con gitanos y criaturas robadas ("los niños se les acercan a una distancia de respeto y prudencia"). No es momento, tal y como está de avanzado el cuento, para que el autor consuma espacio y palabras en descripciones de cierta amplitud y carga noticiosa; poco más hay que mención de cosas (la plaza, cuadrada; el pilón, "en la mitad"; la iglesia) con valor de hitos orientadores; ningún otro pormenor respecto a la topografía del lugar será añadido en las unidades de significación pendientes de examen.

He dudado bastante a la hora de enfrentarme con el fragmento de *Seguir de pobres* que va desde "Sobre los campos ..." hasta "un gesto de menosprecio", el cual podría ser tenido como apartado *C* (primera noche en el pueblo) de la unidad quinta o puede convertirse, como he hecho, en unidad exenta —la sexta—. Lo dicho poco ha de la copla cantada por Zito —a manera de un climax coronador—, más el expreso refuerzo separativo que Aldecoa le concedió colocándolo luego de una línea de puntos son los motivos que me decidieron, finalmente, a tratar aparte del mismo.

Dos dependencias contiguas en la misma edificación —arriba, pajar; abajo, cocina—; dos breves conversaciones; dos interlocutores en la sombra y otros dos expresos —San Juan, Martín—; un único asunto —el económico—, referido a idéntica faena —la siega—, desde dos diferentes perspectivas —la del segador, la del amo que contrata—. Podría añadirse respecto a ambas dependencias que su acomodo no es el mismo pues mientras una de ellas —la colocación en lugar superior no es aquí signo de privilegio— sólo accidentalmente sirve de albergue para personas, la otra es lugar habitual de estancia. Las dos perspectivas personales se expresan, además, diferentemente: la conformidad, casi contento, con la soldada ofrecida (ahora sabemos su cuantía exacta) en alguien de la dependencia superior, manifiesta en las menos y más sencillas palabras, contrastando con la consideración cualitativa de la mano de obra ("material humano", dice Martín) ofrecida a éste y con su hablar "en términos comerciales [interesados] y escogidos [no-sencillos]".

La unidad que va a ocuparnos —séptima de nuestro recuento— fue inequívocamente deslindada por el propio Ignacio Aldecoa, a quien se deben las líneas de puntos que la enmarcan. Dentro de la misma se trata de dos asuntos, a los que denominaré: *Trabajo* (*A*), *Accidente* (*B*), clara derivación el segundo de su compañero, el cual se corresponde con el párrafo inicial, quedando para *B* lo restante, si bien en tal conjunto pudiera establecerse otra zona a la que llamaré *b′* por derivar y depender estrechamente de *B*: se trata de los acontecimientos originados inmediatamente por el accidente ocurrido en el trabajo.

A completa la noticia que poseíamos acerca de la distribución de los miembros de la cuadrilla; ésta ha tenido que deshacerse como tal a causa de los compromisos y necesidades de los patronos pero subsiste como grupo humano solidario. "El Quinto", el más desvalido, sigue con Zito, el apoyo mayor.

Sobreviene en el cuarto día de trabajo, el accidente. La premonición de 2.ª *C* se ha convertido en realidad y su víctima es "El Quinto". Un párrafo entre descriptivo y narrativo (todo *B*), el más extenso del cuento, carente de cualquier lujoso añadido pero de hermosa y literaria hechura, informa de lo acaecido. Descripción del ambiente que, con rapidez parecida a la del viento que ha de cruzarlo, va cargándose pesada, opresivamente; el cielo, los segadores, los animales malignos presienten con desasosiego la cercanía de la desgracia. Llega el viento pardo: narración ahora de su modo de obrar, de hacer víctima a "El Quinto", inadvertido, alejado, en soledad, todo ello congruente con su sino.

b' es continuación o derivación de *B*. Se trata de los primeros auxilios al accidentado y en el diálogo (que ocupa más espacio), lo mismo que en las informaciones del autor, se pone de manifiesto una vez más la jefatura de Zito, quien: a), se encara con el médico, despreciativo y distante, y b), acaso dirige los rústicos cuidados que sus compañeros dispensan a "El Quinto", y c), atiende, maternalmente diríamos, a éste ("le echó su manta"); se pone de manifiesto, asimismo, la fuerza solidaria de los humildes, hechos más grupo ante la desgracia y frente al ajeno —el médico—, que ni participa de su pena ni ayuda a aliviarla. El tiempo no ha pasado en balde; con su paso desapareció aquella lejanía interpuesta entre "El Quinto" y sus recientes compañeros, y al *usted* de otros días, obligado tratamiento en 4.ª *B*, le sustituye el amistoso *tú* que tanto acerca.

Esta séptima unidad se remata con una frase integrada por dos elementos naturales —el viento pardo, el saucal—, puestos en contacto para producir efecto semejante a un ruido humano —"murmullo de risas"—, y de matiz no consecuente con lo que pide la dolorosa situación real; opuesto en la apariencia y en la significación a otro ruido humano —"le castañeteaban los dientes" [a "El Quinto"]—, harto patético. Constituye un final rotundo, diríamos que una especie de anti-epifonema.

El accidente sobrevenido a "El Quinto" y sus consecuencias determinan, durante los días que faltan para concluir la siega, una mayor separación física entre los componentes de la cuadrilla: de una parte, los cuatro que siguen saliendo al campo y, de otra, "El Quinto", tumbado y solitario en su rudo acomodo. Nada sabemos de los primeros, cuya tarea cotidiana no es cosa relevante y ofrece escasas o nulas posibilidades de novedad; es "El Quinto", su desgracia, lo único relevante desde el punto de vista del interés narrativo.

Consta la unidad octava de dos zonas que, por plenamente trabadas, no permiten separación expresa. Zito visita al enfermo y en el relato de la visita Aldecoa reserva la primera zona de la unidad para la parte de premonición (recuérdese 2.ª *C*) que aún no se había convertido en realidad (véase 7.ª *B*): las arañas y sus movimientos como motivo, externo, de distracción del hombre inmovilizado. No parece que sean motivos que brotan de su interioridad (pensamientos y recuerdos) los que divierten las horas de forzado encierro de quien, habida cuenta de su experiencia carcelaria, posee ya una tristísima costumbre al respecto. Otro rasgo para perfilar el talante de "El Quinto", al que sabíamos callado y temeroso, se brinda al paso: es como un niño pues le contaba a Zito "infantilmente" (quiere decirse, torpe y elementalmente) las cosas de las arañas, sus vecinas.

La acción de esta octava unidad acaece cuatro días antes ("Nosotros dentro de ...") de que finalice una faena cuya duración se había calculado en "unos veinte días" (unidad sexta). Es hora, por tanto, de pensar en la marcha, retorno previsto y grato para unos (las dos parejas), imprevista aventura para otro ("El Quinto"); Zito habla de ello con el interesado y entramos así, hasta el final de la unidad, en su segunda zona, dialogada.

Diálogo éste reducido al mínimo aparato expresivo, lo cual no disminuye en nada su fuerza y su eficacia. En el escueto juego de preguntas y respuestas hay una intervención más nutrida (a cargo de Zito), compuesta de cuatro miembros, claramente separados entre sí aunque dentro de un mismo bloque de sentido; afirmativos todos, pese a la apariencia interrogativa del primero de ellos ("—¿No me he de preocupar?"). Pasado ("has venido ..."), presente ("esto está ya ...") y futuro ("dentro de cuatro días"), como períodos temporales muy próximos, se entremezclan. Tan sólo un verbo *dicendi* ("... —dudaba Zito"), cuyo empleo no viene exigido por una necesidad aclaratoria sino que revela la actitud anímica del que habla.

La unidad novena y penúltima, muy breve, se sustenta nada más que en el diálogo establecido entre Zito, ya de despedida, y el alcalde, patrono de Amadeo, "El Quinto" y él mismo. Siete incisos lo constituyen, abriendo y cerrando el patrono, que habla más (a su cargo corren cuatro de ellos) y, a veces, un poco más largo; limitándose la triple intervención de Zito a un total de diez palabras. Zito habla para: a), mostrar agradecimiento ("Gracias"); b), mostrar conformidad ("No, claro"); c), mostrar extrañeza ante el encargo que se le hace ("... es imposible") y tratar de anularlo con una sencilla constatación ("está tronzado", se refiere a "El Quinto").

Asistimos durante un momento de singular rapidez a lo siguiente: I), confirmación de la sospecha abrigada por Zito en 8.ª diálogo; II), generosidad del alcalde en orden a la soldada de los segadores en activos ("Os doy doce perras más por día a cada uno") y a la de "El Quinto", forzosamente inactivo (tres días de trabajo igual a diez duros y la comida); III), indiferencia del alcalde ante la situación de "El Quinto" ("qué quieres que le haga").

Ante una situación imprevista e incómoda, situación límite casi, el clima de solidaridad comienza a resquebrajarse por obra y gracia de un ajeno a la cuadrilla, generoso en otro orden de cosas y basado aquí en una comprensible conveniencia; Zito, por todo ello, aunque objeta al encargo del alcalde lo hace sabiéndose, de antemano, vencido en el forcejeo.

La décima unidad sitúa a los cinco compañeros de cuadrilla de regreso en el puente; han pasado unos veinte días, ha concluido la faena de la siega; quedan atrás el innominado pueblo y sus moradores. Regreso significa para las dos parejas retorno a la tierra y a los suyos, cerrándose con él la breve aventura emigratoria; para "El Quinto", enfermo todavía, sin dónde ni a quién regresar, la despedida de sus ocasionales y ya entrañables compañeros significa continuar errando. Tal es la situación temporal-sentimental cuando se inicia esta última unidad de significación y *Seguir de pobres* toca a su fin.

"*EL QUINTO*"	/ *SUS COMPAÑEROS*
Guerra y cárcel	/ ————
Sin tierra y sin familia	// Dos son del noroeste y otros dos de la Castilla húmeda; tienen mujer e hijos;
Continuará solo	/// Retornan, en compañía, a una grata costumbre;
Enfermo	//// Sanos y con algún dinero;
A la ciudad (¿hospital?)	///// Al pueblo, a su casa.

Es obvia la desigualdad existente, dentro de la escala socio-económica "Pobres", entre "El Quinto", de una parte, y Zito, Amadeo, San Juan y Conejo, de otra. "El Quinto" parece un claro espécimen de ser vivo poseedor solamente de pena y desgracia. La relación opositiva Campo/Ciudad (recuérdese 1.ª *A*, aunque entonces con signo distinto cada uno de sus miembros pues *Ciudad*, alineándose con *primavera* y con *lo pintado*, constituía el miembro agradable) viene a reforzar su desvalimiento, ya que Ciudad connota multitud y anonimato, indiferencia cruel; en la Ciudad es donde existen la cárcel (en ella ha pasado tiempo "El Quinto") y el hospital (puede que, según 8.ª diálogo, su próximo refugio), y en ninguno de ambos desagradables medios encontrará "El Quinto" la paz y la relativa libertad de sus compañeros.

Vayamos a los aditamentos que peculiarizan la despedida. De nuevo en diálogo Zito, portavoz de los restantes, y "El Quinto", un diálogo breve y escueto, como resulta habitual, pero con la ternura que la situación —despedida + regalo de los cuatro a

"El Quinto"— impone ("Estaba ["El Quinto] a punto de llorar"; hablaba, él, el callado, entrecortadamente). La solidaridad del grupo, que continúa viva y actuante (Zito y Amadeo "le ayudaban"; "los compañeros y yo hemos hecho ... un ahorro. [...] Tómalo"), intensifica semejante urdimbre afectiva, patente en un como ablandamiento de la voz ("—No digas nada, hombre": Zito a "El Quinto").

¿Podían, debían haber hecho sus compañeros más de lo que hicieron con "El Quinto"? Ese dejarle solo y enfermo en la carretera, con rumbo inseguro a la ciudad, tras haberle dado una parte de su dinero, ¿no se asemeja al "qué quieres que le haga" del alcalde en 9.ª? ¿Es víctima así de resquebrajamiento grave el clima de solidaridad en que tanto se ha venido insistiendo? Preguntas éstas de muy delicada respuesta.

Acaso temerosos, aprensivos de que eso esté sucediendo los cuatro compañeros de "El Quinto", dirigidos por Zito, actúan rápida y un tanto evasivamente. Pienso que Zito desvía la conversación con "El Quinto" sustituyendo lo problemático de su llegada a la ciudad —futuro— con la seguridad del regalo en metálico —presente—. Más que esta hipótesis me sirve al respecto otra acción de Zito (contada por Aldecoa) en el último párrafo de *Seguir de pobres*: "... para *distraer* [subrayo por mi cuenta] a los compañeros se puso a cantar ..." Zito les distraía (quería distraerlos) de la contemplación y la consideración del paso "vacilante" de Pablo ("El Quinto") "por la orillita de la carretera"; el ruido de sus débiles pasos se desvanece con el progresivo alejamiento pero, antes, con la canción que entona Zito.

* * *

No es ocasión ahora para compendiar cuanto queda dicho ni, asimismo, para insistir en determinadas presencias y ausencias formales y de contenido e intención ni, tampoco, para cotejar el cuento *Seguir de pobres* con otros de Ignacio Aldecoa pertenecientes al mismo libro (*Espera de tercera clase*), a la misma época de composición (en torno a 1953), al mismo epígrafe temático (los Pobres). Podemos, sí, como final, preguntarnos por el posible aleccionamiento (exclúyase del vocablo cualquier matización moralizadora) implícito en el relato comentado. ¿La soledad del hombre como radical situación, con escasos y débiles contrapesos, simbolizada en el personaje "El Quinto", víctima propiciatoria de los demás y de su hado? Andar, andar sin sentido ni objetivo, a la mala ventura, temeroso siempre y de todo, ¿así el hombre durante su existencia? Zito y sus compañeros tal vez sean la ejemplificación de otro caso de soledad menos desvalida y cruel pero en ellos resulta más clara (y nos importa más) su actitud solidaria en virtud de una elemental bondad. Ignacio Aldecoa, utilizando en primer término —el anecdótico— a su querida y pobre gente española, se ha levantado a una categoría de significación por encima de limitaciones de lugar y de época, de superficies sentimentales o tendenciosas.[2]

NOTAS

[1] *Seguir de pobres* se publicó por vez primera en el semanario "Juventud" (Madrid, número del 30-IV-1953). Un jurado presidido por José Antonio Elola y formado por Pedro de Lorenzo, Gabriel Elorriaga y Jesús Fragoso del Toro le concedió el 18 de diciembre el premio "Juventud" de cuentos para 1973.

Seguir de pobres fue recogido en el volumen de narraciones de Ignacio Aldecoa, *Espera de tercera clase* (Madrid, Ediciones Puerta del Sol, 1955).

[2] Son muy conocidas estas palabras de Aldecoa: "Yo he visto y veo continuamente cómo es la pobre gente de toda España. No adopto una actitud sentimental ni tendenciosa" (entrevista en "Destino", Barcelona, n.º del 3-XII-1955).

Diálogo real y diálogo literario: Pedro A. Urbina: "El carromato del circo"

MANUEL CRIADO DE VAL

DURANTE varios años, en mi curso de Lengua Española en la Universidad de Madrid, he venido insistiendo en dos tipos de comentario: uno, sobre textos literarios, tenía como características principales el ser realizado sobre dos páginas, es decir, no sobre ejemplos aislados sino sobre un pasaje continuo del texto literario escogido. Otra característica era el oponer, de manera sistemática, la observación hecha sobre la "narración" frente a la del "coloquio"; cabe señalar, también, que el análisis se hacía con el propósito de llegar "en profundidad" más que en extensión al conocimiento de las particularidades léxicas, morfológicas y sintácticas, que pudiera permitir, en último término, una caracterización estilística del autor.

El otro tipo de comentario no tenía finalidad literaria sino estrictamente lingüística. Los textos eran transcripciones, hechas por los propios alumnos, de conversaciones "espontáneas", tomadas en muy diversas situaciones y con variadísimos "interlocutores". Se trataba de llegar a reproducir y analizar la estructura del coloquio "real". Serán varios miles los alumnos españoles que habrán pasado por estas experiencias desde el lejano año de 1948.

Para el comentario textual "literario" solía escoger novelistas modernos en los que hubiera combinación de partes narrativas y coloquiales. Cela y Sánchez Ferlosio eran los autores preferidos. Especialmente en *El Jarama*, de este último, está muy claramente señalado el interés de la actual literatura por aproximarse al coloquio real, tema de nuestro fundamental interés. Es muy evidente su propósito de imitar las aparentes arbitrariedades, las incorrecciones y la imprevisible aparición de expresiones ajenas a la secuencia lógica del pensamiento, que se producen en la conversación habitual.

Este interés de los modernos autores literarios, que supone un punto de coincidencia entre la creación literaria y la lingüística, se ha intensificado en los últimos años. Para nuestro actual comentario hemos escogido un autor joven, Pedro Antonio Urbina, en una de sus más características novelas, *El carromato del Circo*, publicada en 1968 (ed. La Muralla, Ávila). Como finalidad primordial querríamos mostrar hasta qué punto su técnica novelística, coincidente con la de otros jóvenes autores, trata de adaptar aspectos de la conversación que primordialmente corresponden a la atención de los lingüistas. En resumen, se trata de dar un paso más en la aproximación del coloquio real al coloquio literario.

Los interlocutores.—Un primer paso de este análisis señala la presentación de los protagonistas de la novela como "interlocutores", o personajes dramáticos más que novelescos. Esta presentación es esquematizada por medio de simples cabeceras al comienzo de los capítulos, aunque también aparecen en escenas sueltas en las que el cambio de protagonista es especialmente brusco. Veamos un ejemplo:

PERSONAS

MUMPA: padre (payaso tonto).
CORINA: madre (payaso listo).
BESTIA: hijo mayor (forzudo).
BITA: hija mayor (cantante).
CHUBA: hija segunda (pintora), y CRITO: su novio.
PIEL DE LAGARTO: hijo segundo (cantante).
CONDESITO: hijo tercero (sustituto del payaso listo).
VALA: hija tercera (pianista).

Otras personas: doña Pompa, su marido, el domador, Riva y sus hijos, los trapecistas, un señor, el mecánico rubio, artistas, empleados del circo y público.

(pág. 5)

Estructura de las escenas.—Toda la novela está concebida en escenas, que son una combinación de diálogos. Uno de los interlocutores es, a su vez, el protagonista de un "monólogo", que reproduce los pensamientos a menudo incoherentes, que pasan por su mente, simultánea o alternativamente al desarrollo del diálogo. Estos monólogos, equivalentes al comentario narrativo del autor en las novelas tradicionales, suelen concentrar las indicaciones de "situación", los "contextos" y la caracterización de los personajes.

Es muy peculiar de esta novela el que la perspectiva "protagonista", o de narrador, que va unida al monólogo, no se refiere a uno solo de los personajes, sino que va pasando y alternando de uno a otro. No es, en una palabra, una autobiografía sino la suma de varias perspectivas subjetivas dentro de un mismo contexto familiar. Pero antes de continuar nuestro comentario veamos unas pequeñas escenas:

CONDESITO (HIJO TERCERO)

—¡Pero si hoy es domingo!

—No te digo más: vas a ser un desgraciado si no sabes decir la verdad. Verdades a medias son una mentira.

Mi padre es imbécil. Él dice mucho eso de imbécil, todos son imbéciles; pues él lo es. Yo no soy un mentiroso.

—¡En esa escuela nos toman el pelo!

—Pero si hoy es domingo...

Yo no sé decir más: si es domingo es domingo. A veces papá tiene unas cosas bien raras.

—¿Dónde has visto tú que los domingos haya clase?

—Corina, no te metas en lo que no te importa: estoy educando a Condesito. Ayer dijo que no tenía clase, y no dijo nada respecto a hoy. Estoy intentando hacerle ver.

—¿Que has visto tú alguna vez que los domingos haya clase?

—¡Él no dijo nada!

—No hace falta decir que los domingos no hay clase: eso es de sentido común.

Hubiera preferido tener la culpa yo a verles así.

—Los domingos no se trabaja.

Eso lo he dicho yo poniéndome a la altura de las circunstancias y usando esa palabra que tanto me molesta.

—¿Que los domingos no se trabaja? ¿Y yo? ¿Y tu madre? ¿Y todos?

Vaya cosa que he dicho. Mamá me defiende:

—¡Pero nosotros no trabajamos los lunes!

Yo no dije nada más. Papá ha empezado a gritarme, mamá le grita a él, él le grita a ella. Y luego yo, quieto y sin decir nada, me siento para desaparecer.

Decididamente, y por nada del mundo, quiero ser papá y mamá.

No sé qué hacen mis hermanos que nunca están cuando hay bronca.

—¡Esta tarde te quedas en casa a trabajar!

Quiere decir a estudiar. Esta es la victoria de mi padre.

—No, es domingo. Mejor que se venga a vernos actuar, así aprende.

Y ésta la victoria de mi madre: un poco más agradable para mí; pero no mucho más.

(pág. 19-20)

* * *

VALA (HIJA TERCERA)

—Vala, hija.

—Sí, mamá.

—Ven un momento aquí, junto a tu madre.

—¿Qué hay?

Mamá tumbada en la cama. Cara cansada. Yo estaba mirando el paisaje; me van a quitar el sitio. Empiezo a deshacerme las trenzas; a lo mejor es por eso. Lo dejo. Me marea no estar bien sentada; el carromato en marcha. La cama. Así sentada...

—Tú estás triste..., dime qué te pasa.

Era eso. Triste. Me pasa... Sigo deshaciéndome las trenzas otra vez. Me tumbaría en la cama; el corazón me late. Triste.

—No lo sé, mamá.

Me he tumbado en la cama. Ella me abraza por el cuello. El Bestia corre mucho; papá le va a decir algo. Voy a llorar si me abraza así.

—No lo sé, mamá, no sé por qué estoy triste.

Ya lloro. Nadie me ve si sigo llorando. Ven el paisaje. Yo, las sábanas y el pelo de mamá. Tampoco sé por qué lloro, y mamá me abraza. No voy a terminar nunca de llorar. No quiero. Huele bien mamá. Nadie sabe que lloro.

(pág. 78-79)

Coloquios y monólogos.—En la primera escena se combinan tres coloquios distintos: Uno entre el protagonista, Condesito y su padre, Mumpa; otro entre la madre, Corina y el padre, Mumpa; un tercero que reune a los tres interlocutores. Hay también un monólogo que en esta acción corresponde al Condesito. Tropieza el autor con la dificultad de identificar la atribución de cada uno de estos diálogos, debido a que el paso de unos a otros se hace sin apenas recurrir a los procedimientos convencionales de introducción del diálogo: "dijo", "preguntó", etc. La identificación de cada interlocutor prefiere hacerla al final de las intervenciones "Mi padre es imbécil", "yo no sé decir más", "eso lo he dicho yo", "es la victoria de mi madre", "esta es la victoria de mi padre". Esta identificación de los interlocutores suele aparecer en los pasajes correspondientes al monólogo, bien sea por medio de un apelativo, "mi madre", "mi padre" o bien designándolos con su nombre, "Corina". La economía en estas referencias de identificación tiene la contrapartida de algunas ambigüedades y dificultades en la comprensión del diálogo.

La situación y los contextos.—Casi siempre el diálogo y las propias escenas parciales de la novela se presentan sin indicación previa de la "situación". Se trata de un procedimiento intencionado, en la línea de una presentación muy escueta que trata de eliminar lo que podríamos llamar indicaciones contextuales. Claro es, que al ser casi permanente el ambiente circense y dentro de él un limitadísimo campo indicativo referido al "carromato", en el que convive la familia de Mumpa, esta "situación" se reitera y explica a lo largo de la novela. A pesar de la falta de indicaciones llega, por su misma permanencia, a ser obsesiva.

Interlocuciones incompletas.—Hay en todas estas escenas frases incompletas ("pero si hoy es Domingo..."; "estoy intentando hacerle ver..."). Es esta una característica muy destacada también en cualquier coloquio real, en el que los interlocutores se interrumpen, se complementan o se superponen.

También es muy clara la relación entre la lengua de estas escenas y la que puede ser tomada como característica en un diálogo, es decir, la repetición de ciertas palabras que indican la presencia de temas obsesivos. Así sucede, en la primera de las escenas trascritas, con "domingo", que es repetido nueve veces, "trabajar", repetido tres veces, con "imbécil", repetido tres veces. En general, el léxico es limitadísimo, sin demasiados tópicos o frases hechas, aunque tampoco faltan: "los tomen el pelo", "eso es de sentido común", "no te metas en lo que no te importa", "poniendome a la altura de las circunstancias", "por nada del mundo". La elección de estas frases suele ser acertada y responden a la lengua actual. Las frases son cortas, con la abundancia de los dos puntos, el punto y coma, y el punto y aparte.

En la segunda escena trascrita, en la que Vala (hija tercera) actúa de protagonista, se repiten y confirman las observaciones anteriores. También en ella el personaje principal combina su intervención de interlocutor con un monólogo, en este caso muy expresivo.

Es interesante en esta segunda escena la síntesis, casi telegráfica, en que aparecen expresados los pensamientos en esta especie de monólogo interior que caracteriza al personaje principal: "...El carromato marcha. La cama. Así sentada...". Fiel reflejo de la discontinuidad y de la multiplicidad, en muchos casos simultánea de los pensamientos, en la aparente incoherencia del monólogo: "yo estaba mirando el paisaje; me van a quitar el sitio. Empiezo a deshacerme las trenzas"; "no voy a terminar nunca de llorar. No quiero. Huele bien mamá. Nadie sabe que lloro".

Como en la escena anterior, la repetición de palabras que expresan unas nociones o preocupaciones obsesivas es evidentemente intencionada. En este caso las palabras repetidas son "mamá", "cama", "llorar", "triste".

Las frases incompletas ("así sentada...", "me pasa...") y el léxico básico persisten como rasgos característicos. También la identificación de los interlocutores se realiza después de su intervención y a través del propio monólogo, que incluye los contextos situacionales y también los "de acción": "mamá tumbada en la cama", "empiezo a deshacerme las trenzas", "ella me abraza por el cuello".

Como una comprobación de que los rasgos anotados en anteriores escenas son intencionados y tratan de reproducir aspectos directos del coloquio, veamos otros dos pequeños pasajes en los que se puede observar cómo, sobre un mismo tema, se establecen dos perspectivas coloquiales, que podrían corresponder a una primera persona que alternativamente pasa de ser emisor a ser receptor. Un brevísimo monólogo "situacional" sirve como introducción a esta doble perspectiva:

> Hoy estreno vestido nuevo y estoy loca de contenta. Estoy dispuesta a pasarme horas arreglándome...

* * *

> —Mamá, ¡ya estoy lista! ¿Qué te parece?
> —Estás muy bien, pero...
> —¿Pero?
> —Que te he dicho muchas veces que no me gusta que te pintes de ese modo.
> —¿De qué modo?
> —De ese que te pintas tú, que no quiero decirte qué pareces.
> —¿Qué parezco, a ver?
> —Pues no sé lo que pareces; pero yo, cuando tenía tu edad, no me pintaba de ese modo.
> —Eran otros tiempos.

—Otros tiempos..., ni que hiciera siglos. ¡Otros tiempos!

—Es que a ti, mamá, no te vendría nada de mal ponerte cosas más..., no sé..., acuérdate de lo que te dijo la trapecista cuando reñiste con ella.

—No irás a decirme que ésa tiene razón...

—No..., pero un poquito de verdad sí que hay: eres la que más seria viste de todo el circo.

—Como si tuviera mucho de dónde escoger.

—Mamá, aunque tuvieras...

—Anda, vete, vete, no quiero oírte... Si en la calle te confunden ya me darás la razón.

—¡¡Mamá!!

Se va tan satisfecha y no me hace ninguna gracia.

* * *

—Mumpa, deberías decirle algo a Vala: se pinta de una manera exagerada que no me gusta.

—Díselo tú, eso es cosa de mujeres.

—No, no es cosa de mujeres: es tu hija.

—Bien, ya veremos.

—Ya veremos significa que no se lo vas a decir. Siempre tengo que ser yo la que pase esos malos tragos.

—Ya he hablado con Vala.

—Ah, ¿sí? Y qué te ha dicho.

—Que sale con un muchacho de la Escuela de Música, que termina este año la carrera; que en su casa tienen una tienda de música...

—¿Entonces es de aquí?

—Por lo visto...

—Pues a mí no me ha contado nada. ¿Y tú qué has dicho?

—¿Qué le voy a decir?

—No sé, pero...

(pág. 155-157)

Estos dos pequeños diálogos, aunque más lógicos de lo que nuestras transcripciones del habla real suelen demostrar, presentan características coloquiales muy auténticas. Muestran también la elementalidad del léxico habitual y la inestabilidad de la línea temática propias del diálogo.

Estructuras verbales.—En todos los comentarios he procurado atender, con carácter muy destacado, a la oposición entre los pasajes narrativos y coloquiales de una misma novela. También creo interesante la observación de los distintos planos temporales en unos y otros y su reflejo a través de formas y combinaciones de formas verbales.

Como era de esperar en novela tan radicalmente vinculada a la más absoluta actualidad, dominan los presentes y pretéritos perfectos de indicativo, solo complementados por algún imperfecto encargado de reproducir las acciones simultáneas.

En la aparición, casi siempre ocasional, de acciones hipotéticas o futuras dominan, junto al condicional, las formas perifrásticas, tales como "voy a + infinitivo", que reflejan la clara tendencia de la lengua moderna en el camino de la sustitución del futuro-simple por perífrasis. Alguna forma del pretérito aparece en la parte narrativa, más o menos correspondiente a los monólogos ("no dije más"). No obstante, es fácil observar que a medida que avanza la novela y como resultado lógico de un paso de tiempo, que hace que la referencia a escenas anteriores vaya siendo progresivamente más remota, aparecen formas más variadas y frecuentes referidas al pasado. También son más frecuentes las descripciones en esta última parte de la novela, que tiene características muy distintas a las que hemos visto son propias de su comienzo. Veamos, como comprobación, un pasaje narrativo correspondiente a la parte final:

> Estaban ya en el segundo plato cuando llegamos. Ninna estuvo muy amable con todos. Se notaba que había sido amiga de verdad de mamá. Habían preparado una comida muy buena, y sobre todo muy bonita: unos contrastes de colores muy acertados con las remolachas rojas, la lechuga verde, la mahonesa amarilla..., todos los platos parecían cuadros.
>
> En el café, Ninna sacó una boquilla de nácar muy larga y fumó un pitillo tras otro. En cuanto hubo terminado su segunda copa de *cognac* se marchó. Prometió que hoy mismo hablaría con Naldy para que Piel de Lagarto siguiera cantando; incluso dijo que vendría un día con él, que le daría mucha alegría ver a mamá, aunque ella casi no le recuerda. El Bestia no dejó de mirar a Ninna en todo el rato, y a ella no parecía molestarle: le devolvía la mirada con una sonrisa, de cuando en cuando. Se habrá dado cuenta que el Bestia no es como todos...
>
> (pág. 194-195)

El contraste entre este pasaje, similar a otros muchos que aparecen al final de la novela, y los coloquios iniciales es evidente. Periodos amplios, muy ligados, en los que la subordinación es intensa y un claro predominio de pretéritos, imperfectos y pluscuamperfectos de indicativo (formas típicas de la narración). Aparecen los condicionales y me sorprende la extraña presencia de una forma del pretérito anterior, "hubo terminado", que con gran dificultad podríamos encontrar a lo largo no ya de una obra sino de autores completos en la literatura moderna.

De la caracterización lingüística de estos pasajes de *El Carromato del Circo* de Pedro A. Urbina pueden también deducirse varias conclusiones relativas al estilo del libro y de su autor. El propósito que en él aparece de reproducir las estructuras coloquiales y las fórmulas del monólogo interior, está el servicio de una acción múltiple vista desde la primera persona por todos los componentes protagonistas de la familia circense, cuya vida transcurre en los estrechos límites de un carromato. El cotidiano proceso es contemplado gracias a esa múltiple y a un tiempo directa reproducción del coloquio, con una gran intimidad; con un subjetivismo acentuado por la forma monologada en que se presentan las situaciones, los contextos y el propio pensamiento de los protagonistas.

La economía con que el autor complementa sus materiales básicos, aun cuando exige en ocasiones una gran atención por parte del lector, supone un avance estilístico considerable y una sobriedad en el uso de nexos y fórmulas introductoras muy positiva.

Alvaro Cunqueiro: "Vida y fugas de Fanto Fantini della Gherardesca"

María del Pilar Palomo

«Beatrice.—Es inexcusable citarla entre las enamoradas de antaño, parte de todo sueño, lirio en un esbelto vaso lleno de agua en la sombra de un patio.» [1]

(Álvaro Cunqueiro, *Vida y fugas de Fanto Fantini della Gherardesca.* Ediciones Destino, Colección Áncora y Delfín, Barcelona, 1972, p. 64.)

0.—Cuando el héroe de Cunqueiro se acerca a su final, se cierran las páginas de la novela. Con melancolía análoga a la del viejo y ciego Simbad, que ya nunca *volverá a las islas,* el *condottiero* italiano bucea en el sueño de su vida, que asciende de las aguas de un pozo para permitirle seguir viviendo. Pero no hay agua capaz de resucitar el tiempo. "La vida del hombre es como una mañana de pájaros", ha exclamado Flamenca llorando, ante ese pobre mito destrozado. "Y Fanto supo que iba a morir".

Pero sería sorprendente en el autor cerrar su historia en ese agridulce sabor de melancolía y desesperanza. Tras esa despedida (en la página 114) aún se añaden los *Retratos y vidas,* los *Apéndices* y ese cunqueriano *Indice onomástico* habitual que, si no lo prolongan sustancialmente, sí amplifican el relato durante setenta y dos páginas más. Lo mismo que Nito (el escudero) y Safo (la cojita enamorada de Fanto) se encontraron, sin saber cómo, "amantes acostados sobre la memoria de aquél, acariciándose, entregándose, como si quisiesen resucitar, tras el dolor de la muerte...", [2] Cunqueiro resucita de esa penetrante tristeza del declinar del héroe, por medio de un humorismo creador de vida.

A ese aludido *Indice onomástico* pertenece el brevísimo párrafo elegido. Las razones de esta elección son varias. Primero, su condición de *texto completo,* no de un fragmento que, necesariamente, mutilamos al extraerlo de su contexto. En segundo lugar, porque se trata de la consideración sobre un personaje que no funciona como tal en la obra, por lo que el previo conocimiento o no del contenido argumental de la misma por parte del lector de este comentario, no condiciona el desarrollo del mismo. Y sin embargo, sus elementos comunicativos entiendo que sólo alcanzan su plena significación dentro del contexto general de la novela, a cuyo fondo de significado remiten y cuyo código estético, a mi entender, sintetizan. Ello es, naturalmente, la tercera y más definitiva causa de su elección. Veamos esos elementos.

El párrafo transcrito se fragmenta en cuatro puntos bastante diferenciados: un nombre propio, sin aparente (aún) connotación; una frase que le añade un significado *tópico* (levemente humorístico), pero que ya lo inserta en un contexto cultural; una inclusión de ese tópico en un contenido *simbólico* y una *imagen metafórica,* definitoria, que conecta (y explica) a la vez el símbolo (*sueño*) y el mito estético-cultural.

1.—*Beatrice,* así, a la italiana. ¿Podemos saber ya que se trata de la dulce Beatrice Portinari que amó Dante? Naturalmente, Cunqueiro no lo dice, ni falta que le hace a un receptor de sólo mediana cultura, una vez que lee la frase que sigue al nombre. Pero es que aun antes de proseguir esa lectura, que enmarca tan sintéticamente a esa "enamorada de antaño", su enlace con un mundo italiano se ha marcado ya mediante simples razones eufónicas. Hay un consciente *paladeo* en su pronunciación: la expresividad fonética de los nombres propios es una constante en la novela. No recordaremos, posiblemente, el contorno físico o moral de un personaje, pero *i condottieri* cuatrocentistas que desfilan por sus páginas, lo hacen acompañados de la rotundidad de sus apellidos: Bracciaforte Latino dal Picino, Ubalde Cane de Cimarrosa, Michaele de Caprasarda, Montefeltro de Malapreda, Vero dei Pranzi, Paolo Renzo dei Mutti, Nero Buoncompagni. Creo que, incluso, puede afirmarse que fue la sugerencia expresiva del *Fanto Fantini della Gherardesca* lo que motivó la novela, como curioso núcleo generativo (en que se alían resonancias culturales y fonéticas) de todo un proceso imaginativo de *vivificación* de un *nombre.* [3]

La altisonancia de los nombres de *cavalieri* y *condottieri,* se remansa en la dulzura de los femeninos: donna Becca, Camillina, donna Cósima, dama Diana, Giovanna..., junto a Desdémona, Isolda, Safo, Flamenca. Y Beatrice. Siempre a la italiana. Sin perder las resonancias estéticas que otro *sonido* traicionaría. Como *signos* (fonéticos) de un contexto italiano y renacentista.

Junto a ellos, también con clara intencionalidad significativa que los aleja de una utilización sintomática, los incesantes italianismos que salpican y *enmarcan* la prosa de la novela: grappa, piazza, donna, risotto, salami, prosciuto, luogotenente... Al buen caballero sanjuanista, tío de Fanto, se le llama "signor Capovilla" (p. 24), "messer Capovilla" (p. 22), más generalmente "cavaliere Capovilla" y, una vez, incluso, "il cavaliere Capovilla" (p. 24). Claro que en un contexto geográfico distinto, en tierras de Bizancio, el perro "Remo" explica a su amo que llegó "al mismo tiempo que tú a esta polis". Y para ordenar a Fanto que salte midiendo matemáticamente la distancia "volvió a ladrar, y esta vez en griego dijo algo así como simmetresis". [4] Como en ecos modernistas, podría afirmarse, con Darío, que "además de la armonía verbal, hay una melodía ideal", porque "la música es sólo de la idea, muchas veces". [5]

2.—El nombre *Beatrice* (ya lo he indicado) inicia una definición. Por lo pronto se inserta en un contexto cultural, en donde lo "inexcusable" de la cita remite a un común código significativo entre emisor y receptor: es un *tópico* en la lista de enamoradas célebres y el lector lo sabe. Y sin embargo, como perteneciente a u*n Índice onomástico,* ha de conectar, en algún modo, con las páginas que le preceden. En realidad, se trata de la aclaración a una mención *única,* y en circunstancias tales que su función parece ser únicamente ornativa.

El tutor de Fanto, signor Capovilla, "soñador de aventuras y memorión de libros artúricos y amadiseos",[6] adiestra a su sobrino en su *papel* de enamorado caballero, de cuya situación ficticia piensa extraer un posible *modus vivendi.* E imagina la acción cautivadora que enternecerá a los sensibles espectadores:

> ...tú estás en un jardín, y de pronto, llevado de súbita ira, desenvainas espada y siegas rosas, y al verlas caídas te arrepientes, recoges una y la llevas a los labios, suspirando, y yo añado que Isolda ha muerto y ha muerto Beatrice, y que quién te acariciará ahora el corazón...[7]

Esas son, pues, las "enamoradas de antaño", cuya cita, se nos dice "es inexcusable" (= tópico). Las que pueden, según Cunqueiro, aunarse en símbolo amoroso en la mente de un caballero artúrico cuatrocentista: la rubia Iseo del ciclo bretón y la *stilnovista* dama de la *Vita Nova.* No, sin embargo, la renacentista Laura, tal vez demasiado *reciente* para el anciano cavaliere Capovilla, que ilustra a Fanto hacia 1463, pero en los moldes estéticos de su lejana juventud, cercana en tiempo a la muerte de Petrarca. (Aunque esta curiosa unión de Iseo y Beatriz le llegue, posiblemente, a Cunqueiro por razones pictóricas, como indico en la nota 32).

Pero los dos nombres, elevados a mito amoroso, reciben sin embargo muy distinto tratamiento en el *Índice* final. Porque la ironía de la frase que inicia la definición de Beatrice, se trunca inmediatamente, pero en Isolda, por el contrario, se intensifica:

> Es una de esas bellísimas señoras a las que hay que citar, por el dorado cabello, por los ojos azules, porque sonríen y porque lloran, y porque mueren de amor.[8]

Así pues, si en el texto en donde se hermanan, el tratamiento es idéntico, en el *Índice* se les da una distinta connotación. Isolda es, en sí, una cita topiquista, tanto como lo son sus rubias trenzas y su muerte por amor. Pero Beatrice permanece en el *sueño* de todo hombre o es *parte de todo sueño*. El mito se aleja del tópico para convertirse en símbolo. ¿Es éste el funcionamiento cunqueriano de un personaje mítico-amoroso? La rubia Iseo (lo hemos visto) no se evade del tópico. Pero hay otras "enamoradas de antaño" que cruzan por las páginas de la novela. Veámoslas.

Isolda y Beatrice son las únicas que no funcionan, en mayor o menor grado, en un plano argumental. Se marcan, en realidad, tres distintos tratamientos en la utilización funcional de un nombre evocador: a) la ya aludida evocación mítica (tópica o no) de Isolda y Beatrice; b) la evocación ambiental, de connotación culturalista, de Safo y Flamenca, y c) la utilización argumental de una fusión a nivel psicoanalítico en Desdémona-Cósima.

En el caso *b*, los *nombres* de la poetisa griega y de la heroína provenzal, sólo han sido préstamos intencionados, mediante los cuales (por la inmersión de emisor y receptor en un código cultural común) el personaje que los lleva adquiere unas connotaciones ambientales determinadas: una enamorada griega acrecienta su helenismo bajo el poder evocador del *nombre* de Safo. Y Fanto puede ver transcurrir su estancia provenzal bajo los cuidados de una blanca, alegre y amorosa mujer que responda al *nombre* de Flamenca. [9]

Pero Desdémona (*c*) es algo más que un préstamo evocador. Cósima y Fanto llegan a vivir su amor bajo el signo (y en los mismos lugares) que Otelo y su amada. Perfumes y sonidos impulsan a donna Cósima, "hermosura veneciana", a creerse fusionada con la esposa del Moro, hasta llegar a provocar con su peligroso juego, su propia muerte. El mito y la evocación cultural trascienden ahora a un caso clínico, cuya solución argumental motivará el final de Fanto, derrotado y escondido en la campiña provenzal. Desdémona ya no es un *nombre*. Es un *personaje* y una *historia,* que funcionan como tales en la narración. Y que se alejan radicalmente del símbolo. Significativamente, sólo Beatrice permanece en él.

3.—Y entonces, cabe preguntarnos: símbolo ¿de qué? Hemos visto en Flamenca que hasta un préstamo de alcance no simbólico, se inserta en un contexto cultural, al que debe su significado connotativo. Cuando el personaje literario (o histórico) se mitifica hasta convertirse en símbolo, éste se nutrirá de unos significados previos, que una tradición sanciona. No basta, entonces, que Beatrice sea otra más de las "enamoradas de antaño (= *personaje*). ¿Qué puede significar su *nombre,* que justifique ese formar parte de *todo sueño*?

Tal vez sea el propio Dante quien nos lo diga: "*E chi volesse sottilmente considerare, quella Beatrice chiamerebbe Amore...*".[10] Si aceptamos esta resonancia *stilnovista,* Beatrice se aleja de Isolda, Desdémona o Flamenca, las "enamoradas"; se aleja, incluso, de sí mismo, en cuanto personaje, para insertarse en un contexto simbólico donde el *nombre* Beatrice significa Amor. Es precisamente entonces cuando puede constituirse en parte integrante de los sueños del hombre. Pero si es válida esta solución, la *definición* del personaje del texto transcrito no puede ser una simple imagen esteticista: el símbolo del Amor ha de definirse dentro de unas coordenadas amorosas. Aparentemente, *lirio, esbelto vaso lleno de agua* y *patio en sombra,* son lexemas y sintagmas, denotativamente carentes de toda significación erótica. ¿Se trata, simplemente, de una *imagen* de belleza, cargada de valores plásticos? Lo visual (lo marco más adelante, en el punto 5), es un camino de llegada. Pero la clave ha de estar en los *sueños* de Fanto Fantini. Es decir, en el contexto del cual emerge la definición.

Sueño es palabra clave en la novela. Pero sólo en dos ocasiones se utiliza con su valor específico de imaginación del subsconsciente, es decir, de una consecuencia del acto de dormir. [12] Frente a esta parquedad en su uso denotativo, *sueño* aparece incesante en su utilización metafórica de *deseos* o *ideales* que, una vez que las circunstancias han imposibilitado su cumplimiento, se cubren de nostalgia: Fanto, *representando* al Duque de Provenza, se llevaba "la mano diestra a la frente, como borrando memorias o cenizas de sueños". [13] Y en el diálogo final consigo mismo pasan ante él "los otros que también eran Fanto y pasaban disfrazados de apetitos que él tuvo, de sueños, de esperanzas, de triunfos, de derrotas". [14] (Entre esos *sueños* que animan la vida ha de cruzar Beatrice o el Amor).

Pero un *sueño* vivido puede llegar a ser sinónimo de vida, de sí mismo, de la propia personalidad. El héroe *representando* a Lanzarote, al Duque de Provenza, al sobrino del Emperador, *vive los sueños* de los tres personajes hasta sentirse atenazado, prisionero de fantasías ajenas, y siente como "viva necesidad de la libertad", la de poder "soñar los sueños de Fanto", [15] la de vivir su propio sueño vital. (Del que una parte será el Amor).

Incluso, de la misma realidad objetiva podríamos decir que es una "cossa mentale". Porque las cosas que portaba dama Diana (que no existe), "quizás existían porque ella las soñaba", siguiendo las teorías de Pico della Mirandola sobre "la realidad de la irrealidad".[16] El sueño se identifica a pensamiento y el pensamiento, las Ideas platónicas, son la verdadera esencia de las cosas. (De una *prisión mental* escapa Fanto en acto vital de platonismo). Entonces, también el Amor (= Beatrice) será *parte* de esa cósmica realidad. Amor o Venus Humanitas renacentista. La *stilnovista* criatura de la *Vita Nova*, puede ser también la fuerza que mueve las estrellas, de la *Commedia*. Beatrice = Amor, *parte de todo sueño*.

4.—Pero "el amor —ha escrito un contemporáneo de Fanto [17]— es desseo de hermosura". A través de la belleza sensible, el entendimiento se elevará a la Suma Belleza. La rosa, la boca, la nieve, la frente, el agua, los ojos... Y el *lirio*. Qué carga expresivísima de renacentistas connotaciones.

Recordemos brevemente el *lilio* gongorino, en la herencia de ese transitado camino, que es también el de Cunqueiro:

a) *lirio* = flor → belleza colorista, imagen de *blancura*: *...con menosprecio en medio el llano / mira tu blanca frente el lilio bello.* Porque el lirio renacentista es necesariamente blanco, es decir, se trata de una vara de *azucenas*, o "flor blanca del Lirio real" (*Dic. Aut.*). Son los *lilios cándidos* que el Alba deshoja sobre la tez de Galatea. Los *fragantes copos que nevó el mayo.*[18] Ahora bien, la imagen de *blancura* conduce (de acuerdo con otra tradición simbólica) a *pureza*.

b) *lirio* = flor (azucena) → blancura virginal. El mismo Góngora llama al Niño Jesús *el blanco lilio.* Lope, al definir simbólicamente las flores como emblemas de virtudes, escribirá: *y el blanco lirio, en castidad bañado.* [19] En consecuencia, dos nuevas connotaciones simbólicas:

c) *lirio* = pureza → vida que comienza (ausencia de pecado + niñez o adolescencia). De ahí las alusiones al Alba, que resume Lope, transido de melancolía *A la muerte de Carlos Félix*:

> pues a los aires claros
> del alba hermosa apenas
> salistes, Carlos mio,
> bañado de rocío,
> cuando, marchitas las doradas venas,
> el blanco lirio convertido en hielo,
> cayó en la tierra, aunque traspuesto al cielo. [20]

Pero esta *pureza* de un amanecer vital, puede ser también la belleza juvenil de ese comienzo. Y Góngora aconseja: *Goza pues ahora / los lilios de tu Aurora,* en donde:

d) *lirio* = belleza + comienzo → belleza y pureza adolescentes. Que puede, por tanto, *concretarse* en figura. Si el lirio = *blancura,* también es *esbeltez,* gracia de líneas, armonía proporcionada, *gentilezza.* [21] Y ser, por tanto, la metáfora con la que designar una figura femenina. (Luego indico cuánto hay de la esbeltez del lirio en las gráciles figuras de la pintura Cuatrocentista). Por ello puede exclamar un personaje gongorino: *Lilio siempre Real nascí en Medina...*

Y cerrar con ello el círculo de connotaciones que, desde su intencionado encuadre renacentista, colman de resonancias el *lirio* cunqueriano:

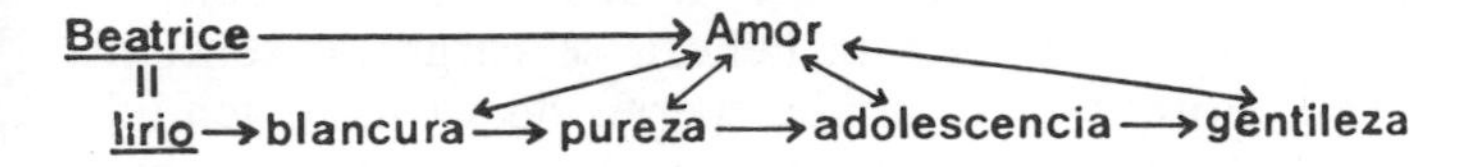

Pero en esa suma de connotaciones simbolistas de que se recarga la voz *lirio* al insertarse en un contexto significativamente cuatrocentista, hay dos elementos que, *fuera de ese contexto,* se presentan como antinómicos. En una concepción neoplatónica del amor, *pureza* y *belleza* son concepciones idénticas (Virtud = Hermosura). Pero fuera de ese código, al ser considerada la belleza no como una emanación de la Divina, sino como complacencia de los sentidos, la unión, en la línea de la hipérbole sacroprofana, puede llegar a ser, no antinómica, pero sí profundamente sensualista. Y el *lirio* (belleza casta) servir de turbador incentivo erótico.[22]

Sigue siendo el Amor, y no cede en *gentileza,* pero sus atributos de belleza (blancura y esbeltez), son ya estímulos sensuales, que se *acrecientan mediante su heredada connotación mística.* Vuelve entonces a ser palabra clave de un nuevo código: el modernista, a la vez que su geométrica blancura preside toda ornamentación prerrafaelista. (Pero ya no es sólo la vara floral que entrega el Arcángel a María. Es también la incitante belleza de sus pétalos carnosos enmarcando una cabellera femenina de recuerdos botticellianos). Su blancura, sin dejar de ser símbolo de pureza, conecta con una realidad más turbadora: un cuerpo femenino.

El *lirio* cunqueriano va cargándose así de nuevas evocaciones. Es el símbolo del Amor y la Mujer. Por ello, ante la pregunta de donna Cósima de si es soltero, puede contestar signor Fanto: "—Madame, hasta hoy he sido un jinete que pasa en un caballo desbocado junto a los lirios".[23] Pero es un amor en donde la belleza se carga de sensualidad. Porque el desnudo cuerpo de Cósima, tendido en la terraza, en la noche, era "como si la luna nueva se hubiera acostado en la hierba, en el rincón donde nacen los lirios".[24] Y sin embargo, tampoco se olvida la significación de belleza mística, pero utilizada, modernistamente, como acrecentamiento sensual. Y cuando Fanto (provocando en dama Diana el éxtasis amoroso que precisa para su fuga) acaricia con lirios los labios femeninos, tiene Cunqueiro buen cuidado de advertir que aquéllos han sido robados "en los vasos en los altares de San Lorenzo".[25] Esos lirios que provocan el desfallecimiento amoroso y que luego caen a los pies de la dama, tienen un origen religioso. (Son los mismos que aparecen en las visiones místicas de Fra Angélico).

Los lirios aparecen, pues, en tres momentos de *Fanto Fantini* que son otras tantas situaciones amorosas: la alucinante aventura con el fantasma de una dama muerta y el comienzo y la cima de su pasión "veneciana". La *stilnovista* Beatrice es *también* un *sueño* erótico, transido de belleza.

Y es un esbelto lirio que comunica estilísticamente su esbeltez al vaso que lo contiene. Al igual que el vaso *lleno de agua* le presta su *humedad*. Las gotas de rocío que el Alba depositaba sobre el lirio tronchado de Lope, o connotaban de frescura la tez de Galatea, ascienden ahora por el tallo de la vara floral y espanden su frescor en la *sombra* del patio. Dulce y tamizada luz de una *Anunciación* cuatrocentista. O la frescura que una corriente de agua presta a la garcilasista espesura *cerca del Tajo*. *Sombra* y *agua*. ¿Hemos vuelto, de nuevo, a insertarnos en un código estético? ¿O a éste siempre presente código se le *añade*, al igual que en lirio, un significado diferente?

El *agua* comunica al *lirio* su frescura (que luego conecta con *sombra*). La imagen, aislada, provoca una *sensación* (de nuevo el modernismo) de quietud y serenidad, alejada de toda incitación erótica. Sin embargo, una *sombra fresca*, artificialmente refrescada incluso, *significa* para Fanto su iniciación amorosa. El adolescente es recibido por las viudas Bandini, las bellísimas gemelas que le iniciarán en el amor. Están sentadas en una sala sombría (para huir del calor de una siesta de julio), en donde sus ojos "eran violetas posadas en la penumbra" y la carne blanca de sus brazos y hombros, emergiendo del "negro de sus trajes", semejaba "nieve que amanece en las tinieblas". La sala y las damas son refrescadas por una doncella que pasea "dándoles aire con un paño que de vez en cuando mojaba en el agua de una jofaina de plata". Cuando la operación se repite con Fanto "y el agua fresca le salpicó el rostro", el adolescente *sabe* por vez primera de una sensación amorosa:

> ¿De modo, se preguntó y explicó Fanto a sí mismo, que amor es como galopar, desnudo de cintura para arriba, en su yegua "Artemisa", en la hora calma que viene después de una tormenta de verano cuando de las hojas de los árboles aún caen gotas de agua? [26]

Calma y *frescor de agua*, en una sala en *penumbra* o sombra. Pero todo ello provoca en Fanto una excitación amorosa de freudianas resonancias hípicas. [27]

La humedad que asciende por el tallo, confiere al lirio cunqueriano (= Beatrice-Amor) nuevas calidades: el despertar de los sentidos adolescentes al goce amoroso. Y ello (*lirio, esbelto vaso, agua* y *sombra*), como *parte de todo sueño,* enmarcado arquitectónicamente por un *patio* renacentista. Lo visual acompaña y acrecienta connotaciones psíquicas y símbolos literarios. El sistema de signos lingüísticos remite a un código de signos plásticos, de idéntica cronología.

5.—Porque la palabra *patio* está ausente del resto de la narración. Sólo se emplea una vez (fuera del texto comentado) y entiendo que no tiene entonces sino un valor ambiental locativo: no *vemos* a Beatrice en un patio de posada florentina, transitado de viajeros.[28] Las escenas amorosas de la obra transcurren en salas oscurecidas, aposentos nocturnos, jardines o terrazas iluminados por la luna. ¿De dónde llega, pues, esta resonancia "arquitectónica"? Creo que tenemos que conectar, de nuevo, con *lirio* y *esbelto vaso,* como imagen plástica ahora.

El lirio Real (vara de azucenas) es motivo pictórico casi "inexcusable" (usemos el propio término cunqueriano) de una determinada temática en el Trecento y Cuatrocento italianos: la Anunciación. (Que conecta, naturalmente, con su simbología literaria). El Arcángel lo lleva en sus manos o, si las cruza sobre el pecho (como lo hace la figura de María), las blancas azucenas, en una esbelta rama asoman por las ventanas que dan luz al *patio* de la escena, o emergen de un *esbelto vaso* que separa las figuras, ocupando geométricamente el centro de la composición. Me estoy refiriendo a dos célebres *Anunciaciones* de Fra Angélico: la de la National Gallery y la inserta en la parte superior de la *Adoración de los Reyes,* de San Marcos, de Florencia. Las elijo de entre una amplísima iconografía, que puede aunar los nombres de Filippo Lippi,[29] Botticelli[30] o Leonardo,[31] porque en ellas aparecen de modo concreto el lirio *colocado en un vaso* y el obligado *patio* de arcadas y columnas (que vemos en su versión más esteticista en la *Anunciación* del Prado).

En ellas, la *esbeltez* del lirio llega a la estilización suprema (en Lippi es acusadísima), o se compone en la simbólica trinidad de tres ramas, simétricamente dispuestas, como en la aludida *Adoración* de Fra Angélico. En ambas posibilidades, la imagen obedece a un símbolo, pero enlaza, plásticamente, con la esbeltez y gracilidad de las figuras femeninas de la pintura coetánea (que en el caso de una *Anunciación,* con figuras sentadas o arrodilladas es difícil marcar) de las escuelas sienesa o florentina.[32]

Como enlaza, significativamente, con el *canon* estético de sus herederos, los prerrafaelistas ingleses (generadores parciales del modernismo hispánico). Y digo significativamente, porque en ellos volvemos a encontrar a *Beatrice* (y a Isolda),[33] el *lirio* (ya en su mezcla de *sensualismo* y *misticismo*) y el *patio* de la *Anunciación.*

Dante Gabriel Rossetti ha *recreado* el mito Beatrice, no tanto en su famosa *Dante's Dream* (Museo de Liverpool), cuanto en su no menos célebre *Beata Beatrix.* Una Beatrice modernista, en donde los rasgos de tuberculosa de Elizabeth Siddal, irradian una vivísima luz dorada que ilumina los símbolos casi esfumados del segundo plano. La sensitiva y nueva Beatrice aparece con los ojos cerrados, pero no por la muerte (como en *Dante's Dream*), sino en un *sueño* de éxtasis místico-amoroso. No es un ángel el que se acerca a su figura, sino un pájaro rojo que lleva en su pico una hoja de nenúfar (?). Pero sí es un ángel niño[34] el que coloca sobre un esbelto búcaro (*vaso*), una estilizadísima vara de azucenas (*lirio* Real), ante una María adolescente que borda en la *sombra* de un *patio* abierto en una balaustrada a un jardín exterior, frente al que se posa la Paloma, en la misma posición que la purísima golondrina que coloca Fra Angélico sobre la divina escena.[35]

Y una breve aclaración final. No he intentado, en modo alguno, en las páginas que anteceden, señalar una *fuente,* en su sentido historicista de inspiración directa. Pero sí indicar que el mundo de *Fanto Fantini* (¿de todo Cunqueiro?) es una síntesis de evocaciones culturales recreadas y casi siempre conscientes. Que el receptor de ese mundo ha de integrarse en ese código interpretativo, si quiere captar el sutil significado de su prosa, más allá de un análisis formal de la misma. Y que el fragmento elegido, puede ser un buen pórtico desde el que comenzar a caminar por esas rutas interpretativas. El texto está ahí, pero su clave remite a la totalidad de la obra y a un código metalingüístico. Superpuestas evocaciones que Cunqueiro recrea en síntesis de apretada (y polisémica) significación. Después es cuando podremos pasar a estudiar la magia irresistible de su estilo.

NOTAS

[1] Ed. cit., p. 121.

[2] Cunqueiro así parece señalarlo al definir a su héroe: "Durante mucho tiempo solamente se supo de él lo que viene en una crónica florentina: 'Nadie fue más hábil en huir de las prisiones de su tiempo, que el capitán Fanto Fantini della

Gherardesca'. Solía repetir esta cita el escritor Rafael Sánchez Mazas, que tanto sabía, y enseñó al autor de este libro de la Italia del Cuatrocientos" (ed. cit., p. 175).

[3] Ed. cit., p. 95.

[4] *Palabras liminares a Prosas Profanas.*

[5] Ed. cit., p. 30.

[6] Ed. cit., p. 33.

[7] Ed. cit., p. 179.

[8] Recuérdese el poema *Flamenca,* de alrededor de 1230, "una de las más adorables obras de la literatura de Provenza", en frase de Américo Castro, su traductor castellano. Cfr. *Teresa la santa y otros ensayos,* Alfaguara, Madrid-Barcelona, 1972, pp. 139-161.

La relación que establezco es plenamente consciente en Cunqueiro, que inicia así la explicación onomástica correspondiente: "Nombre que llevó una señora provenzal que iba a baños por verse con su amante, y en su habitación leía "Flores y Blancaflor". Pero aquí viene porque era el nombre de la mujer de Guillem..." (p. 176). No hay, por el contrario, nada en común entre la niñita coja de Tamnos y la poetisa de Lesbos. Tal vez, tan solo, su amor sin esperanza a Fanto y a Faón, respectivamente; la radiante hermosura de sus amados (frente a su propia imperfección física) y una lejanía respecto a ellos, marcada por el mar.

[9] Cap. XXIV, de *Vita Nova.* La identificación Beatrice = Amore, aparece en varios lugares de la obra (Cfr. Cap. XIII: *Piangete, amanti, poi que piange Amore*...), pero en la cita transcrita no se hace a nivel de Beatrice (personaje) = Amor, sino Beatrice (nombre) = Amor. De ahí el endecasílabo subsiguiente, que repite el concepto: *e quell'ha nome Amor, si mi somiglia.*

[10] Creo que esa aludida resonancia puede apuntalarse en la misma lectura de las páginas de Cunqueiro. En ellas aparecen alusiones a un contexto cultural de *pleno* Renacimiento, enmarcando calificativamente a Fanto, que escucha una lección de Pico della Mirandola (p. 55) o se escapa de la prisión mental aplicando conceptos del *De prospectiva pingendi,* de su también coetáneo Piero della Francesca (p. 77). Pero igualmente aparecen citas y alusiones al Duocento italiano, fuera de la propia Beatrice. Así, el único poema transcrito (parcialmente) es un soneto de Cavalcanti, el "primo di li miei amici", como dice Dante (*Vita Nova,* cap. III), y cuya amada, Giovanna, acompaña a Beatrice, precisamente en el capítulo XXIV de la obra. Recordemos que Cavalcanti la había denominado *Primavera* y que, ante ese estímulo, Dante identifica Beatrice = Amore, según las citas transcritas en líneas anteriores.

[11] Fanto, dormido, "soñando que era río" (p. 72) como consecuencia de la aventura de su fuga II. Y los sueños eróticos

de Donna Cósima, de evidente interpretación freudiana (pp. 147-148).

[12] Ed. cit., p. 173.

[13] Ed. cit., p. 109.

[14] Ed. cit., p. 34.

[15] Ed. cit., pp. 59 y 55.

[16] Cito a León Hebreo a través de la traducción del Inca Garcilaso de la Vega. Ed. de E. Juliá, Madrid, 1949, T. II, p. 109.

[17] Cfr. B. ALEMANY, *Vocabulario de las obras de Don Luis de Góngora,* Madrid, 1930, que en la página 586 enumera la utilización gongorina del término.

[18] *A la muerte del Padre Gregorio Valmaseda,* vr. 129. En *Obras poéticas,* I. Ed. de J. M. Blecua, Barcelona, 1969, p. 519.

[19] Ed. cit., p. 488.

[20] El propio Cunqueiro aúna, renacentistamente, *esbeltez* y *gentileza,* al describir la figura de Fanto adolescente: "Iba para alto, la cabellera sin perder de su oro, los ojos celestes...". "El cuello largo y la cintura estrecha confirmaban su esbeltez, y por el ejercicio de las armas, se le alargaran los antebrazos y se le redondeaban las piernas, en las que lucía el fino tobillo...". "La palabra gentileza valía para decir la estampa del aprendiz de capitán..." (pp. 21-22). Recuérdese que *gentilezza* es palabra clave de toda la lírica *stilnovista* y renacentista. *Gentilissima* es el más general apelativo con que Dante designa a Beatrice en la *Vita Nova.* Y siguiendo el pensamiento de Guinizelli, su maestro poético, nos dirá que *Amor e'l cor gentile.*

[21] En esa línea erótica aparece la afrodisiaca y genésica *azucena* del popular romance del XV, *Férido está don Tristán,* como símbolo de la victoria de la pasión sobre la muerte.

[22] Ed. cit., p. 102.

[23] Ed. cit., p. 154.

[24] Ed. cit., pp. 55 y 56. A estas citas sólo cabe añadir la ocasional mención de *lirio de Pisa,* como designación de un 'agua de olor'.

[25] Ed. cit., pp. 24 y 25.

[26] Tanto es así que la doncella de las damas intentará la seducción del muchacho (p. 27) utilizando el mismo *truco.* Fanto no acepta su invitación amorosa y deposita una rosa sobre su vientre. *Rosa* y *sombra* serán para la muchacha toda su vida incitaciones eróticas: "...y si le entraban desasosiegos, se iba en busca de una sombra, buscaba una rosa roja, se la ponía sobre el vientre, y se dormía de placer" (p. 172).

[27] El patio de una posada florentina, donde Fanto se finge sobrino nieto de don Lanzarote del Lago (p. 32).

[28] La *Anunciación* del Palacio Barberini, de Roma, en donde María recibe la esbeltísima rama de manos del ángel, frente a una arcada que se abre al exterior del jardín.

[29] En los Uffizi, en donde la arcada abierta se proyecta sobre un fondo lejano de paisaje.

[30] También en los Uffizi, donde la figura de María aún se *protege* bajo una construcción arquitectónica, mientras el ángel, portador de la vara, se arrodilla sobre las flores del jardín al que se abre aquélla.

[31] Recordemos, por ejemplo, la frágil esbeltez de las tres figuras (en pie o ascendiendo al cielo) que encarnan la Cari- la Obediencia y la Pobreza, en las *Bodas místicas de San Francisco,* de *Sasetta,* pintadas hacia 1440, o la posterior y grácil inclinación, casi floral, de la *Venus* botticelliana.

Conviene también ahora recordar (como necesario puntal demostrativo) el conocimiento pictórico que asoma a las páginas de *Fanto Fantini.* Y, sobre todo, que a las citas concretas (Piero della Francesca o Leonardo), se une una ambientación casi pictórica en la narración. El *Honorable Capitán de la Guerra, Guidoriccio da Fogliano* (Palacio Comunal de Siena), de Simone Martini, parece caminar por la novela junto a los literarios Vero dei Pranzi o Nero Buoncompagni.

[32] Creo que es conveniente recordar (en aclaración al texto cunqueriano citado en nota 7), que a los temas dantescos impuestos por el creador de la escuela, añadirán sus discípulos los del ciclo bretón: junto a *Beata Beatrix,* se alinea *La bella Isolda,* de W. Morris, en las paredes de la Tate Galery londinense.

[33] *La educación de la Virgen,* de D. G. Rossetti (Tate Gallery).

[34] *Anunciación* del Prado.

Alonso Zamora Vicente: "Uno es generoso"

EMILIO LORENZO

CONCEPTO DE COMENTARIO DE TEXTO

ENTENDEMOS el comentario de texto como marcado por dos objetivos aparentemente irreconciliables; uno, para muchos trasnochado, el que guiaba a los filólogos tradicionales en su sentido más amplio: no bastaba la recta comprensión de los hechos gramaticales y léxicos que el texto ofrecía, sino que había que situarlo en la cultura o época histórica que lo enmarcaba, como clave para una mejor interpretación de aquella sociedad, y viceversa, los datos históricos eran aprovechados para arrojar luz sobre pasajes oscuros. Una tarea que se hizo sustancial entre los filólogos de la primera mitad del siglo XIX, la de restitución de un texto a su forma primitiva, dio lugar a técnicas sumamente rigurosas y depuradas de cotejo entre los distintos manuscritos o versiones legados por la tradición. La crítica textual alcanzó así grados de sutileza insospechados, que son patentes en algunos de sus actuales cultivadores; el otro objetivo del comentario de texto es visible en ciertas direcciones de la crítica moderna: se trata de averiguar hasta qué punto la obra literaria es fiel reflejo de la realidad histórica circundante, dejando a un lado o excluyendo los posibles valores estéticos de la misma pero valorándola según criterios de discutible objetividad. Estimamos, sin embargo, que un comentario que trate de explicar exhaustivamente forma y contenido del texto y donde, por coetaneidad con el autor, el comentarista analice la adecuación entre la realidad por ambos vivida y el reflejo intentado en la obra, puede constituir un buen exponente de las dificultades y los logros que ofrece un tipo de examen crítico que estimamos fecundo, por lo menos para el propio comentarista. Si, como ocurre con el texto que hemos elegido, éste pretende ser un fiel reflejo de una actualización de la lengua (*performance* dirían los chomskianos) en un nivel —el del habla coloquial— poco atendido por la gramática prescriptiva, debe concedérsele al comentarista al menos su condición de notario que puede dar testimonio fehaciente de que lo escrito refleja una realidad también observada por él. Sería, sin embargo, un tanto estéril o pasiva la mera actitud del testigo que da fe, sin contribuir de otro modo a la aclaración de los hechos lingüísticos, si el análisis es formalista o estilístico, o sin destacar los valores artísticos si el análisis es literario, ya señalando subjetivamente lo que en él suscita la emoción estética, ya descubriendo lo que puede suscitarla en los demás. No ha sido este último nuestro propósito al enfrentarnos con el texto de Alonso Zamora. Los valores literarios de este escritor —originalidad, inventiva, sensibilidad— son probablemente más evidentes en otras creaciones suyas (el mismo libro de *A traque barraque,* escrito con la misma técnica narrativa, ofrece muchos ejemplos de gran capacidad creadora). Hemos escogido un texto en que se funden con los elementos lingüísticos, otros ingredientes que delatan una clara intención crítica, más dura en la sátira de un determinado tipo social de gran autenticidad, y más tenue en la de las condiciones históricas que lo han hecho familiar y tolerado. De hecho, el autor no critica nada y la gracia de su especial técnica narrativa consiste en obligar al lector a un reajuste simple de su sistema de valores éticos, en virtud del cual, lo vituperado por un personaje de catadura moral todavía condenable resulta positivo, mientras que los actos de que se ufana, lo mismo que sus opiniones, se tornan automáticamente deleznables.

Queda demostrado que un texto como el que hemos seleccionado puede ser una mina inagotable de experiencias de todo orden para el lector. Sería estimulante proceder a la disección moral del personaje; también nos seducen las alusiones a la sociedad de consumo, al conflicto generacional con Luisito y sus amigos, a los comentarios sobre la postguerra española (..."cuando fuimos tan simpáticos en Europa...") a la incongruencia entre el patriotismo proclamado al final (..."a ver cómo podríamos conseguir más fruto con menos trabajo y alcanzar así un nivel europeo...) y el desprecio a la indigente industria española (...manufacturillas feas...) a los profesores de idiomas y a los autores que no escriben libros de texto, o no escriben en inglés. Son tentadoras para el comentarista muchas voces y expresiones que ofrece el resto de la narración: préstamos y calcos del inglés como *partys, bifiter* (Beefeater, una marca de ginebra), *fueraborda* (ing. *outboard*), *convenciones* 'asambleas, congresos', etc. y particularidades léxicas de quien mezcla lo vulgar y popular (*finolis, retratarse* 'pagar', *chocheces, pejiguera, tele, camamas, niñatos, soleche, caro-*

ta, tongo, mi menda, prepa (ratorio), *propi*(na), etc.) con las últimas novedades del lenguaje periodístico o administrativo (*oportunidades, instancia, reintegro, reingresar, postulaciones, desarrollo, acercamiento, condominio, planteamiento, cine de ensayo, restitución, la realidad histórica,* etc.) y finalmente algunas peculiaridades léxicas del autor: *memarra* (incluida en nuestro comentario), *mazagatos* 'paleto, zafio', *chillotear, traspellados* 'desgraciados', etc. Todo ello es, repetimos, una tentación a la que hemos tenido que resistir para no hacer inacabable el comentario.

Presentamos, pues, un comentario eminentemente lingüístico donde los límites de lo coloquial, concepto que esperamos delimitar algún día, sólo aparecen marcados en cuanto suponen una desviación o deformación de los usos admitidos como correctos. Esta demarcación nos sirve para identificar o explicar lo que la gramática normativa y el Diccionario no bastarían a explicar. En ocasiones, siguiendo el modelo filológico, aclaramos el contexto histórico o social, con miras a una mejor comprensión. Siendo el estilo coloquial fundamentalmente expresivo y afectivo, más que racional, pedimos disculpas por la explicación, ocasionalmente subjetiva, de determinados usos.

Los personajes de A. Zamora y su habla

En todas las comunidades lingüísticas es casi seguro que existen, diferenciados en mayor o menor grado, dos o más niveles de uso lingüístico que en algunos casos, cuando se manifiestan en dos sistemas coherentes muy marcados, dan lugar al término que Charles A. Ferguson [1] ha popularizado con el nombre de *diglosia*. De diglosia se podría hablar, sin temor a ser uno acusado de extrapolación indebida, cuando se confrontan en una lengua de cultura los niveles generales de lengua hablada y lengua escrita. Estos dos niveles o estratos de la lengua no están nítidamente separados y admiten, es cierto, toda clase de subdivisiones en estratos intermedios que el editor percibe perfectamente y sus personajes, a veces, también. Un análisis riguroso de todos los niveles de la lengua escrita y hablada —piénsese en ambas según las situaciones, los condicionamientos profesionales, sociales o dialectales que actúan por separado o simultáneamente en el texto, oral o escrito, examinado— nos llevaría sólo a esclarecer lo que hoy ya es obvio para quien trate de entender ese fenómeno complejo e inabarcable que llamamos lenguaje, a saber, la multiplicidad de variantes que podemos establecer hasta llegar a un último grado de atomización, a la atomización por antonomasia que es el idiolecto o singularidad lingüística del individuo. Pero aun aquí cabrían, claro, subdivisiones (registros) determinadas por la situación, que el hablante sabe percibir y a la que acomoda sus opciones.

Alonso Zamora ha sabido hacer una abstracción notable de algo tan concreto como es el habla coloquial madrileña. Una pintoresca galería de personajes —hombres, mujeres, adolescentes y ancianos— se exhiben sin recato, con increíble autenticidad y desenvoltura desde las páginas dominicales de un prestigioso diario católico madrileño, en jugosos e incontenibles cuasimonólogos en que un interlocutor discretamente afable e irónico se hace notar sólo a través de sesgos más o menos violentos que quiebran oportunamente el soliloquio (cfr. en el texto escogido: "No, no, de la guerra nada. Eso no me lo recuerdes". —"¿También éste había escrito libros? ... no conoces más que naipes del mismo palo". —"Ya veo que carburas". —"Anda, anda, lárgate con viento fresco, tú y tus historias de restitución"). Los estudiosos del estilo se verían aquí inclinados a rastrear antecedentes en autores próximos o alejados. Hoy, monólogo interior o "stream of consciousness" son nociones de uso corriente y hablar de M. Proust, de Joyce, de Faulkner o de Miguel Delibes y tantos otros parecería de rigor. Pero a Alonso Zamora, que es hombre culto y ha leído a todos esos autores y a muchos más, le basta haber leído sus clásicos para saber que en el Arcipreste de Talavera ya aparece retratándose el español —o española— que no escucha, que se emborracha con las palabras, que sólo deja intervenir al interlocutor para cobrar aliento o, si se tercia, seguir una nueva línea discursiva.

El denominador común de estos personajes es la lengua, o precisando más, lo que hoy llaman algunos investigadores, el "registro" de lengua. Estos personajes pueden ser provincianos —muchos— afincados en Madrid, estudiantes de Bachillerato, taxistas, cerilleros, trepadores con "principios", o —la más insólita de las profesiones— tiradores de pecho. El peculiar vivir de cada uno se revela, por supuesto, en adecuados adornos y vestimenta léxica, pero el ritmo de sus confesiones, la fraseología, los modismos, los latiguillos, los "timitos" sin sustancia denotativa, son los mismos. Todos estos personajes, que pueden haber hecho el Bachillerato o no, presas de desbordante verborrea salpican aquí y allá sus efusiones y confidencias de esdrújulos y cultismos oídos a la radio o la televisión, leídos en los periódicos deportivos, y de insospechadas o vagas significaciones.

Uno de los recursos más utilizados por quienes tratan de reproducir la lengua hablada consiste en acudir a una fácil caracterización de ciertas propensiones fonéticas más o menos extendidas por el área lingüística hispánica: *cansao, sufrío, pa alante, to el día, regaera, mardita sea, ozú,* etc. Alonso Zamora, que es un eminente dialectólogo, y que podría caracterizar con precisión fonética impecable las peculiaridades de pronunciación de sus personajes, procedentes de todas las provincias españolas, renuncia a tal recurso [2] y nos presenta un muestrario vivo de la extensa, variada y, al parecer, inagotable e irreflexiva manera de desahogarse —expresarse sería un verbo excesivo— sus solitarios y monologantes personajes. Porque otro de los rasgos que comparten la mayoría de ellos es su abrumadora e irremediable soledad; la soledad producida por aquel marido miliciano que se mató cuando volvía al hogar; la de la señora veraneante que no sabe descolgarse del teléfono que la une al marido, la del asilado (... otra vez solo, siempre solo) que espera encontrar en el otro mundo a la Petro, su mujer, asando castañas; la del taxista que aprovecha el primer cliente propicio para contarle su aventura australiana y abrirle su intimidad, la del cojitranco zurrado por la vida a quien hacen fotos los turistas; la del triunfador alienado de familia y amigos, como en el texto que reproducimos; o en fin, la mujer de un sordo. El autor, ilustre académico al fin, respeta la ortografía prescrita, pero consigue, como pocos narradores españoles, una secuencia casi magnetofónica, de lo que entendemos por habla coloquial, con sus muletillas, sus frases de relleno, sus incoherencias, sus repeticiones inútiles. La vehemencia no corre pareja con el discurso bien articulado y compacto. Pero, al mismo tiempo, dentro de la evidente incongruencia, esta prosa está salpicada de esas creaciones expresivas, únicas e insustituibles, que constituyen las soluciones espontáneas que adopta la lengua cuando soslaya la ambigüedad, o que escoge deliberadamente cuando busca el equívoco. Y es natural que así sea. La lengua hablada, en contraposición con la escrita, o por lo menos, con la escrita de la narrativa tradicional, se explica sola, pues al hablar, hay una serie de elementos extralingüísticos o paralingüísticos [3] consabidos en virtud del contexto de la situación, que si reducen la ambigüedad en el hablante —“pour le locuteur”, dice Jakobson, “l’homonymie n’existe pas”— no la eliminan en cambio en el lector o el oyente. Puesto en situación, en completa empatía con el personaje, el lector medio español puede seguir, en general, y sin mayor dificultad, el hilo de estos monólogos. Hacer un comentario o una “explicación” de un texto destinado a ese lector medio de un periódico dominical pudiera parecer excesiva petulancia a quien esto lee. Pero Alonso Zamora, que figura en el censo de Madrid de 1920, como yo, que ha estudiado en la misma Facultad y que comparte amistades y tareas universitarias comunes, me obliga a veces, al leerlo, a un esfuerzo interpretativo. Unas veces son viejas palabras olvidadas de mi niñez —*lique, garulla, dola, drea, toña*— otras son las grafías que imitan la pronunciación popular no generalizada de voces extranjeras —el *metre* ‘maître’, *clu* ‘club’, *boá* ‘boite’, *sangüi* ‘sandwich’, *bifiter* ‘Beefeater’. *Bisbadén* ‘Wiesbaden’, *güel* ‘well’, *bai* ‘(good) bye’. Pero si a este comentarista el texto le ofrece dificultades o motivos de reflexión, ¿qué será para el hispanohablante ultramarino o para el estudiante o profesor extranjero de español que, gramática y diccionario en mano, pretende la comprensión total? Un análisis exhaustivo de toda la narración escogida nos llevaría muy lejos y se saldría de los límites que la editorial impone a este comentario. Baste decir que una página impresa del libro de Delibes *Cinco horas con Mario* explicada a alumnos extranjeros de nivel avanzado nos exigió más de 130 notas. Por eso, aunque el presente comentario no va dirigido a estudiantes solamente, nos hemos ceñido a los dos primeros párrafos. Pero un joven español de 18 años es posible que no entienda alusiones a la historia reciente de España, o al escalafón, concepto en trance de desaparecer, ni una fraseología que está en perpetua renovación. Los personajes de A. Zamora, salvo muy contadas excepciones, son maduros y su experiencia y uso lingüístico abarca un período cronológico comparable a la edad del autor, 57 años. Algunas de las expresiones ya se baten en retirada, otras irrumpen por primera vez en la página impresa, ya en fugaz y única aparición, ya como primeros testimonios escritos de lo que ya existe y está en proceso de propagación a otros niveles.

Algún lector echará de menos y se sentirá defraudado por no ver reflejados en el comentario, ni las técnicas de análisis ni la variada terminología que delata familiaridad real o supuesta con las nuevas y novísimas orientaciones de la lingüística, que respetamos y, a veces, admiramos. Esos avances metodológicos y esas técnicas de análisis son espectaculares. Confiamos en que superadas las primeras etapas de abstracción y de examen de lo que creíamos claro y patente, pero estudiado aparentemente mal por la gramática menos nueva, nos den estos jóvenes cultivadores de la ciencia gramatical la pauta para explicar e interpretar mejor este conjunto de fenómenos, en su mayoría desviaciones caprichosas de la norma, difícilmente codificables todos en los esquemas propuestos, que sirven para expresar no el pensamiento más o menos ordenado y lógico de seres racionales, sino las emociones imprevisibles, las asociaciones inesperadas, las creaciones repentinas —no siempre generadas según el modelo gramatical— y las reacciones súbitas e irracionales que, a menudo, es incapaz de entender incluso un interlocutor inmerso en la situación que los provoca, cuanto menos un lector superficial o no familiarizado con hablante y contexto. Es cuestionable que nuestro comentario sea el más acertado, pero tenemos un arraigado convencimiento de que la tarea esencial que se debe imponer quien cultive la lingüística es el comentario total de un texto —hablado o escrito—, cuando la lengua codificada —diccionario y gramática— no basta.

Uno es generoso *

No, no crea usted que es tan fácil *llegar,* eso que la gente llama llegar. Hay que tener *pesquis,* mucho pesquis, y saber escoger la *coyuntura,* como se dice ahora, y, sobre todo, nada de *contestatario,* ¿he? De eso *ni hablar. Estaría bueno.* Si *uno* sale así, vamos, protestón, enseguida

* Damos a continuación la narración completa tal como apareció en el periódico, sin mutilaciones. Sólo hemos corregido una errata obvia. Las palabras o sintagmas impresos en cursiva son objeto de aclaración léxica y análisis gramatical

te cuelgan el sambenito de la *mala uva,* y que si eres o no eres agrio, que si difícil, que si *rojillo. Total,* que te quedas a la luna de Valencia en un decir Jesús. Eso de difícil se ha dicho mucho *estos últimos años. ¿Que no le mandabas* un regalito a la niñita del jefe, una ñoña *memarra* que tomaba la primera comunión? Eras un *tío* difícil. ¿Que no felicitabas a doña Gloria, la ilustrísima esposa del Presidente de *tal y tal,* ya sabes, una de esas chifladas cotorronas, con más *lilailos* que borrico cañí? *Pues lo mismo: Pero hombre,* este chico, si no fuese tan difícil... La dificultad era mucho mayor si no proponías el *día de haber* para comprarle al Subdirector la *Gran Cruz ésa,* la que, bueno, *ya sabes, en los aniversarios...* Suscripción voluntaria, discursitos, comilona en *Cuatro Caminos, puente* el fin de semana, un *buen puro el lunes* siguiente, todas las *broncas archivadas* para los subalternos... *En fin,* amigo mío, que vivir *en este país se las trae, vaya* si se las trae. *Menos mal* que a mí, en mi profesión, ya ves, un *trabajazo que no te voy* a *contar,* de los tenidos tradicionalmente por liberales, estas cosas no me han tocado mucho. Yo, pesquis, pesquis y *nada más* que pesquis. *¿Que venía el viento lleno* de declaraciones, principios, adhesiones y demás? Allí estaba yo el primero. *Cuestión de pisar fuerte.* Me ponía súbitamente serio, sacaba el pecho, carraspeaba y: Señores, en vista del cariz de... Las exigencias del momento... La voluntad de futuro que en estos días cruciales... La responsabilidad de esta decisión que no vacilo en calificar de histórica...

Y, *eso sí,* fuertes palmadas sobre el corazón. *Había que* sudar *tinta,* sobre todo para que no se acordara nadie de conductas o juicios anteriores, porque, chico, *aquí,* a cada momento se empeñan en *sacarte* los *trapitos sucios* y te inventan patrañas sobre la vida privada, que *dime tú a ver qué eso* le importa a *nadie,* pero son así, qué *le vamos a hacer, generosos,* y pues les gusta, *duro con ellos.* ¿Nada de *caldo*? Tres tazas. Lo mejor es tratarles *como lo que son,* y *sanseacabó. Me lo vas a decir a mí.* Pues como te iba diciendo, chico, con esas oportunas actuaciones, en un santiamén *todo listo.* El ascenso tardaba en presentarse *menos que un paseíto* en barca en el Retiro. Y *de consideración* social, de eso, *ya...* Ahí tienes a todos esos desgraciados que estudiaban conmigo, *venga a* hacer oposiciones y oposiciones, venga a romperse los *codos* en un laboratorio o en una biblioteca, total, ¿para qué? Para un sueldecito, teniendo que *esperar que* se mueran todos los que están delante en el *escalafón,* una cosa aburrida que se lee así... ssss... ssss... pasando el dedo de prisa por los nombres de arriba a abajo. Y *no te quiero decir lo* que *debe ser eso de tener* ya *quemadas* las *pagas extraordinarias* de *dentro de* cuatro o cinco años, que son *así de hambrones,* que no paran de pensar en lo que han de hacer con un dinero que ni siquiera ganan, sino que se lo *damos* de *bobilisbobilis...*

[*Fin del fragmento comentado*]

¿Te acuerdas de aquel miope escuchimizado, era de Trujillo, un tal López algo, era de tu año, sí, hombre, sí, en tu grupo de prepa...? ¿No te acuerdas? Pues ya ves, ahí está, esperando que le jubilen, tachando con lápiz rojo los que caen antes que él, y los que caerán, y teniendo ya la pena de todas las renuncias que tendrá cuando le quede no sé qué de una mutualidad por la que paga no sé cuánto... Una pena. Te digo que una pena. Y para eso se libró del tifus aquel de marras, cuando fuimos tan simpáticos en Europa, y de las gripes, y hasta del cólera ese del año pasado, y eso que veranea por ahí, por un sitio de esos donde, ya sabes, en cuanto hay algún andancio, a pasarlo se ha dicho. Oye, a propósito, ese Trujillo, ¿es de Toledo o de Ciudad Real? Parece buen pueblo, nació allí no sé bien qué tío de esos de América. Bueno, que ese pelanas se pasa las siestas, y las tardes de los domingos, haciendo cábalas para alcanzar no sé cuántos años y días y no sé qué otras zarandajas más, para lograr una miseria. Una condena, vamos, una condena. Y todo porque le dio por eso, por hacer cada día un poquito de sus cosas. Yo en cambio... ¿Qué ha escrito ese fulano unos cuantos libros...? No estarán de texto, a ver, eso está bien claro.

Si fuese como tú dices, otro gallo le cantaría. Tendría piso propio, con dos puertas, y el portero se levantaría, como está mandado, al saludarle, y le pondría el ascensor, y no dejaría que subieran al piso los pelmas, sobre todo si se atreven a ir con las manos vacías... Quiá, hombre, quiá. Tú fíjate en mí. Yo tuve vista. Nada de meterte en un berenjenal de categorías, ascensos por tiempo, paguitas en Navidad... Todo eso son villancicos de chico muy chico. Yo fuera. Misiones especiales, con triple sueldo. París, Roma, Tánger, las urbanizaciones... Me relacioné. Yo tengo siempre preocupaciones sociales. Consejos directivos de esto, de lo otro, de lo de más allá. Esto es hacer patria. Es verdad que salté por encima de muchos, pero, en realidad, era solamente un cambio de despacho, o sea, vamos, de local. Yo sé que debí oponerme a muchas cosas, pero habría sido según las ideas de otros, de esos vinagrillos malhumorados, gentes que en cuanto notan que algo marcha hacia arriba, ya están dándole tientos a la responsabilidad, a la honradez, a las exigencias colectivas, al suburbio. Camamas. Si yo no me arriesgase, eh?, alguien lo haría y, en fin, bueno, tú me entiendes. ¿No te parece? Hombre, te has quedado de piedra. A mí me está pareciendo que tú eres como esos jovencitos de ahora, como Luisito, el de mi hermana Petra, ya sabrás que está viuda y he tenido que cargar con ellos, que ya te imaginas lo que es una buena bicoca... Pues Luisito estudia Letras, que ya ya, siempre con la misma tabarra, que si hay que ser cosolidario y que a ver por qué yo, que estoy arriba, no me opongo a tal y cual. Tenéis gracia vosotros, vaya si la tenéis. Habría estado bueno, hombre, que, cuando, es un decir, eh?, se permitió aquello de las importaciones, yo hubiera salido diciendo que no, que se podían arreglar las cosas con lo de aquí. Estábamos aviados. Y mi sueldo, ¿qué? Y mis compromisos, ¿qué? Y todo el esfuerzo que costó el planteamiento, y no sumo la pasta que hubo que untar, ¿qué?

¡Toma, sí, yo trabajaba en eso, pero en aquellos momentos...

Yo salí beneficiado, era lícito, ¿no?, y como yo otros muchos. ¿Que tuvieron que cerrar muchos pobretones...? Bueno. La mayor parte eran manufacturillas feas, incómodas, a lo mejor hasta olían mal. Suponte, negociejos llevados en familia, algunos en pueblos sin retrete...! La monda. Y desde luego, todos eran muy poco científicos. Comprenderás que en el siglo XX!... A los mandamases que tenían tampoco les fue tan mal, ya ves, se colocaron en Alemania, y cómo si se colocaron. Todavía el año pasado me encontré con uno en Nimega, eso es alemán, ¿no?, de ingenierazo. Dime tú a ver cuándo iba a haber tenido aquí el cochazo que se gasta, como de aquí a Cibeles, no te digo más, y fuma en pipa, será carota, y sus hijos chamullando idiomas, eh?, que, aquí, ya los puedes mandar donde sea, que, como no se los coloques a alguien por ahí, de veraneo, no saben decir un pío más que el chapurreo de la tele. Esto te demuestra que tú y otros como tú os pasáis la vida quejándoos de puro vicio. Y este que te cuento, total, ¿qué demonios era? Un profesorcillo de nada, que se veía obligado a llevar aquella fábrica para poder comprarle a su mujer un abrigo cada dos inviernos, o para alquilar una casita en Piedralaves. ¿También éste había escrito libros? Vaya por Dios, no conoces más que naipes del mismo palo. Pues entérate de una vez: los libros, o se escriben en inglés y en Nueva York o en Filadelfia, o son papel para envolver alpargatas. Ah, además, esta gente es la mar de maleducada, pásmate, este mazagatos hasta me preguntó con cierto retintín si me seguía yendo bien aquí, que él podía echarme una mano si cambiaba de patrono. Por lo visto no le bastaba con entrar en el mismo restorán que yo, quita, hombre, quita, sino que, de propi, insolente como él solo. Si ya te digo que hasta fumaba en pipa, y llevaba gafas de oro, y si vieras cómo le daba a las llaves del coche!... Y el chaquetón...

De cuero, así de gordo, un tabardo que quitaba el hipo. Sí, sí, desgraciados... Estas puñeterías de la envidia son las que me hacen emperrarme en mi proceder. ¿Que de vez en cuando se hace un acomodo de personal en la empresa o se prescinde de todo lo que se venía haciendo? Pues, claro. Yo, chitón. Y en tanto se va experimentando lo nuevo, que si recomendaciones, que si pruebas, que si menos puestos de trabajo, yo hacia arriba, hacia arriba. Hay que avivarse, que, luego, a ver cómo sostienes los caprichitos de la familia, siempre con ideítas geniales, que si un mercedes, que si tales o cuales máquinas de cine, que si el fueraborda, que si la finquita en Salou, que si el condominio en Nerja... Y los estudios de Luisito, que no te los pierdas de vista los dichosos estudios de Luisito. Bueno, qué te voy a contar, no terminaría. No, no, mira, no. De la guerra, nada. Eso, ni me lo recuerdes. Pues sí que no costó trabajito ni nada ir adelante, y aquello sí que fueron concesiones, eh? Nada, nada, idéntico a Luisito, se echa de ver enseguida que tú lo mismo que Luisito, el grandísimo pejiguera, que no te voy a decir las ganas que me paso de darle un par de bofetadas bien sacudidas, por soleche y señoritingo. Lo mismo que todos esos vainas melenudos de las narices que vienen con él a casa, a hartarse de merendar a mi costa y a patear las alfombras, y a darle a los martinis y al bifiter, hombre, si lo sabré yo, y a decir que si hay que repartir algo mejor... No, no repartir algo mejor que los martinis, no, aluden al reparto de mi cuenta, que son así de generosos con lo ajeno. También les da por decir que si la Universidad es así o asao, con lo que se gasta uno en la Universidad, tú me dirás, y estos memos, Luisito y los míos, venga a comprar libros y más libros, que ya no se puede entrar en su cuarto, y a pasarse las noches leyendo para, luego, por la mañanita temprano, salir con incordios, que si mi generación está pocha, que si el tratado tal y cual, que si hay que socializar del todo la medicina, que si esto no les gusta y aquello menos aún. Pero, hombre de Dios, ¿a dónde vamos a parar?

No creo que yo vaya a ser tan tirano como me pintan, vamos, hombre, cualquiera diría que yo pido milagros, no, qué va, solamente un poquito y bien hacedero: un ratito de periódico, que me traigan en junio matrículas de honor para mantener las becas y, luego, lo que quieran: toda la noche en la tele, y pueden ir a los partidos, y a los partys esos de las embajadas y a lo que sea, van chicas feúchas, bueno, pero con el riñón bien cubierto. No me opongo a que vayan alguna vez a un cine de ensayo, tienen que aprender algunas faenas que no entran en nuestra educación, ya ves, no me opongo, uno no puede atender a todo, aparte de que hay asuntos que, en casa, los padres, en fin, tú me entiendes, no está bien hablar de ciertas cosas en casa, se relajaría mucho la autoridad, y, en fin de cuentas, hay que aprender de todo. ¿Estamos? Ya veo que carburas, menos mal. Pues, lo que son las cosas, estos niñatos, nada. Esto es una atroz tiranía, que está necesitando su Robespierre o su Bakunin. Anda, chúpate ésa. Bakunin, eh? Qué será eso. Seguramente, el guardaespaldas de Mao. Ahora comprenderás que yo, cuando he tenido que juzgar y escoger a alguien para un puestecito de cierta responsabilidad, me haya decidido, a ciegas, por los que me he decidido. No iba a meter el enemigo en casa, que los aguante su madre. No iba a escoger a uno de esos caníbales, que sabrán todo lo que tú quieras, no digo que no, pero... Ya me entiendes. Menos leer y menos críticas y más arrimar el hombro, y, ya que les dio por ir a la Universidad, que preparen notarías, o diplomáticos, o ejecutivos de algo con central en los Países Bajos o en Escandinavia y buenas sucursales tranquilas en Bilbao o en la costa del Mediterráneo, tan azul y alegre como es. ¿Qué te parece? Cualquiera diría que aquí, mi menda, está atontao. Hombre, un poco, para aparentar y consolar a los demás que lo están a base de bien, no digo que no, pero hay clases, vaya si las hay. Ni que hubiese yo bajado del corto ayer por la tarde. Yo soy un hombre de cuerpo entero, de una pieza, fiel a mis convicciones. ¿Cómo os atrevéis a pretender que yo, vamos, yo, que tuve que brujulear de lo lindo para seguir en mis trece después del lío, me fuese a hacer de miel y, así como quien no quiere la cosa, fuese a dar mi voto para que volvieran algunos? ¡Y hasta pedíais que reingresaran en lo que tenían antes! Pero, vamos, hombre, ¿por quién me habéis tomado? Por allí están bien.

No, yo, firme, erre que erre. Hay cosas sagradas. Ni hablar. Aparte de que agua pasada no mueve molino, qué me vas a camelar tú con tus saliditas. Ya ha habido bastantes malentendidos con haber tenido que duplicar huecos en varias ocasiones. Que si venían de Marruecos, que si se incorporaban veterinarios no sé dónde, que si amnistiados. Ay, mi madre, qué país este reclamando. Ni que le hubiese hecho la boca un fraile. ¿No estaban ya bien instalados por ahí, por donde fuere? Pues que sigan por ahí, por donde fuere. Lo que pasa es que aquí hay mucha flojera, mucha, una verdadera inundación de blandura y de contemplaciones y de gente que se arregosta a pasarlo bien y que trabaje Rita. Aquí hace falta mano dura y ética. A mí que no me vengan con firmitas pidiendo árnica, porque van listos. Ya ves, es otra cosa a la que me he negado siempre, a ver, parece mentira, pedir algo, por lo general importante, para gente que no conoces, que no te suena de nada, que, de todas todas, no te la vas a encontrar nunca ya, y que, por mucho que se espabile, no te va a poder corresponder ya nunca, porque, la fetén, ya se va a quedar toda su vida con ese sambenito, natural, a ver, el que la hace la paga y callar es bueno, y una persona como yo, conocida, condecorada, que ha representado al país en varias convenciones de bulto, de esas que cambian la realidad histórica, me oyes?, ahí es nada, pues que te digo que no voy a salir en los periódicos encabezando una lista de misericordiosos gilís, porque, eso sí, yo tendría que encabezarla, la lista. No, no, si ya se sabe, aquí lo que pasa es que hay demasiada picaresca. Siempre lo he dicho: aquí, el que no corre, vuela; y el que venga detrás, que arree. Hombre, a ver si no, te pasas la vida entera, como he hecho yo, preocupado por el bienestar y el desarrollo, sacrificado, porque, no me digas, yo he vivido siempre sacrificado por el ideal, para que ahora, a estas alturas, sin comerlo ni beberlo, salgan por ahí cuatro traspellados con toda esa literatura revieja de que si la igualdad, la nivelación, las oportunidades...

Chorradas, chorradas, nada más que chorradas. Ganas de plantear problemas que zarandean nuestras más sanas y acreditadas instituciones. Bueno, es que yo, tocante a las instituciones... A ver, dime, todos esos mandrias que protestan de todo, ¿se saben bien nuestra historia? ¿Tú crees que serían capaces de exponer, en un momento y con precisión, las aventuras de los conquistadores, o la guerra de la Independencia? Pues entonces... Es muy bonito eso de hablar y hablar y blablablabla. Y luego, ¿qué? Nada. Menos mal que siempre hay y habrá, que ya me encargaré yo de ello, puntos de vista generosos, y, aunque chilloteen y protesten y se encampanen, no faltará en mis medios un intento de comprensión para allanar las dificultades.

Ya verás, ya. Propondré medios fáciles, asequibles, una declaración jurada, una instancia con el reintegro condicionado a su resolución favorable. No me digas que no, con lo que está costando ahora todo, que es el despiporren, esto que yo te digo es lo que se llama una medida altruista de pe a pa. Al-tru-is-ta. A ver quién es el valiente que se atreve a desmentirlo. Claro está, este es un renglón que no se ha discutido nunca. Es táctica que, desde que logré una situación respetada, he procurado cultivar. Discretamente, eso es natural, para evitar estruendo, o publicidad, ya que, estarás de acuerdo conmigo, en ciertas cosas, el recato, el recogimiento, son impagables virtudes. A mí me molesta profundamente esa manía de figurar, de salir en los periódicos y en las croniquillas. Tan sólo en algún que otro caso me brindo a dejarme fotografiar, y a contestar a los periodistas, pero, vamos, salir todos los días... Yo, modestia aparte, practico multitud de buenas obras, colaboro en la construcción de pisos baratos, en las postulaciones benéficas, ayudo a los viajes de fin de carrera...

No, hombre, no, yo no llego a eso tan finolis de decir que doy mi óbolo. Yo, simplemente, me retrato, o sea, vamos, colaboro. Mira tú por dónde, con eso del óbolo todo el mundo sabría enseguida en qué consistía tu acción. Y eso a mí no me va. A mí, recato, recato, nada más que recato. Que lo que hace la izquierda no lo sepa la derecha. ¿Está clarito, no? En nada de esto caen los que me acusan de pagar mal a mis empleados, que, entre paréntesis, no dan golpe, qué van a dar, y me echan en cara que si no les doy extraordinarias, y que, en tal sitio, son cuatro al año, y en la casa de enfrente, seis, y venga y dale una vez y otra, y que si no tengo bien hechos los seguros, que, ya sabes, en dando en querer verte con malos ojos, da lo mismo que te pongan en cruz, que quedas mal y no tienes disculpa. No te libra ni la paz ni la caridad. Entonces no se acuerdan de cuando les consigues entradas a mitad de precio para ver películas de Cantinflas, o comedias de risa, o pases para entrar gratis al museo de Ciencias, una colección de sólidos geométricos que para qué, o excursiones baratas a la Costa del Sol, o a la Blanca, o a la Verde, da lo mismo, en todas tengo algún albergue que no está mal. A propósito, ¿no has recibido los folletos de propaganda? Toma, toma, empápate de estas fotos, te aseguro que no hay tongo, que es así, estos departamentitos son así, y estas pistas de golf son así, y estos clús nocturnos son así. Si me aprietas, te diré que mejores que así, porque tienen aire acondicionado, que no se nota en la foto, y...

Bueno, menudas condiciones. Si toda mi vida he estado sacrificado, ya te lo vengo repitiendo y no me crees, no hay más que ver la sonrisita de conejo que me dedicas, está visto que aquí no hay nada como ser funcionario, pero, a ver, tú me dirás, ahora mismo, este asunto de las colonias de verano, yo comprendo que quizá tienen comprados los apartamentos muchos fulanos que luego no van, que los realquilan, que los... Bueno, ¿y qué? Hay que ayudarse, digo yo, y si no hago eso, ¿cómo voy a continuar sacando a flote lo otro y lo de más allá? Sacrificado, no te digo más, sino que en lo de las cerillas decoradas me veo obligado a ir alguna vez, tengo unas pesetillas de sueldo, más algunos complementos... Sí, ea, hay que ser generoso, la que yo digo, generoso y comprensivo, pues no faltaría más. Anda, anda, lárgate con viento fresco, tú y tus historias de restitución, venga, hombre, venga, como si uno se estuviera chupando el dedo, como si no nos conociéramos en esta tierra, todos tan amables, tan caritativos, y, luego, como el perro y el gato, dime que no, anda; dime que no, que a la vista está lo que somos capaces de hacer, déjate de cuentos, salado, anda, y vete a hacer gárgaras con tus chocheces de comprensión, de acercamiento... Yo no he hecho otra cosa que ayudar, que estar pendiente de los demás, buscando siempre las vueltas a ver cómo podríamos conseguir más fruto con menos trabajo y alcanzar así un nivel europeo... Pues sí, sí, vete tú a decirles a estos desgraciados alicortos algo de esto, que ya te van a entender, ya, verás qué cara ponen, verás... Como no, morena... Oye, antes que se me olvide, ¿se podrá comprar por estos andurriales un buen tabardo de cuero, como el de...?

En 1972 la editora Alfaguara publicó una colección de 32 relatos con el título de *A traque barraque*. A este libro haremos frecuente referencia en el comentario, citándolo *TB*. El texto que hemos escogido apareció en el diario YA, de Madrid, el domingo 8 de octubre de 1972.

COMENTARIO LÉXICO GRAMATICAL Y ANÁLISIS

Llegar: 'triunfar'.

Pesquis: voz popular (psique?) acomodada a otras formaciones populares en *-is*, ya originarias, ya analógicas: *piscolabis, longui(s), monis* (pl. monises TB, 239), *taxi(s) finoli(s), perdis, panoli*(s), *locatis, mieditis, diabetis* (por diabetes), *vaguitis, bobilisbobilis,* de *extranjis,* apoyados en cultismos como *bronquitis, bilis, colitis, crisis, gratis, mutis.*

Coyuntura, contestatario: voces nuevas muy difundidas en los últimos años.

ni hablar: las negaciones enfáticas, *ca, quiá* se sienten hoy como anticuadas. *Ca* en algunos crucigramas se describe como "negación antigua". *¡Que va!* goza todavía de favor. En los últimos 20-30 años *ni hablar,* a veces con el añadido popular (*del peluquín*) se ha extendido mucho en España.

Estaría bueno: Pocas lenguas europeas pueden igualar al español en el uso de la ironía, algunas veces petrificada sintácticamente en expresiones fijas, con adjetivo antepuesto: *menudo hombre es Juan* frente a *Juan es hombre menudo. Bueno, poco, mucho, nada, también, tampoco* entran sistemáticamente en expresiones donde significan exactamente lo contrario: *¡bueno es el niño para obedecer!*; *¡poco* (que) *hemos trabajado!, ¡mucho lo sientes tú!, ¡también tendría gracia!* (TB 53), *¡tampoco tengo ganas!*

uno... te cuelgan... que si eres o no eres serio...: En la expresión impersonal —muchas veces retórica, pues claramente el sujeto "impersonalizado" es el propio hablante— suelen entrecruzarse dos y hasta tres procedimientos distintos. *Uno* hubiera exigido *le cuelgan que si uno es o no es agrio.* Otro personaje de A.Z.: "*como no entiende uno..., al principio no se entiende ni jota, y, a ver, te engañan...* (TB 56, 57). Ejemplo significativo es el título.

mala uva: eufemismo 'mala intención'.

que si... que si... que si....: fórmula estereotipada de estilo indirecto. *Dicen que eres... agrio... difícil...*

rojillo: forma atenuada, condescendiente, de *rojo,* para quienes usan este adjetivo peyorativamente.

Total: 'en resumen'.

a la luna de Valencia: 'chasqueado, sin recursos'.

difícil: en estos últimos años el adjetivo *difícil*, aplicado a personas, ha extendido su denotación a 'desobediente, rebelde, inconformista'.

memarra: no conocíamos este término, de creación y sentido obvio. Si de *tonto* → *tontarra* (m. y fem.) de *memo* → *memarra*. Los sufijos -orro -orra son más productivos. Modernamente se ha extendido *macarra* 'hortera'. Sobre el modelo de "los papeles de McNamara" se ha titulado un libro de humor *Los cassettes Mac Macarra*.

tío: en el español actual supera a *hombre, tipo, persona, fulano, individuo*, en la función referencial a todo masculino animado. A veces, como hemos señalado en otra parte, se observa un proceso de gramaticalización con el valor de 'él, ese': *el tío se cree que nos engaña* 'ése (él) cree que...'

¿Que no mandabas... eras: entre los distintos tipos de oración condicional que se apartan del modelo *si... (entonces)* éste puede interpretarse como elipsis de (si ocurría) que no mandabas... que no felicitabas... La hipótesis alcanza especial relieve en forma interrogativa.

...tal y tal: en el estudio inédito que, sobre el español hablado hoy, financió la Editorial Didier, aparecía la voz *tal* con un elevado índice de frecuencia. Dado que en función adjetiva *tal hombre, tal caso* tienen uso restringido y alternan con *ese, semejante* o *así* pospuesto (*un hombre así*), la frecuencia debe atribuirse al uso popular en narraciones o enumeraciones que no se quieren concluir o precisar: *...y que si tal... y tal*; *Presidente de tal y tal* se apoya también en *Fulano de Tal y Tal*; cfr. *esos mandrias que hablan de la sociedad de consumo y tal y tal* (TB, 223).

lilailos... cañí: voz meridional 'adornos'. Sobre *cañí*, cfr. M. L. Wagner, *RFE*, XXV, 173-4. Tomamos la referencia de M. Seco, *Arniches*.

Pues lo mismo: es decir, como en la apódosis de la condicional anterior, 'eras un tío difícil'. *Pues* en el habla coloquial, más que conjunción causal, es mero nexo de énfasis variable. Cfr. *Sabes qué le pasa. Pues que está cansado*. Refuerzo de afirmación o negación: *¡Pues sí quiero! ¡Pues no quiere venir!*

Pero hombre: aparte de su uso como conjunción adversativa, *pero* sirve de refuerzo enfático, no intercambiable con *pues*, con adjetivos, adverbios, pronombres y frases verbales: *¡está pero que muy harto!, ¡vete pronto, pero pronto! ¡No había nadie, pero que nadie! Dice que no (quiere), pero que no (quiere).* Combinado con vocativos, como en el texto, confiere mayor emotividad y urgencia a la llamada: *¡Pero mujer! ¡Pero Antonio...!* La conjunción adversativa es también enfática en otras lenguas: fr. *Mais naturellement*; ing. *but of course* 'pero claro'; al. *aber nein* 'pero que no'.

el día de haber: en la jerga administrativa, sueldo de un día, pl. *los haberes. Haberes* se considera más selecto que *jornal*, o *salario*: "¡Habráse visto, haberes... Eso se llama jornal" (TB, 143). El uso del artículo determinado subraya el carácter de práctica consagrada.

la Gran Cruz esa: el demostrativo pospuesto atribuye una mayor indeterminación a la frase nominal. Cfr. *ese libro* frente a *el libro ese*. Sobre el matiz despectivo del demostrativo *ese* no hay más argumento definitivo que su adscripción a la segunda persona; *este, -a* es lo próximo al hablante, física o afectivamente; *ese, -a* indudablemente lo es menos; el demostrativo de tercera persona, que sería "lógicamente" el indicado (es para el Subdirector, una tercera persona) conferiría valor temporal lejano a la frase. Frente a la *Cruz aquella, la G. Cruz esa* tiene un valor actualizante, de condecoración que todavía se otorga. Con esto se nos indica que aunque impreciso en la denominación, el narrador, que luego se describe como *'persona condecorada'*, no es indi--ferente a este tipo de honores.

ya sabes, en los aniversarios...: como en Inglaterra a primeros de año, en España hay fechas señaladas para la concesión de condecoraciones.

suscripción voluntaria...: la ironía de "voluntaria" es evidente después de aludir más arriba a la corruptela de los homenajes "propuestos" por los aduladores conformistas.

Cuatro Caminos: barrio de Madrid, con comedores de gran cabida, favorecido para comidas multitudinarias de homenaje.

puente: antes práctica escolar cuando había fiesta los viernes, hoy se ha extendido a los fines de semana seguidos de un martes festivo y, en ocasiones, donde está establecida la semana inglesa (sábado sin trabajo), cuando el jueves es festivo.

un buen puro el lunes: alude a la costumbre española de guardar para "mejor ocasión" a veces el puro ofrecido al invitado fumador o cedido a éste por los no fumadores en banquetes de homenaje, bodas o celebraciones.

broncas archivadas: quienes organizan el homenaje al Subdirector pueden contar después de celebrarlo con la benevolencia de éste; las reprimendas pendientes no prescriben; sólo quedan archivadas para descargarse sobre los empleados humildes —los subalternos— que no han participado en el homenaje.

En fin: 'en resumen'. Cfr. *por fin* y *al fin.*

en este país: desde Larra, y acaso antes, el uso de *este país* por españoles, implica una actitud crítica de variable tolerancia o conformidad. La exclamación *¡qué país!* expresa una actitud semejante. Cfr. en inglés *in this country,* fórmula totalmente neutra. Cfr. también *Así van las cosas en este país* (TB, 19).

se las trae: 'es algo muy serio'. El español hace uso abundante, no sólo coloquial con ciertos verbos de paradigma reducido o incompleto de un pronombre —generalmente *la, las, lo* sin antecedente explícito ni implícito. Alguien ha llamado a estos pronombres "confidenciales". Tal uso pronominal confiere al verbo valores léxicos sustanciales y contribuye, a veces con ciertas preposiciones, a formar una unidad léxica indestructible: Cfr. *gastárselas, arreglárselas, armarla* (TB, 93), *pasarlas* (negras, moradas), *pasarlo* (bien, mal, bomba), *diñarla, pringarla, pirárselas* (TB, 211), *tenerlas consigo, pagarlas, agarrarla* (llorona), TB, 90, *tomarla con,* TB, 91. Las formas de singular (*la, lo*) o plural (*las*) están petrificadas y no son conmutables. El verbo *dar* puede combinarse con singular o plural, pero la elección de *la* o *las* exige preposición distinta, y determina dos significados distintos: *dárselas de* 'presumir de'; *dársela* (con queso) 'engañar'. Cfr. *A mí no me la das tú* (TB, 227). Otros pronombres "confidenciales" o de vaga referencia o antecedente son *éstas (te lo juro por éstas), ésas (¿Esas tenemos?), suyas (hizo una de las suyas).* Cfr. más abajo: *el que la hace la paga* (255), *la que yo digo* (258).

Vaya si: *Vaya*, como otros imperativos (*toma, mira, dale, anda, venga,* etc.) ha perdido a menudo su valor léxico y se ha convertido en pura exclamación o se ha gramaticalizado. *Vaya* con substantivos es eminentemente ponderativa; con verbos se combina con (*que*) *si* (¡Vaya que si corre!). *Si* también es enfático, incluso en negaciones (¡Si no estoy cansado!). Cfr. *¡Vaya día!, ¡vaya toros! ... vaya disfruten que se pierden* (TB, 85) (*disfruten* está creado sobre el modelo *el despiporren*; cfr. más abajo). *Hombre* y *toma* pueden alternar con *vaya* en frases verbales: *hombre que si se morían* (TB, 206), *¡Toma que si andan!*

menos mal: 'afortunadamente'.

trabajazo: aunque tradicionalmente los llamados "aumentativos" tienden a adquirir connotaciones peyorativas o despectivas, y los "diminutivos" matices positivos y afectivos, hoy parece observarse en ciertos aumentativos algo del sentido admirativo y reverencial que siente nuestra sociedad hacia los números y las dimensiones grandes. Véase más abajo *ingenierazo, cochazo.* Cfr. también los valores actuales de *fortunón, llenazo, exitazo, carrerón, sueldazo, tipazo.*

que no te voy a contar: 'indescriptiblemente bueno'. Uno de los latiguillos a que aludíamos en la introducción. Entiéndase 'que para qué te voy a contar si ya lo sabes'. Todavía más elíptico y frecuente en los personajes de A. Zamora, es *que para qué*; cfr. más abajo: *una colección de sólidos... que para qué*; un *Partagás que para qué* (TB, 81), de evidente carácter ponderativo como *que no veas* (*unos días que no veas,* TB, 96). Otras veces: *No te voy a contar, Qué te voy a contar, No veas,* etc., pueden presentarse como expresiones ponderativas absolutas sin referencia concreta a algo narrado, y sí como fórmulas de relleno que confieren vivacidad o cierto dramatismo a la narración. Tamaño e intensidad de significado de un nombre se pueden resaltar con los complementos *de no te menees, de tamaño natural.*

Nada más que: 'sólo'. La lengua hablada prefiere a *sólo, solamente, únicamente* la fórmula *nada más* (que) o el "morfema discontinuo" *no... más que*: *no tenía más que tres = sólo tenía tres.*

¿Que venía: cfr. más arriba, nota a *¿Que no mandabas...*

El viento lleno de declaraciones: variante de la expresión metafórica *según de donde sople el viento*, 'según aconsejen las circunstancias'. Se anticipa así con mayor precisión la moral acomodaticia del oportunista.

Cuestión de pisar fuerte: 'la clave del éxito es actuar con aplomo, sin vacilar'.

Señores: lo que sigue parodia levemente la hueca retórica del trepador político mediocre. *Exigencias del momento..., Voluntad de futuro, cruciales,* etc. son parte del manoseado léxico de estas personas.

eso sí: la ironía de la parodia precedente queda patente con este sesgo que, anunciando lo que tendrían de positivo semejantes alardes oratorios, le permiten al autor otra pirueta reveladora del cinismo del narrador. El esquema normal de la expresión sería así: Su oratoria era hueca y ampulosa; pero, eso sí, era sincera. La distorsión deliberada de este esquema (recuérdese la frase popular: era de noche y sin embargo llovía) resulta en: su oratoria era hueca y ampulosa, pero eso sí, reforzada por fuertes palmadas en el corazón (por implicación, tan falsas como las palabras).

Había que: los infinitivos teóricos modales *haber de* y *tener que*, usados en las formas personales y gerundio del verbo tienen formas supletivas impersonales combinando *haber* (3.ª persona) + *que* y una especial para el presente: *hay que.*

tinta: sudar tinta es expresión hiperbólica para 'esforzarse mucho'.

aquí: 'en este país, en España'.

sacarte: cfr. la nota, más arriba, a *que si eres o no eres...* La frase impersonal *había que* hubiera sido más coherente o "correcta" con *sacarle a uno*; a la inversa *sacarte* hubiera exigido antes *tenías que sudar tinta.*

trapitos sucios: *trapos sucios* es expresión de uso general 'hechos vergonzosos'.

que dime tú a ver...: aparte de que el uso retórico de *dime tú* es redundante (el hablante no espera que le digan nada), *a ver,* en este contexto, es equivalente, es decir, representa una invitación, casi un reto, a que se responda la pregunta siguiente, convertida así en pura exclamación. Véase cómo ambas unidades expresivas son conmutables entre sí: *Dime tú qué demonio hace aquí, A ver qué demonio hace aquí.*

qué eso le importa a nadie: 'qué cuerno (diablos) le importa a nadie'. Prueba evidente de que la lengua hablada convertida en texto escrito requiere una absoluta empatía o identificación con el narrador está en que en una primera lectura, luego repetida, de este pasaje, nuestro comentario fue el siempre peligroso y condenable de las ediciones críticas. Había que corregirle la plana al propio autor, o echar la culpa al sufrido compositor. Corregido el texto se convertía en *¡eso qué le importa a nadie!* o en *¡qué le importa eso a nadie!* con una alusión, inoportuna como veremos, a peculiaridades del Caribe como *¿qué tú quieres?* Sin el acceso directo a las fuentes, tal comentario hubiera quedado como prueba, tal vez indemostrable si el autor no lo leía, de la ligereza en que puede caer el comentarista imprudente. Y aquí entran los condicionamientos sociales. Alonso Zamora, que observa con condescendencia las leyes de la decencia establecida cuando escribe para YA (cf. más abajo, excepcionalmente, *puñeterías, chorradas*) y que, en general, no cae en los excesos soeces que se han hecho norma en cierta clase de literatura actual, ha optado aquí por un eufemismo neutro de denotación totalmente apagada. *¡qué eso le importa a nadie!* (el autor, consciente de la inadecuación de los signos ortográficos de interrogación o exclamación, prescinde a menudo de ellos) que es, genéticamente, una interrogación equivalente a *¿le importa ésa* (la vida privada) *a nadie* (alguien)? ; *ésa* (la vida privada) está representada en la frase por el relativo *que* (seguido de *dime*).

nadie: la neutralización de la oposición *nadie - alguien* y otros pronombres se debe probablemente al uso general de *nadie* en frases negativas españolas: *no he visto a nadie,* pero sobre todo, como hemos señalado en otro lugar, a ciertos esquemas usuales en que ambos pronombres son intercambiables sin alteración sustancial del sentido: *soñando sin temor a que nadie* [*o alguien*] *le rompa el sueño* (Unamuno); *¿Hay nada* [*o algo*] *más terrible que una visita?* (íd.); *no podía soportar que nadie* [*o alguien*] *le contrariase* (P. Baroja). También los adjetivos "opuestos" *alguno-ninguno* pueden neutralizarse, cuando *alguno-a* va pospuesto a ciertos nombres. *En parte alguna (ninguna) he visto cosas así.* Cfr. finalmente la frase lexificada *En modo alguno (ninguno) = De ningún modo.*

qué le vamos a hacer: frase petrificada de resignación, más afectiva dentro de su formulismo, que *nada se puede hacer, no tiene(n) remedio,* etc. *¡Vaya por Dios!* expresa, según preferencias individuales o ambientales, lo mismo.

generosos: es inevitable que el valor irónico que tiene aquí el adjetivo transmita cierta carga de cinismo al narrador, que se lo aplica a sí mismo más abajo y en el título.

duro con (ellos): expresión petrificada, en que el pronombre es conmutable con otro o con un nombre. La estructura subyacente sería 'No hay que tener compasión (miramientos o contemplaciones)'.

Nada de caldo...: M. Moliner (DUE) registra "Al que no quiere (tú que no quieres) caldo, taza y media". Nos parece más usual la que sirve de base a A. Zamora: *No quieres caldo, (pues) toma tres tazas.* El sentido es el mismo.

como lo que son: 'como se merecen'.

sanseacabó: Leo Spitzer y W. Beinhauer ya han señalado la propensión española a interpretar como "acabada" una cosa que pertenece al futuro. Aunque éste no es exactamente el caso, sí merece destacarse el uso de *¡se acabó!* como mandato categórico más enérgico que *¡ya basta!* y el contraste con el sustantivo deverbativo *el acabóse* 'el colmo, el no va más'. La profusión de expresiones de matiz religioso en español ha sido también destacada por varios autores. Cfr. en este texto (supra) *en un decir Jesús* y algo más abajo *en un santiamén*; menos reverente y lexicalizada es *en menos (tiempo) que se persigna un cura loco.*

Me lo vas a decir a mi: otra muletilla, que puede incluir el *tú* o *a mí* enfáticos en posición inicial, poniendo de relieve bien el asombro de que el interlocutor pretenda decir algo, o de que al hablante se le suponga ignorante del hecho. Más obvio queda expresado el conocimiento del hablante en la frase *¡si lo sabré yo!* La alusión, velada o patente, a un acto o persona impensables en ciertas situaciones se rechazan con la expresión irónica *¡A buena parte vas!*, que también podía reforzar la frase comentada.

todo listo: elisión de verbo (*estaba, quedaba*) frecuente en la lengua coloquial sobre todo en expresiones resultativas: (quedaron) *todos contentos, tan campantes,* (hubo) *dos heridos,* (hubo) *mucho ruido y pocas nueces,* (no quedó) *nada en limpio.*

menos que un paseíto: una construcción "lógica" hubiera exigido "menos de lo que dura un paseíto...". Para los no madrileños la alusión puede resultar oscura. En el parque del Retiro de la capital, hay un estanque en que muchos niños y adultos practican el remo, a pesar de sus reducidas dimensiones.

de consideración social: 'en cuanto a prestigio social'.

ya...: uno de los comodines más usados en la lengua coloquial. Puede ser simple asentimiento, puede denotar irónicamente credulidad; o puede servir, como en este caso, para interrumpir, sin más, lo consabido o sobrentendido. El mismo papel desempeñará en este contexto el final *y de eso no digamos.*

venga a: con un infinitivo, *venga a* (y *vuelta a*) expresa repetición o insistencia. *Venga de* se combina preferentemente con sustantivos: *venga de gritos, venga de lloros.*

codos: *codos* es núcleo de varias expresiones relacionadas con el estudio: *lo consiguió a fuerza de* (a base de) *codos, romperse los codos,* como en el texto; con la bebida: *empinar el codo*; con la comida: *comerse los codos* (de hambre).

esperar que: en algunas situaciones, el español distingue entre *esperar que* y *esperar a que*: *espero a que venga Juan* (estoy a la espera de...); *espero que venga Juan* (confío en que venga, deseo). El personaje de la narración alude cínicamente a los dos sentidos, es decir a una espera mezclada de esperanza.

escalafón: lista de funcionarios de un Cuerpo administrativo del Estado, establecida por orden de entrada en el mismo (antigüedad). El ascenso en el escalafón se produce por muerte o jubilación de los más antiguos.

no te quiero decir lo que: es frase puramente ponderativa. Alterna con *no quiero (ni) pensar lo que, No te puedes imaginar lo que,* o en frase afirmativa *Imagínate lo que, Figúrate lo que,* etc. La frecuencia de este tipo ponderativo resulta en construcciones elípticas iniciadas por *lo que, lo + adjetivo* o cualquier artículo seguido de nombre. *No te quiero decir (imagínate) lo contentos que están → Lo contentos que están.* De manera semejante han surgido probablemente: *¡lo que debe trabajar Pedro!, ¡la fortuna que tiene!, ¡El frío que hace!, ¡la (cantidad) de veces que se lo he dicho!*

debe ser: por mucho que se obstinen las gramáticas prescriptivas en separar las funciones de las perífrasis *deber de* + infinitivo (suposición) y *deber* + infinitivo (obligación) la confusión ha existido y sigue viva en la lengua hablada y en el uso escrito de muchas personas cultas. A esta confusión contribuyen los usos y omisiones de esta preposición en la lengua hablada.

eso de tener: la sustantivación de esta frase (hasta... *cinco años*) podría haberse realizado con *lo,* pronombre que posee en español virtudes sustantivantes superiores a las otras lenguas europeas. La presencia reciente del *lo* ponderativo comentado más arriba haría, incluso en lengua hablada, inaceptable la construcción *lo que debe ser lo de tener,* evitada acertadamente.

quemados: 'consumidos, gastados'.

pagas extraordinarias: debe entenderse 'el dinero u objetos conseguidos a crédito a cuenta de las pagas extraordinarias' (generalmente dos mensualidades al año). No puede entenderse literalmente como si el Estado anticipara tales pagas.

dentro de: una de las locuciones prepositivas o preposiciones "impropias" que ha creado el español moderno para aliviar la carga funcional de *en* es *dentro de*. Con valor espacial no hace más que restringir y precisar el valor general de *en*. En función temporal denota el final del período mencionado desde la perspectiva temporal del hablante: *termino (terminaré) dentro de ocho días* 'pasados ocho días desde este momento'. *termino en ocho días* 'tardaré ocho días en terminarlo, pero puedo empezar mañana o dentro de tres días'. Cabe incluir la acción en uno de los ocho días próximos, puntualizando: *termino en estos (próximos) ocho días* o *antes de ocho días*. Son, por tanto, inaceptables frases como: *Mañana llegaré a Sevilla y dentro de ocho días me iré a Cádiz. Estuve hace un mes en Sevilla y dentro de ocho días me fui a Cádiz.* La frase del texto, al referirse a las pagas de dentro de cuatro o cinco años, abarca, por implicación lógica, no gramatical, a los de los años intermedios, puesto que antes de "gastar" o "quemar" la paga de dentro de cinco años, "se supone lógicamente" que se utilizará la del año que viene y sucesivos.

así de hambrones: el adverbio *así*, como los pronombres demostrativos, tiene funciones anafóricas, deícticas y catafóricas. Si *así de hambrones* lo entendemos como sintagma terminal, resume entonces el adjetivo despectivo la opinión del hablante sobre quienes queman o gastan las pagas no ganadas (anafórico). Si se usa en la lengua hablada acompañado de gestos (*así de grande, pequeño,* etc.), o señalando algo, tiene valor deíctico; como anuncio de lo que se expone a continuación (*la carta decía así*:) es catafórico. Cabe suplirlo por otras frases adverbiales: *de esa manera, de este tamaño, de esta manera,* etc. En otros contextos puede alternar a veces con los cuantificadores y cualificadores atenuados *tal, tan, tanto. Tal situación = una situación así; no sabía que era tan grande = no sabía que era así de grande; no sabía que lloviera tanto = no sabía que lloviera así.*

que no paran: es más expresivo que 'no dejan'. Aunque los usos comentados de *así de* autorizarían a suponer *que no paran* como consecutiva de la oración anterior (*tan hambrones... que no paran...*) optamos por atribuir a *así de hambrones* valor de sintagma final con función anafórica; de esta manera *que no paran* es oración paralela (también causal) a *que son así*.

damos: sujeto elíptico: [nosotros, los contribuyentes].

de bobilisbobilis: 'sin esfuerzo'. Generalmente escrito *de bóbilis bóbilis*.

Bibliografía

El habla coloquial de Madrid, por el prestigio de la capital y la vinculación directa con las provincias de la mayoría (¿80 %?) de sus habitantes está menos caracterizada, es menos exclusiva de Madrid, de lo que se cree. Las peculiaridades léxicas que ciertos autores han señalado, si no tienen una clara motivación local, trascienden pronto el ámbito urbano y provincial y se hacen patrimonio nacional más o menos aceptado.

Un intento muy logrado y reciente de compilación bibliográfica del español para universitarios lo ofrece la obra de José Polo, *Lingüística, investigación y enseñanza*. Oficina de Educación Iberoamericana. Madrid, 1972. Sobre la lengua hablada española sigue sin superar *El español coloquial*, de Werner Beinhauer, 2.ª ed., Madrid, Gredos, 1968. La variedad madrileña del español hablado la trata, sobre todo en el nivel fonético, morfológico y léxico Manuel Seco, en *Arniches y el habla de Madrid*. Alfaguara, Madrid-Barcelona, 1970. Las abundantes indicaciones bibliográficas de estas tres obras, nos eximen de la ingrata tarea de hacer una selección subjetiva; esta responsabilidad la asumimos en nuestro libro *El español de hoy, lengua en ebullición* (2.ª ed., Madrid, Gredos, 1971), cuyo título revela de sobra nuestro enfoque.

El tipo de comentario de que aquí damos una muestra lo hemos aplicado a dos docenas de textos literarios españoles e hispanoamericanos destinados a profesores y alumnos avanzados de español en el volumen *Lengua y Vida Españolas*. Curso Medio. Madrid, Editorial Mangold, 1972.

NOTAS

[1] CHARLES A. FERGUSON, "Diglossia", en DELL HYMES (edit.) *Language in Culture and Society*, p. 429 y ss. N. York. Harper & Row. 1964.

[2] Dos aparentes excepciones del texto reproducido, pero no comentado: *así o asao* (252?) *atontao* (254?); *clus* (= clubs, p. 257?) es el plural dominante en la lengua hablada.

[3] Un español, el profesor Fernando Poyatos, de la Universidad de New Brunswick, es hoy autoridad en este campo. Su contribución dispersa en artículos y comunicaciones, aparecerá integrada en dos volúmenes monográficos de varios autores en la editorial Mouton de la Haya.

Un cuento de Gabriel García Márquez: "El ahogado más hermoso del mundo"

AURORA DE ALBORNOZ

A Concha Meléndez, maestra y amiga, que me incitó al estudio de la literatura de América latina.

I. EL TEXTO ELEGIDO. ALGUNAS ACLARACIONES PREVIAS

EN las siguientes páginas me propongo comentar los rasgos, a mi ver, más significativos del relato de García Márquez *El ahogado más hermoso del mundo.* Creo que los fragmentos que reproduzco pueden servir como ilustración a estos comentarios, aunque un pleno entendimiento —en este caso, como en el de cualquiera otra narración— sólo pueda lograrse a través de su lectura completa.

El ahogado más hermoso del mundo está incluido en el hasta ahora último libro de García Márquez: *La increíble y triste historia de la cándida Eréndira y de su abuela desalmada (Siete cuentos).* [1] Ya señaló Mario Vargas Llosa la continuidad existente entre los textos recogidos en este volumen y la narrativa anterior. "Después de *Cien años de soledad* —escribe Vargas Llosa— la obra de García Márquez sigue desarrollándose a base de ampliaciones, profundizaciones y correcciones de un mismo mundo narrativo". [2]

En *El ahogado más hermoso del mundo* es muy clara la presencia de, al menos y principalmente, profundizaciones en temas y en procedimientos de escritura utilizados, sobre todo, en *Cien años*.... [3] Hay, asimismo, recuerdos de la narrativa anterior a la gran novela. A mi juicio, el acercarnos a estas "profundizaciones" justificaría un comentario de texto; mas el relato en sí, por su calidad estética es merecedor de un amplio estudio.

Como en *La hojarasca* y en *Los funerales de la Mamá grande,* los sucesos históricos se desarrollan en torno a un cadáver y a un funeral. Como en *El mar del tiempo perdido,* los hechos acontecen en una localidad marina, sumamente pobre, con pocos habitantes, que viven una vida monótona, casi vegetativa. [4] Como en gran parte de toda la narrativa anterior, la llegada inesperada de un personaje opera una transformación en el lugar a donde llega. [5] Como en *Cien años*... es visible el deseo de dar nombre a las cosas, o, mejor aún, de crear la cosa misma al darle un nombre: Macondo *es* un nombre antes de llegar a ser un pueblo. [6]

Aunque los enumerados son acaso los puntos más significativos de esta cercanía entre el relato que comento y la narrativa anterior, existen otros: a alguno haré referencia más adelante.

Del breve relato *El ahogado más hermoso del mundo* —ocho páginas en total— extraigo los siguientes fragmentos, que creo pueden dar al lector una idea de los aspectos que me propongo destacar: [7]

Los primeros niños que vieron el promontorio oscuro y sigiloso que se acercaba por el mar se hicieron la ilusión de que era un barco enemigo. Después vieron que no llevaba bandera ni arboladura, y pensaron que fuera una ballena. Pero cuando quedó varado en la playa le quitaron los matorrales de sargazos, los filamentos de medusas y los restos de cardúmenes y naufragios que llevaba encima, y sólo entonces descubrieron que era un ahogado.

[. . . .]

Aquella noche no salieron a trabajar en el mar. Mientras los hombres averiguaban si no faltaba alguien en los pueblos vecinos, las mujeres se quedaron cuidando al ahogado [. . . .] Pero solamente cuando acabaron de limpiarlo tuvieron conciencia de la clase de hombre que era, y entonces se quedaron sin aliento. No sólo era el más alto, el más fuerte, el más viril y el mejor armado que habían visto jamás, sino que todavía cuando lo estaban viendo no les cabía en la imaginación.

[. . . .] Andaban extraviadas por esos dédalos de fantasía, cuando la más vieja de las mujeres, que por ser la más vieja había contemplado al ahogado con menos pasión que compasión, suspiró:

—Tiene cara de llamarse Esteban.

Era verdad. [. . . .]

[. . . .]

Los hombres creyeron que aquellos aspavientos no eran más que frivolidades de mujer. [. . . .] Una de las mujeres, mortificada por tanta indolencia, le quitó entonces al cadáver el pañuelo de la cara, y también los hombres se quedaron sin aliento.

35 Era Esteban. No hubo que repetirlo para que lo reconocieran.

[. . . .]

Fue así como le hicieron los funerales más espléndidos que podían concebirse para un ahogado expósito. Algunas mujeres que habían ido 40 a buscar flores en los pueblos vecinos regresaron con otras que no creían lo que les contaban y éstas se fueron por más flores cuando vieron al muerto, y llevaron más y más, hasta que hubo tantas flores y tanta gente que apenas si se podía 45 caminar. A última hora les dolió devolverlo huérfano a las aguas, y le eligieron un padre y una madre entre los mejores, y otros se le hicieron hermanos, tíos y primos, así que a través de él todos los habitantes del pueblo terminaron 50 por ser parientes entre sí. Algunos marineros que oyeron el llanto a la distancia perdieron la certeza del rumbo, y se supo de uno que se hizo amarrar al palo mayor, recordando antiguas fábulas de sirenas. Mientras se disputaban el pri- 55 vilegio de llevarlo en hombros por la pendiente escarpada de los acantilados, hombres y mujeres tuvieron conciencia por primera vez de la desolación de sus calles, la aridez de sus patios, la estrechez de sus sueños, frente al esplendor y la 60 hermosura de su ahogado. Lo soltaron sin ancla, para que volviera, si quería, y cuando lo quisiera, y todos retuvieron el aliento durante la fracción de siglos que demoró la caída del cuerpo hasta el abismo. No tuvieron necesidad de 65 mirarse los unos a los otros para darse cuenta de que ya no estaban completos, ni volverían a

estarlo jamás. Pero también sabían que todo
sería diferente desde entonces, que sus casas
iban a tener las puertas más anchas, los techos
70 más altos, los pisos más firmes, para que el
recuerdo de Esteban pudiera andar por todas
partes sin tropezar con los travesaños, y que
nadie se atreviera a susurrar en el futuro ya
murió el bobo grande, qué lástima, ya murió
75 el tonto hermoso, porque ellos iban a pintar
las fachadas de colores alegres para eternizar
la memoria de Esteban, y se iban a romper el
espinazo excavando manantiales en las piedras
y sembrando flores en los acantilados, para que
80 en los amaneceres de los años venturos los pasajeros de los grandes barcos despertaran sofocados por un olor de jardines en altamar, y el
capitán tuviera que bajar de su alcázar con su
uniforme de gala, con su astrolabio, su estrella
85 polar y su ristra de medallas de guerra, y señalando el promontorio de rosas en el horizonte
del Caribe dijera en catorce idiomas, miren
allá, donde el viento es ahora tan manso que
se queda a dormir debajo de las camas, allá,
90 donde el sol brilla tanto que no saben hacia dónde girar los girasoles, sí, allá, es el pueblo de Esteban.

II. Los sucesos contados

Como en toda su narrativa, en *El ahogado más hermoso del mundo* García Márquez cuenta cosas: refiere sucesos que, en este caso, yo calificaría como "imaginario-fantásticos". [8]

El relato comienza en el momento en que unos niños ven un "promontorio oscuro" que viene por el mar: tardan bastante en darse cuenta de que se trata de un ahogado. (Párr. primero, reproducido textualmente.) Algunas horas después —los niños habían jugado a enterrar y desenterrar al ahogado durante toda la tarde—, una persona mayor —"alguien", dice el narrador— da "la voz de alarma en el pueblo". Mientras los hombres averiguan si el cadáver pertenece a alguna localidad vecina, las mujeres lo cuidan y lo limpian: "Le quitaron el lodo con tapones de esparto, le desenredaron del cabello los abrojos submarinos y le rasparon la rémora con fierros de desescamar pescado". Durante esta operación van descubriendo que el ahogado viene envuelto en vegetaciones de mares remotos; que es un ahogado de mar, y no de río... Finalmente, cuando terminan de limpiarlo y se dan cuenta de "la clase de hombre que era", se quedan sin aliento: lo estaban viendo y "no les cabía en la imaginación". Imaginación —la de las mujeres— que, a partir de este instante, comienza a trabajar. Progresivamente —y durante toda la noche— las mujeres se van entusiasmando, hasta llegar a la exaltación. La hermosura del ahogado las fascina y comienzan a atribuirle facultades mágicas: "Les parecía que el viento no había sido nunca tan tenaz ni el Caribe había estado nunca tan ansioso como aquella noche, y suponían que esos cambios tenían que ver con el muerto"; piensan que aquel hombre magnífico hubiera cambiado el pueblo, si hubiera vivido allí; imaginan que "habría tenido tanta autoridad que hubiera sacado los peces del mar con sólo llamarlos por sus nombres, y que habría puesto tanto empeño en el trabajo que hubiera hecho brotar manantiales entre las piedras más áridas y hubiera podido sembrar flores en los acantilados". Finalmente, quizá para conocer del todo al ahogado anónimo; tal vez para hacerlo vivir plenamente, le inventan un nombre: es la más vieja de las mujeres la que lo intuye (véanse líneas 22-28 del texto reproducido). Cuando los hombres regresan de sus averiguaciones —que ocupan la noche— y se sabe que el ahogado no pertenece a ninguna de las localidades vecinas, las mujeres, ya en el colmo del entusiasmo, "—¡Bendito sea Dios —suspiraron— es nuestro!". Les es sumamente difícil a las mujeres transmitir sus sentimientos a los hombres: unos permanecen indiferentes; otros llegan a sentir celos del muerto; a algunos "hasta se les subieron al hígado las suspicacias"; muchos comienzan a rezongar; muchos, a despotricar contra el ahogado y las mujeres. Sin embargo, cuando contemplan el rostro del cadáver, los hombres ahora, como antes las mujeres, se quedan "sin aliento" (líneas 31-36). A partir de este instante, el muerto no es ya un ahogado cualquiera, sino un hombre al que todo el pueblo admira y en el que todos reconocen un ser distinto y mejor: pronto se dan cuenta de que su llegada al lugar significa una transformación de la comunidad. Así, el entusiasmo se convierte en colectivo: lo muestran los funerales que se le hacen. En las últimas líneas de la narración no sólo los protagonistas saben que todo será distinto para ellos a partir de ese momento: también el lector ve que el "promontorio oscuro" del párrafo primero se convierte en "promontorio de rosas" (línea 86); aquello desconocido que se acercaba por el mar hasta quedar varado en la arena de un pueblo pobre y adormecido, no sólo ha transformado el lugar —o va a transformarlo—, sino que el ser transformador —él, o su recuerdo— queda fundido con el lugar mismo: el promontorio de rosas es algo que está ahí, ya para siempre.

Creo que es preciso añadir que los sucesos contados se desarrollan en un breve espacio de tiempo: parece que, desde el comienzo hasta el final de la historia, transcurren menos de veinticuatro horas: los niños han estado jugando con el cadáver durante una tarde; los hombres quieren enterrarlo antes de que el sol abrasador del día siguiente llegue a su cenit. Si exceptuamos un "*flash-back* imaginario" —puesto que se trata de algo relacionado con la vida del ahogado, según lo imaginan las mujeres— la cronología es lineal.

Señalaré también —y ya desde ahora— que el breve párrafo inicial constituye la exposición del relato. A partir del párrafo segundo se inicia el desarrollo de la acción. Todo el párrafo último —que reproduzco en su totalidad— es un desenlace-climax.

III. Los personajes

1. *El personaje principal, centro de interés del relato.*

El personaje del ahogado es siempre el centro de atención del relato. Las ocasiones únicas en que, por unos instantes deja de serlo, son pocas: en una de ellas el narrador dice algo necesario, sobre la localidad en que los hechos suceden:

> El pueblo tenía apenas una veintena de casas de tablas, con patios de piedras sin flores, desperdigadas en el extremo de un cabo desértico. La tierra era tan escasa que las madres andaban siempre con el temor de que el viento se llevara a los niños, y a los pocos muertos que les iban causando los años tenían que tirarlos en los acantilados.

Cuando los hombres salen a hacer averiguaciones a los pueblos vecinos para saber si el ahogado pertenece a alguno de ellos, sólo se nos indica el hecho: durante la noche que pasan fuera de sus casas, nada más sabemos lo que, dentro de una de las casas del pueblo, sucede en torno a la figura central; al ahogado.

2. *El personaje y su nombre.*

El personaje, que llega al pueblo, muerto, va cobrando vida a través del desarrollo del relato. Adquiere su plenitud cuando la más vieja de las mujeres sugiere un nombre, y el ahogado anónimo se convierte en "Esteban".

No creo casual el hecho de que sea "la más vieja de las mujeres" la que halla el nombre de Esteban. Aunque el narrador especifique que: "por ser la más vieja había contemplado al ahogado con menos pasión que compasión", el acto de "nombrar", siempre sugiere un rito mágico: la vieja, pues, parece identificarse con "el mago".

En cuanto al nombre en sí cabría preguntarse por qué Esteban. La insistencia del narrador en repetir la palabra "Esteban" muchas veces a través de la narración, y con frecuencia, en momentos clave —por ejemplo, cuando los hombres se convencen de la naturaleza superior del ahogado—; el hecho de que algunas mujeres pongan en duda, por un momento, si el ahogado se llama Esteban o Lautaro —como el viejo héroe de la Araucanía—; el hecho de que el relato termine con la palabra "Esteban"..., son datos que pueden hacernos pensar que el nombre no fue elegido al azar. Con la inevitable tendencia a racionalizar lo acaso irracional, el primer impulso del crítico es indagar el posible significado del nombre, si alguno tiene.[9] En una segunda reflexión, sin embargo, podemos pensar que más acertado es, tal vez, buscar el significado que para el autor *puede tener* ese nombre. Discurriendo por esta vertiente, quizá podríamos ver en "Esteban" el recuerdo de alguna figura, vista en la realidad, o leída en algún libro, que, en alguna forma y por algún motivo impresionó al narrador. O un nombre oído —en la vigilia, o en el sueño— en labios de alguien que, en un instante, tuvo una "resonancia sobrenatural" para el creador, como la tuvo para José Arcadio Buendía el nombre de "Macondo".[10]

Pero hay algo, para los efectos del cuento, más importante. La repetición del nombre, frecuentísima desde el instante en que la vieja lo halla, tiene aquí un sentido: no basta nombrar una cosa; es preciso acostumbrarnos a nombrarla para hacerla del todo nuestra; para darle vida total. La reiteración de la palabra "Esteban" es una forma de hacer más vivo al personaje. Es una forma de conjuro: vive al llamarlo una y otra vez.

3. *El visitante Esteban y otros visitantes del mundo de García Márquez.*

Al principio de estas notas señalé que los casos de visitantes transformadores en toda la narrativa de García Márquez son frecuentísimos. Si nos atenemos sólo a *Cien años...*, a nuestra mente vienen muchos: los gitanos, los gringos, con su compañía bananera, las gentes que llegan tras ellos —es decir: "la hojarasca"—. Me parece, sin embargo, que hay una marcada diferencia entre unos visitantes y otros. Creo ver que entre los visitantes inesperados, unos llegan bajo un signo positivo; otros, por el contrario, bajo signo negativo. Los primeros, aparecen, descubren mundos nuevos —nuevas posibilidades de más ricos mundos— a los habitantes del lugar; acaso se van, mas nunca desaparecen del todo: así, los gitanos de *Cien años*..., por ejemplo. Por el contrario, los que llegan bajo un signo negativo —y cuya aparición es negativa en el conjunto de la historia—, irrumpen, pasan, traen novedades, pero, sobre todo, ocasionan catástrofes, y, finalmente, desaparecen siempre, dejando un mal recuerdo: es el caso de los Mr. Herbert o Mr. Brown, con su compañía bananera.

No cabe duda de que Esteban llega al pueblo marino bajo un signo positivo. Me aventuraría, incluso, a afirmar que entre las figuras que llegan bajo tal signo representa Esteban un grado máximo. La transformación que Esteban opera en el lugar es total. La fusión final del personaje —o recuerdo del personaje— con la tierra, es reveladora. Me parece, pues, que podemos ver en el personaje de Esteban —visitante inesperado— y su fusión final con el lugar visitado, una profundización temática en un motivo al que García Márquez se había aproximado con anterioridad una y otra vez. [11]

4. *Sugerencias míticas de la figura de Esteban.*

En las líneas 50-54 de los fragmentos reproducidos leemos unas frases que pueden darnos un indicio sobre algo; "Algunos marineros que oyeron el llanto a la distancia perdieron la certeza del rumbo, y se supo de uno que se hizo amarrar al palo mayor, recordando antiguas fábulas de sirenas". Ese marinero nos trae inmediatamente el recuerdo de Odiseo, que obliga a sus hombres a que lo aten para poder escuchar el canto de las sirenas, sin sucumbir a la tentación de perderse en su isla. [12]

A primera vista, podríamos pensar que la citada alusión al mito de Odiseo es sólo eso: una alusión mítica. Creo, sin embargo, que se trata de un indicio en extremo sugestivo; de una pista que el autor, muy sabiamente, quiere darnos. Al recordar ese episodio, está sugiriendo algo: la posible presencia del mito de Odiseo en *El ahogado más hermoso del mundo.*

Iluminados por ese indicio, no nos es difícil ver que ciertos motivos de la *Odisea* están revividos en el relato de García Márquez. Si en el momento arriba aludido recordamos —en un marinero desconocido— la figura de Odiseo, también la recordamos en algunos detalles que conciernen al personaje central; a Esteban.

Como el héroe griego —que naufraga varias vece— Esteban es un náufrago: trae sobre sí "restos de naufragios". Como a Odiseo, se le hacen a Esteban grandes preparativos para su viaje, aunque sea para su viaje último, y en el caso de Odiseo —varias veces— para seguir sus viajes por la vida. Si profundizamos más en todas las posibles asociaciones, hallaremos muchas otras. Destacaré sólo algunas, muy obvias, que se relacionan con las figuras de Odiseo y Esteban. Por ejemplo: el paisaje que contemplan los ojos de Odiseo cuando Atenea quiere conducirlo hacia la ciudad de los feacios, se parece muchísimo a la localidad marina, si los ojos de Esteban pudiera contemplarla desde las aguas: orillas abruptas, rocas lisas, escollos...; cuando las doncellas que acompañan a Nausicaa ven a Odiseo por vez primera, lo encuentran afeado "por el légamo marino"; cuando Odiseo se dispone a visitar la ciudad en que reina Alcinoo tiene que lavarse en el río, y rasparse el sarro que el mar dejara sobre sus espaldas: una vez lavado, su protectora, Atenea, "hizo que apareciese más alto y más grueso y que de su cabeza colgaran ensortijados cabellos", y, asimismo, quiso la diosa derramar su gracia sobre Odiseo, hasta que su figura apareció resplandeciente de hermosura: entonces, las doncellas —acompañantes de Nausicaa— ven al forastero como "un hombre divino", llegado al país de los feacios... [13]

Hay aún otros recuerdos del mito de Odiseo, pero basten los ejemplos citados para mostrar cómo lo que Vargas Llosa llamaría un "demonio literario" ha afluido, en este relato, al mundo de García Márquez.

El autor no se ha propuesto, sin embargo, la reelaboración de un mito, sino sólo —me parece ver— utilizar algunos elementos de un conocido mundo mítico que, por alguna razón, le impresionaron. [14]

5. *Posibles sugerencias simbólicas de "Esteban".*

Podríamos pensar que Esteban es un personaje simbólico. Pero, naturalmente, tendríamos que preguntarnos qué simboliza Esteban y toda respuesta es en extremo aventurada.

Esteban puede sugerir la figura de uno de esos seres reales que, de vez en cuando, significan, para el lugar, el país o el continente a donde llegan; el lugar donde viven, o donde mueren, un valor positivo e imperecedero: si apuramos un poco la imaginación, el hecho de que las mujeres, en un primer momento, duden entre dos nombres, Lautaro y Esteban, podría indicar que éste puede ser un faro del presente o del futuro, como el otro lo fue del pasado.

Pero Esteban puede identificarse también con algún sentimiento confuso —religioso, político, poético...— que yacía en nuestra mente, y que, de pronto, se nos aclara. Puede sugerir el libro abierto en determinada página, que significó, para un determinado lector, una momentánea revelación... Y muchas cosas más.

Pero el posible simbolismo que el personaje encierra se nos entrega velado, como si el narrador deseara que cada lector elija el que mejor le parezca.

6. *Los otros personajes.*

El lector va conociendo al personaje central a través de los otros personajes: niños, mujeres, hombres. Así, el narrador, que cuenta desde su tercera y lejana persona, poco a poco va dejando a los otros que hablen en su lugar. Si exceptuamos el primer párrafo y algún otro momento —primero, descripción del lugar; en el último párrafo, interpretación de los sentimientos del pueblo ante el significado de la llegada de Esteban— podríamos pensar que el narrador quiere diluir su voz entre el gran coro que forman, primero, las mujeres, luego, el pueblo en su conjunto.

Así, al lector se le entrega un cadáver que un coro de mujeres ve, al principio, con interés; luego, con pasión; más tarde, con compasión —cuando comienzan a darse cuenta de que acaso era demasiado grande, demasiado hermoso, demasiado distinto del mundo en que vivió y, que tal vez por todo ello, vivió en forma infeliz—; finalmente, lo ven con amor profundo. Con la llegada de los hombres, indiferentes, primero; desconfiados y hasta despotricando, después, el lector puede pensar que, en efecto toda la locura que Esteban produce en las mujeres pudiera ser un fenómeno de histeria colectiva. Mas cuando los hombres comprueban que Esteban es realmente "Esteban", el lector queda convencido de la superioridad del personaje. Estas mudanzas que con relación a la figura central van experimentando los otros, conforman la visión del lector que, al final del relato, ve a Esteban como el ser fabuloso que hace vivir a una tierra.

Esteban es, pues, un personaje creado por los otros personajes.

Es preciso anotar que a esos "otros" no se les nombra. A manera de un coro actúan en conjunto. Se destaca sólo a un "alguien" que descubre el cadáver; a "la más vieja de las mujeres", que bautiza a Esteban; a "una de las mujeres", que descubre ante los hombres el rostro del ahogado; a un posible "capitán" del futuro.

IV. El tema

Después de referirme a los sucesos contados, y a los personajes inmersos en ese suceder de los sucesos, creo preciso hablar del tema central del relato que, por lo dicho hasta aquí, acaso se pueda ya deducir fácilmente.

El tema central es, en resumen, una "toma de conciencia". Podríamos llegar a tal conclusión después de saber algo sobre los sucesos que se cuentan, y sobre los personajes. Pero, así como en algunos momentos, el autor parece querer sugerir veladamente, más bien que explicitar, en el caso del "tema" el autor muestra claramente su voluntad de explicitarlo: está expresado textualmente en el párrafo último, y apuntado en páginas anteriores.

El tema va perfilándose gradualmente. En los primeros párrafos, el narrador dice que los habitantes del pueblo supieron que el ahogado no era suyo porque ellos, pocos y pobres, "estaban completos". En el párrafo final —líneas 64-67— se dan cuenta de que "ya no estaban completos, ni volverían a estarlo jamás".

En el momento de apasionamiento de las mujeres, piensan que si Esteban hubiera vivido entre ellos todo hubiera sido diferente en el pueblo. En el párrafo último, todos se dan cuenta de que, en efecto, después de la aparición de Esteban, su mundo ha de cambiar: "que todo sería diferente desde entonces, que sus casas iban a tener las puertas más anchas, los techos más altos, los pisos más firmes...".

Pero, en forma más concreta aún, el relator de esta transformación de un pueblo, de esta toma de conciencia colectiva, dice en el párrafo final: "Mientras se disputaban el privilegio de llevarlo en hombros por la pendiente escarpada de los acantilados, hombres y mujeres *tuvieron conciencia por primera vez* de la desolación de sus calles, la aridez de sus patios, la estrechez de sus sueños, frente al esplendor y la hermosura de su ahogado" (el subrayado es mío).

V. El tono

El relato comienza en tono de narración objetiva y natural. El narrador cuenta, con naturalidad, un hecho que, en sí, podría ser sorprendente: confusión de un cuerpo humano con un barco o con una ballena. Más sorprendente aún que un ahogado venga tan oculto en matorrales, en filamentos de medusas y en "restos de naufragios", que su condición humana sea irreconocible.[15] En los niños hay expectación y duda: lo revelan frases tales como: "se hicieron la ilusión", o las negaciones "no, ni". Pero quizá sobre todo muestran curiosidad. Mas el hecho mismo de que sean niños los que imaginan "barcos enemigos", o "ballenas", hace que la posible sorpresa final: "descubrieron que era un ahogado", esté atenuada. La noticia nos llega con tono natural.

Con tono de narración objetiva comienza el párrafo siguiente: "Habían jugado con él toda la tarde, enterrándolo y desenterrándolo en la arena...". Y el mismo tono continúa, aún cuando los hombres que cargan el cadáver hasta una casa próxima notasen pronto que "pesaba más que todos los muertos conocidos, casi tanto como un caballo". Todo esto lo observan los hombres sin gran sorpresa, aunque lleguen a darse cuenta de que el cadáver "apenas si cabía en la casa" a donde lo habían llevado. Objetivamente, razonan sobre el hecho y, sin sorpresa alguna, llegan a peregrinas conclusiones: "Tal vez la facultad de seguir creciendo después de la muerte estaba en la naturaleza de ciertos ahogados", piensan.

El tono de narración objetiva y natural continúa a través del párrafo siguiente —tercero de la narración— y gran parte del cuarto. Pero en un determinado momento —mitad del párrafo cuarto, cuando las mujeres comienzan a limpiar el cadáver— observamos un ligero cambio de tono, que culmina al final del mismo párrafo: poco a poco el tono objetivo se va transformando; las mujeres notan algo extraño que las hace comenzar a "imaginar" cosas raras. Cuando acaban su trabajo —limpieza del cadáver— el tono anterior, que podríamos llamar de expectación, se convierte en tono de franca sorpresa. El párrafo termina, creo que significativamente, con la palabra "imaginación" (líneas 15-21).

Tras el término "imaginación" —final de un párrafo— la de las mujeres comienza a trabajar con más fuerza. El tono se va convirtiendo, progresivamente, en apasionado-soñador, primero:

> Pensaban que si aquel hombre magnífico hubiera vivido en el pueblo, su casa habría tenido las puertas más anchas, el techo más alto y el piso más firme, y el bastidor de su cama habría sido de cuadernas maestras con pernos de hierro, y su mujer habría sido la más feliz.

Luego, el tono se hace apasionado-compasivo, cuando el coro de mujeres sospecha que Esteban, vivo, se sentiría tal vez un intruso en todas partes: su grandeza y hermosura constituirían para él, sin duda, un limitación. Así, llega a ser para ellas como un niño grande y desvalido, que les produce lástima; lloran por él: "y mientras más sollozaban más deseos sentían de llorar, porque el ahogado se les iba volviendo cada vez más Esteban, hasta que lo lloraron tanto que fue el hombre más desvalido de la tierra, el más manso y el más servicial, el pobre Esteban".

Anteriormente me referí a un *flash back* que califiqué de "imaginario". Viene en este momento; en este pasaje en que las mujeres imaginan al enorme y desproporcionado Esteban, circulando por un mundo que le queda pequeño. Con su imaginación, las mujeres traen aquí un fragmento del posible Esteban, vivo, al que le inventan un pasado e incluso, en ese pasado de Esteban —que presentizan— hacen hablar al personaje: el tono de las frases que Esteban —vivo para ellas— pronuncia, es una proyección del que ellas —las mujeres— emplean en estos instantes en que aman con pasión y compasión al "pobre Esteban".

Los cambios de actitud de los hombres con relación al ahogado también se registran a través de un tono narrativo cambiante. Primero, el tono es objetivo-realista: "Cansados de las tortuosas averiguaciones de la noche, lo único que querían era quitarse de una vez el estorbo del intruso antes de que prendiera el sol bravo de aquel día árido y sin viento". Luego, cuando llegan a sentir celos del ahogado ante los aspavientos admirativos de las mujeres, el tono de los hombres es de franco enfado, disimulado de desprecio: "Terminaron por despotricar que de cuando acá semejante alboroto por un muerto al garete, un ahogado de nadie, un fiambre de mierda".

A través de todo el párrafo último el tono está dominado por el más pleno entusiasmo. Un entusiasmo colectivo, que invade a los participantes en la acción narrativa y que, poco a poco, va contagiando al lector. Se manifiesta ese tono ya desde las primeras líneas del párrafo. El empleo de frases con valor superlativo —"los funerales más espléndidos"...; la acumulación del adverbio de cantidad —"más"... "más"—, indicativo de superioridad; el empleo reiterado del adjetivo de cantidad —"tantas"... "tanta"—; la reiteración de substantivos sugeridores de belleza —"flores", por ejemplo— trasmiten ese tono de entusiasmo que ha de dominar todo el final del relato.

El entusiasmo culmina, sin embargo, en la parte que podríamos llamar "final del final", que se inicia —tras un punto— con la conjunción adversativa "Pero", que cumple aquí una función ampliativa.

A partir de las líneas 68-69, después de una reflexión sobre lo que la llegada de Esteban significa para el pueblo, la acumulación de términos con sugerencias de valores positivos —grandeza, belleza, firmeza, alegría,...— es continua. Si observamos algunos substantivos, adjetivos, frases substantivas..., notamos que todo ello va encaminado a trasmitir un entusiasmo casi frenético: "anchas" (puertas); "altos" (techos); "firmes" (pisos); "colores alegres"; "manantiales"; "flores"; "amaneceres"; "venturos" (años) —término aquí más acertado que "venideros", o "por venir", ya que, por su sonido, sugiere, además, "ventura" y "venturosos"— "grandes" (barcos); "olor de jardines"... Podríamos continuar aún la enumeración, pero los términos anotados me parecen suficientemente expresivos.

En las últimas líneas el entusiasmo colectivo de los habitantes de la localidad marina se abre al infinito; el lector hace suyas las palabras futuras del capitán imaginario que, en catorce idiomas, saludará al pueblo de Esteban.

VI. El ritmo

El ritmo está muy ligado al tono y, por supuesto, al desarrollo de los sucesos narrados.

En el primer párrafo el narrador cuenta, sin prisa —aunque sin pausa— las impresiones de los niños ante el "promontorio oscuro". Cuenta morosamente, empleando técnicas dilatorias: los niños creen una cosa, luego, otra, y, finalmente, descubren la verdad. La primera oración es larga y lenta: los adjetivos "oscuro" y "sigiloso", que describen al promontorio, sugieren, irracionalmente, movimiento lento. El empleo de las negaciones —"no", "ni"— contribuye a demorar el movimiento; a retardar lo que se espera saber. El mismo fin dilatorio cumple la enumeración del proceso de la operación que, gradualmente, llevan a cabo los niños hasta descubrir que lo que quedó varado en la arena no es barco, ni ballena, sino un ahogado.

El movimiento rítmico va variando, de acuerdo con el desarrollo de los hechos, y siempre muy cercano al tono dominante en cada una de las circunstancias. Al momento de la expectación —párrafo cuarto— corresponde un ritmo ligeramente acelerado con respecto a los pasajes anteriores; en el instante en que la sorpresa domina, la aceleración del ritmo es más notable: el empleo reiterado de adverbios de cantidad, la rápida descripción del cuerpo del ahogado, dan al final del citado párrafo un movimiento apresurado (líneas 17-19).

A medida que la narración avanza, y según el tono se va haciendo más y más apasionado, van apareciendo con mayor abundancia cada vez, una serie de reiteraciones y, cada vez más y más visiblemente, gradaciones, que, entre otras funciones, desempeñan la de acelerar considerablemente el movimiento rítmico.

Si nos aproximamos al último párrafo podemos notar, ya desde el comienzo, como el narrador va sugiriendo la rapidez del movimiento. Entre las líneas 39-43 hay varios verbos que sugieren un constante ir y venir: "habían ido", "regresaron", "se fueron", "llevaron". Contribuyen, igualmente, a producir la impresión de aceleración las frecuentes reiteraciones: sobre todo, la del adverbio "más", y definitivamente, la conjunción "y", que va enlazando en forma vertiginosa unas frases a otras (líneas 39-50).

El movimiento rítmico se remansa levemente en el momento en que el narrador evoca lejanos mitos —líneas 50-54— y en las líneas siguientes —54-60—, cuando la acción deja paso a la meditación. Se hace lentísimo en el instante en que la acción narrada —la caída del cuerpo— es, lógicamente, violenta: la frase "retuvieron el aliento", el verbo "demoró", los substantivos "siglos" y "abismo" con sus sugerencias de profundidad en el tiempo y en el espacio— tienden, psicológicamente, a producir un efecto de movimiento casi detenido: la "fracción de siglos" parece querer convertirse en un instante eterno, en el que desaparecen tiempo y movimiento (líneas 60-64). La lentitud se proyecta hacia las líneas siguientes —64-67—, mas de pronto, anunciado por la ya señalada conjunción "Pero" —línea 67—, el movimiento rítmico comienza de nuevo a acelerarse: la aceleración, a partir de ese momento, va creciendo. El tono de entusiasmo, presente en toda la parte última de la narración, es ahora de plena exaltación, y el ritmo va haciéndose vertiginoso. Observemos, en primer término, que desde el "Pero" de la línea 67, hasta el fin, hay una total carencia de puntos, y la coma es el único signo de puntuación utilizado. Observemos la presencia casi continua de la conjunción "y" con valor acumulativo y con el propósito de engarzar unas frases a otras en forma torrencial. Tras una coma, o tras "y", vienen, dispuestos en forma de enumeración caótica, ideas, sueños sobre el futuro, frases sueltas pronunciadas por un posible alguien, más planes para el futuro y, finalmente, imaginarias personas que vendrán y pronunciarán frases de admiración hacia el pueblo de Esteban. Cuando al final llegamos al "girar de girasoles", nos sentimos en el centro mismo de una alegre y casi vertiginosa danza.

VII. El narrador y sus voces

Ya señalé anteriormente que el narrador cuenta en tercera persona. Podemos, pues, hablar de un narrador omnisciente, aunque hay algún pero que poner.

El relator de los primeros párrafos cuenta, en forma objetiva, ciertos hechos; mas a partir de un determinado momento —que veo en el párrafo cuarto del relato— los personajes van apoderándose de la voz del narrador, aunque éste continúe empleando la tercera persona gramatical.

Así pues, la voz del que narra se funde con frecuencia con las voces del coro. Sin embargo, en muchas ocasiones —varias pueden verse en el párrafo último— seguimos oyendo claramente la voz del narrador. Hay un momento en que desaparece del todo, para no reaparecer: después del "Pero" del último párrafo, al que tuve que referirme varias veces.

A partir de la línea 67 —aproximadamente— el narrador omnisciente se va fundiendo con esos "otros" —de los que habla— hasta confundirse con ellos. Al principio de la narración hay un narrador omnisciente que cuenta algo en forma objetiva; al final, unos "nosotros" que hablan con tono exaltado.

Si vamos un poco más lejos —final del final— podemos observar que el narrador colectivo ha creado, en las últimas líneas del relato, un nuevo personaje: el capitán del futuro, símbolo de cualquier visitante del porvenir. Lo que, desde el punto de vista de la técnica narrativa interesa ahora, es la forma de proyección de la voz del narrador colectivo, en la voz del capitán. Sin ningún signo visible convencional que la separe del contexto, la nueva voz habla —con el entusiasmo del narrador colectivo— desde otro yo, que, aunque proyección de los otros, es voz una, que se expresa, gramaticalmente en primera persona del singular.

En este mismo último párrafo hay otro cambio de voces: unas frases sueltas, que el pueblo desea que no pronuncie "nadie", que irrumpen de repente dentro de la enumeración caótica antes señalada, y contribuyen, precisamente, a hacer caótica la enumeración: "ya murió el bobo grande, qué lástima, ya murió el tonto hermoso".

En otros momentos anteriores, y en forma similar a estas dos ocasiones mencionadas, el narrador utiliza el mismo procedimiento de cambio de voces. Así, cuando las mujeres, en el colmo de su excitación andan apresuradas alrededor del ahogado, el narrador, no satisfecho con describir la acción desde su tercera persona, pasa, —graticalmente hablando— a la primera; hace que algunas de las mujeres hablen desde su *yo*:

> Andaban como gallinas asustadas picoteando amuletos de mar en los arcones, unas estorbando aquí porque querían ponerle al ahogado los escapularios del buen viento, otras estorbando allá para abrocharle una pulsera de orientación, y al cabo de tanto quítate de ahí mujer, ponte donde no estorbes, mira que casi me haces caer sobre el difunto, ...

Pero los casos más llamativos de cambios de voz del narrador ocurren en los dos momentos en que habla el propio ahogado. Ello sucede, por vez primera cuando, en el momento de la compasión por

Esteban, las mujeres imaginan un diálogo, repetido quizá muchas veces. Es el pasaje a que antes me referí calificándolo de "flash-back imaginario": "Lo vieron condenado en vida a pasar de medio lado por las puertas, a descalabrarse con los travesaños, a permanecer en pie en las visitas sin saber qué hacer con sus tiernas y rosadas manos de buey de mar, mientras la dueña de la casa buscaba la silla más resistente y le suplicaba muerta de miedo siéntese aquí Esteban, hágame el favor, y él recostado contra las paredes, sonriendo, no se preocupe señora, así estoy bien, con los talones en carne viva y las espaldas escaldadas de tanto repetir lo mismo en todas las visitas, no se preocupe señora, así estoy bien, sólo para no pasar por la vergüenza de desbaratar la silla, y acaso sin haber sabido nunca que quienes le decían no te vayas Esteban, espérate siquiera hasta que hierva el café, eran los mismos que después susurraban ya se fue el bobo grande, qué bueno, ya se fue el tonto hermoso".

Por segunda vez habla Esteban, en forma más llamativa aún, en el párrafo penúltimo de la narración: "Bastó con que le quitaran el pañuelo de la cara para darse cuenta de que estaba avergonzado, de que no tenía la culpa de ser tan grande, ni tan pesado ni tan hermoso, y si hubiera sabido que aquello iba a suceder habría buscado un lugar más discreto para ahogarse, en serio, me hubiera amarrado yo mismo un áncora de galeón en el cuello y hubiera trastabillado como quien no quiere la cosa en los acantilados, para no andar ahora estorbando con este muerto de miércoles, como ustedes dicen, para no molestar a nadie con esta porquería de fiambre que no tiene nada que ver conmigo".

Estas intervenciones inesperadas de las voces de algunos personajes —procedimiento poco frecuente en la obra anterior de García Márquez [16] vienen a sustituir al diálogo tradicional, inexistente —o casi— en *El ahogado más hermoso del mundo.* Sólo en dos ocasiones, dos personas intervienen, en forma directa y tradicional, en la narración. La primera, cuando "la más vieja de las mujeres" dice: "—Tiene cara de llamarse Esteban". La segunda, cuando el coro de mujeres interviene para proclamar que Esteban les pertenece: "—Bendito sea Dios —suspiraron— es nuestro".

VIII. Algunos procedimientos de escritura

Algunos procedimientos muy característicos de la escritura de García Márquez —con frecuencia, señalados por la crítica— están presentes en *El ahogado más hermoso del mundo.* Así, la hipérbole, la reiteración y la enumeración. Pero, sobre todo, es la gradación el recurso más notable en el relato.

1. *La hipérbole*

La hipérbole abunda desde el comienzo, y podemos ya verla en el título, sin duda, hiperbólico. Citemos sólo algunos ejemplos notables: el cadáver "apenas si cabía en la casa"; las mujeres piensan del ahogado que si hubiera vivido en el pueblo "habría tenido tanta autoridad que hubiera sacado los peces del mar con sólo llamarlos por sus nombres"; las fuerzas ocultas del corazón de Esteban "hacían saltar los botones de su camisa"; en los años venturos los pasajeros de los grandes barcos despertarían "sofocados por un olor de jardines en alta mar"...

Hay muchos otros ejemplos a través del relato; los destacados me parecen ilustrativos de la función que en *El ahogado más hermoso del mundo* cumple la hipérbole: magnificar la figura del personaje.

2. *La reiteración.*

La reiteración, muy frecuente también en la narrativa anterior, es en el presente relato muy abundante y cumple importantes funciones.

Acaso el ejemplo más digno de atención sea la ya señalada reiteración del nombre de "Esteban", una vez que la palabra es hallada. Pero, a través de las páginas anteriores hemos visto, además, cómo en ciertos momentos substantivos y adjetivos, pero, sobre todo, el adverbio "más" y la conjunción "y" se repiten en forma realmente llamativa. Como ya advertí, puede tratarse de un recurso utilizado para acelerar un ritmo —que es el caso de "y", en dos ocasiones del párrafo final—; o bien, para intensificar un tono: "más y más", "tantas" y "tanta", al comienzo del párrafo último.

En el caso de la reiteración de "Esteban" creo, como ya sugerí, que se trata de una forma de conjuro: al evocar una y otra vez el nombre, el ser nombrado llega a hacerse real.

Hay también muchas reiteraciones de frases y de oraciones largas. La afirmación que hallamos en el párrafo final: "sus casas iban a tener las puertas más anchas, los techos más altos, los pisos más firmes", está anticipada, como sueño inasequible, cuando las mujeres comienzan a admirar al ahogado: "Pensaban que si aquel hombre magnífico hubiera vivido en el pueblo, su casa habría tenido las puertas más anchas, el techo más alto y el piso más firme...". En el final del párrafo cuarto y a través de todo el quinto —correspondientes al inicio de la pasión de las mujeres— las reiteraciones son constantes, y su propósito es claro: marcar un tono y acelerar un ritmo que respondan a una determinado estado anímico.

3. *La enumeración.*

Al comentar otros aspectos de la narración, me referí con frecuencia a las enumeraciones, muy frecuentes: desde el primer párrafo las tenemos ante la vista, como el lector puede comprobar.

Hay muchas a través del desarrollo de la historia, pero baste con que observemos todas las que figuran en el párrafo final.

Cuando es preciso buscarle a Esteban una familia, no le basta al narrador expresarlo así: precisa mencionar a todos los miembros de la familia (líneas 45-50); se emplea la enumeración para describir al pueblo y a sus habitantes (líneas 57-59); para reflexionar sobre el posible futuro del lugar (líneas 68-70); para soñar acciones en un tiempo futuro (líneas 75-79); para describir al capitán imaginario (líneas 83-85); para describir —por voz del capitán— el futuro pueblo de Esteban, en las líneas que cierran el relato.

Sobre la enumeración y sobre la típica forma de enumerar de García Márquez ha hecho Vargas Llosa un importante estudio. [17] Me interesa destacar ahora las siguientes conclusiones de Vargas Llosa acerca de lo que llama "simetría retórica", en las enumeraciones de *Cien años...*: "La enumeración, figura retórica constante en la novela, es utilizada según patrones rígidos: las más comunes son las de tres y seis miembros".

He observado que en *El ahogado más hermoso del mundo* casi todas las enumeraciones se distribuyen en tres miembros, cosa comprobable si nos aproximamos a algunas de las ya señaladas. Por ejemplo:

...tuvieron conciencia por vez primera de *la desolación de sus calles, la aridez de sus patios, la estrechez de sus sueños...*

O bien:

...sabían... que sus casas iban a tener *las puertas más anchas, los techos más altos, los pisos más firmes...*

Sin embargo, no es infrecuente hallar enumeraciones de cuatro miembros. Como ejemplo —y por no salirnos del texto que tenemos a la vista— veamos la penúltima enumeración del relato:

...el capitán tuviera que bajar de su alcázar *con su uniforme de gala, con su astrolabio, su estrella polar* y *su ristra de medallas de guerra...*

A través del relato creo que las enumeraciones pueden tener distintos fines. Principalmente, se emplean para intensificar el tono, o para retardar o acelerar un ritmo. Por ello, con frecuencia me referí a la enumeración al comentar estos dos aspectos de la narración.

4. *La gradación.*

Ahora bien, el más significativo y llamativo de los procedimientos de escritura utilizados por García Márquez en *El ahogado más hermoso del mundo* es la gradación.

La gradación es, por supuesto, un tipo de enumeración. Una enumeración en la cual lo enumerado sigue un determinado orden, con un determinado propósito.

Si volvemos ahora sobre las enumeraciones destacadas en el último párrafo podemos advertir que casi siempre hay en ellas un crecimiento en intensidad significativa. Cuando los hombres y mujeres del pueblo toman conciencia, van pasando —en su pensamiento— de lo más externo, "calles", a lo más cercano, "patios", para llegar, finalmente, a una interiorización "estrechez de sus sueños". Igualmente, es una gradación ascendente la enumeración: "las puertas más anchas, los techos más altos, los pisos más firmes": parece como si desde el lugar de entrada a la casa se quisiese llegar a lo más próximo; al lugar concreto sobre el que afirmamos nuestro cuerpo: el piso; los conceptos de dimensión, anchura y altura, se refuerzan e intensifican al concluir en el de firmeza. Son, por supuesto, una gradación ascendente, las últimas palabras del capitán, que finalizan con el nombre resumidor: Esteban.

Mas la gradación —ascendente siempre, fuera de una ocasión que luego veremos— nos sorprende desde el comienzo. Es una gradación la enumeración que cierra el primer párrafo —y a la que me he referido ya—. El término "naufragios", resumidor de todos los enumerados anteriormente, hace que la enumeración se convierta en gradación ascendente (líneas 6-9).

Aparte de los casos señalados —que están a la vista del lector— hay a través de todo el relato gradaciones ascendentes casi constantes. En el momento de pasión de las mujeres, el ahogado es "el más alto, el más fuerte, el más viril y el mejor armado...”; no le venían los pantalones “de los hombres más altos”, las camisas “de los más corpulentos”, los zapatos “del mejor plantado”... En el momento de compasión Esteban es “el más desvalido de la tierra, el más manso y el más servicial, el pobre Esteban”.

Como dije, hay un caso de gradación descendente. Ocurre, naturalmente, cuando los hombres, aún sin haber visto el rostro de Esteban, despotrican contra el ahogado: “un muerto al garete, un ahogado de nadie, un fiambre de mierda”.

Como quizá el lector habrá observado ya, en la mayor parte de las citadas gradaciones, interviene, en forma decisiva, el adverbio “más”.

En unos casos, “más” amplía e intensifica la gradación: “las puertas más anchas, los techos más altos, los pisos más firmes...”, por ejemplo. En otros casos, y muy concretamente cuando va precedido por el artículo “él”, además de ampliar e intensificar, “más” compara, en forma expresa o sobreentendida, para llegar a dar una idea de absoluta superioridad: Esteban es siempre “el más”, con relación a todos los otros y a todo lo otro.

La gradación, pues, es el procedimiento de escritura más notable a través de todo el relato. Procedimiento apuntado en la narrativa anterior de García Márquez, pero llevado aquí hasta su culminación. [18]

IX. La “unidad de efecto”

Creo que poco importa saber si García Márquez quiso conscientemente, o no, explorar y llevar hasta su culminación un procedimiento de escritura —la gradación— o, si por el contrario, el procedimiento se le impuso como necesidad de adecuarse a un contenido. Lo que es obvio —todo lector lo habrá visto ya— es que "lo contado" y "la manera de contar" son absolutamente inseparables.

Si he señalado que el procedimiento de escritura más notable es la gradación, preciso es añadir que todo el relato *es* una gradación, desde la exposición hasta el desenlace-climax.

Hay gradación en el orden en que los personajes van actuando en relación con el ahogado: niños, primero; luego, mujeres —inferiores al hombre en la escala social tradicional—; más tarde, hombres; finalmente, pueblo entero. Hay gradación en el tono y la hay en el ritmo. Hay gradación, por supuesto, en la presentación del personaje central, que comienza siendo un ahogado cualquiera —que viene como "promontorio oscuro— y termina llamándose Esteban", y, para siempre —el hombre o su recuerdo— fijado en "promontorio de rosas". Va apareciendo en forma gradual el tema central, que en el párrafo último se concreta.

La "unidad de efecto" —utilizando la vieja y novísima expresión de Poe— queda, en este breve relato, perfectamente lograda.

Final.

No dudo que otras muchas observaciones podrían hacerse en torno a *El ahogado más hermoso del mundo,* ni creo que sea la propuesta la única forma válida de comentar el texto de García Márquez. Me he limitado a considerar los rasgos que me parecen más significativos.

Significativos dentro de este concreto relato, y en su relación con la obra anterior de uno de nuestros máximos narradores de todos los tiempos.

NOTAS

[1] Ed. Barral, Barcelona, 1972.

[2] *García Márquez: Historia de un deicidio.* Ed. Barral, Barcelona, 1971.

[3] El relato es, cronológicamente hablando, muy cercano a *Cien Años....* Está fechado en 1968.

[4] "Revista Mexicana de Literatura", núms. 5-6, México, mayo-junio, 1962. Recogido en *La increíble y triste historia...*

[5] Vargas Llosa, en el capítulo último de su citada obra, señala estos tres puntos de contacto entre *El ahogado más hermoso del mundo* y la narrativa anterior de García Márquez. Señala también otras coincidencias de menor importancia.

[6] Recordemos que en *Cien años...* la caravana encabezada por José Arcadio Buendía y Úrsula Iguarán se detiene a descansar en un lugar, y que, en sueños, José Arcadio ve una ciudad que tiene un nombre de "resonancia sobrenatural": Macondo. El nombre es, pues, anterior a la fundación del pueblo.

Sobre la importancia del acto de "nombrar" en *Cien años...*, ha hecho Ricardo Gullón consideraciones muy agudas e inteligentes (Véase: *García Márquez o el olvidado arte de contar.* "Cuadernos Taurus", Madrid, 1970).

[7] El texto reproducido está tomado de la 2.ª Ed., de *La increíble y triste historia...* (Diciembre, 1972, págs. 49-56).

[8] En otra ocasión he intentado explicar el sentido que, en literatura, tienen para mí lo "imaginario", lo "fantástico", y algunos otros conceptos. El lector interesado puede consultar mi *Prólogo* a *Las noches lúgubres,* de Alfonso Sastre (Ediciones Júcar, Madrid, 1973).

[9] Esteban, en su origen griego, significa "guirnalda" o "corona", según me informa la lingüista Margarita Estarellas, informada, a su vez, por el *Diccionario etimológico de nombres propios de persona,* de Gutiérrez Tibón. Apurando las cosas podríamos asociar la guirnalda o corona al promontorio de rosas, del final del relato. Pero ¿pensaría en ello el narrador? Toda respuesta es gratuita.

[10] En el momento a que anteriormente aludí, el de la fundación de Macondo, García Márquez nos dice sobre el nombre lo siguiente: "José Arcadio Buendía soñó esa noche que en aquel lugar se levantaba una ciudad ruidosa con casas de paredes de espejo. Preguntó qué ciudad era aquella y le contestaron con un nombre que nunca había oído, que no tenía significado alguno, pero que tuvo en el sueño una resonancia sobrenatural: Macondo" (*Cien años...*, pág. 28).

Varios críticos, sin embargo, han mostrado que la "resonancia sobrenatural" viene, en el caso de Macondo, de un lejano recuerdo de infancia. ¿No sucederá lo mismo con este "Esteban"?

[11] Naturalmente, Melquíades es un caso aparte. Cuando llega por vez primera al Macondo de *Cien años...*, podríamos ver en él al visitante que viene bajo un signo positivo. Melquíades desaparece, muere, reaparece, muere de nuevo... y queda siempre. Al final de la novela nos damos cuenta que fue él, en realidad el autor de la historia que los personajes de *Cien años...* están viviendo. No cabría, dentro de la división establecida, aunque, a primera vista lo confundamos con una aparición venida bajo signo positivo.

[12] El episodio está recogido en el Canto XII de *La Odisea.*

[13] Cantos V y VI. Me atengo a la edición de Pedro Henríquez Ureña (Traducción de Luis Segala y Estalella, Ed. Losada, Buenos Aires, 1938).

[14] Es muy posible que no sea el mito de Odiseo el único que podemos recordar al leer las páginas de García Márquez; pero es, sí, el más claro.

[15] No creo que esté de más señalar que en *Cien años...* hay un episodio que tiene cierto parecido con la llegada del ahogado. Se trata del encuentro del galeón español por los expedicionarios que dirige José Arcadio Buendía cuando decide explorar los alrededores de Macondo. La forma en que el narrador describe el galeón es, curiosamente, muy cercana a la forma en que describe al ahogado, cuando se queda varado en la arena.

[16] No olvidemos, desde luego, el monólogo de Fernanda del Carpio, en *Cien años...*, págs. 274-276.

[17] Obra citada, págs. 585-598.

[18] Podemos observar que son gradaciones gran parte de las enumeraciones de *Cien años...*

SE TERMINO DE IMPRIMIR ESTA OBRA
EL DIA 1 DE DICIEMBRE DE 1979

LITERATURA Y SOCIEDAD

TÍTULOS PUBLICADOS

1 / Emilio Alarcos, Manuel Alvar, Andrés Amorós, Francisco Ayala, Mariano Baquero Goyanes, José Manuel Blecua, Carlos Bousoño, Eugenio Bustos, Alfredo Carballo, Helio Carpintero, Elena Catena, Pedro Laín, Rafael Lapesa, Fernando Lázaro, Carreter, Francisco López Estrada, Eduardo Martínez de Pisón, Marina Mayoral, Gregorio Salvador, Manuel Seco, Gonzalo Sobejano y Alonso Zamora Vicente

EL COMENTARIO DE TEXTOS
(Tercera edición)

2 / Andrés Amorós

VIDA Y LITERATURA EN «TROTERAS Y DANZADERAS»
Premio Nacional de Crítica Literaria «Emilia Pardo Bazán», 1973

3 / J. Alazraki, E. M. Aldrich, E. Anderson Imbert, J. Arrom, J. J. Callan, J. Campos, J. Deredita, M. Durán, J. Durán-Cerda, E. G. González, L. L. Leal, G. R. McMurray, S. Menton, M. Morello-Frosch, A. Muñoz, J. Ortega, R. Peel, E. Pupo-Walker, R. Reeve, H. Rodríguez-Alcalá, E. Rodríguez Monegal, A. E. Severino, D. Yates

EL CUENTO HISPANOAMERICANO ANTE LA CRÍTICA

4 / José María Martínez Cachero

LA NOVELA ESPAÑOLA ENTRE 1939 Y 1969 (Historia de una aventura)

5 / Andrés Amorós, René Andioc, Max Aub, Antonio Buero Vallejo, Jean-François Botrel, José Luis Cano, Gabriel Celaya, Maxime Chevalier, Alfonso Grosso, José Carlos Mainer, Rafael Pérez de la Dehesa, Serge Salaün, Noël Salomon, Jean Sentaurens y Francisco Ynduráin

CREACIÓN Y PÚBLICO EN LA LITERATURA ESPAÑOLA

6 / Vicente Lloréns

ASPECTOS SOCIALES DE LA LITERATURA ESPAÑOLA

7 / Aurora de Albornoz, Manuel Criado de Val, José María Jover, Emilio Lorenzo, Julián Marías, José María Martínez Cachero, Enrique Moreno Báez, María del Pilar Palomo, Ricardo Senabre y José Luis Varela

EL COMENTARIO DE TEXTOS, 2 (De Galdós a García Márquez)

8 / José María Martínez Cachero, Joaquín Marco, José Monleón, José Luis Abellán, Jesús Bustos, Andrés Amorós, Pedro Gimferrer, Xesús Alonso Montero, Jorge Campos, Antonio Núñez, Luciano García Lorenzo. Apéndices documentales: Premios literarios

EL AÑO LITERARIO ESPAÑOL 1974

9 / Robert Escarpit

ESCRITURA Y COMUNICACIÓN

10 / José Carlos Mainer

ANÁLISIS DE UNA INSATISFACCIÓN: LAS NOVELAS DE W. FERNÁNDEZ FLÓREZ

11 / José Luis Abellán, Xesús Alonso Montero, Ricardo de la Cierva, Pere Gimferrer, Joaquín Marco, José María Martínez Cachero, José Monleón. Apéndices documentales: Premios literarios y Encuesta

EL AÑO LITERARIO ESPAÑOL 1975

12 / Darío Villanueva, Joaquín Marco, José Monleón, José Luis Abellán, Andrés Berlanga, Pere Gimferrer, Xesús Alonso Montero. Apéndices documentales: Premios literarios

EL AÑO LITERARIO ESPAÑOL 1976

13 / Miguel Herrero García

OFICIOS POPULARES EN LA SOCIEDAD DE LOPE

14 / Andrés Amorós, Marina Mayoral y Francisco Nieva

ANÁLISIS DE CINCO COMEDIAS
(Teatro español de la postguerra)

15 / Margit Frenk Alatorre

ESTUDIOS SOBRE LÍRICA ANTIGUA

16 / María Rosa Lida de Malkiel

HERODES: SU PERSONA, REINADO Y DINASTÍA

17 / Juan Cano Ballesta, Antonio Buero Vallejo, Manuel Durá
Gabriel Berns, Robert Marrast, Javier Herrero, Marina Mayora
Florence Delay, Luis Felipe Vivanco, Marie Chevallier y Serg
Salaün

EN TORNO A MIGUEL HERNÁNDEZ

18 / Xesús Alonso Montero, Andrés Berlanga, Xavier Fábregas
Pere Gimferrer, Joaquín Marco, José Monleón y Darío Villanuev

EL AÑO LITERARIO ESPAÑOL 1977

19 / Xesús Alonso Montero, Andrés Amorós, Andrés Berlanga
Xavier Fábregas, Joaquín Marco, José Monleón, Jaume Pont
Xavier Tusell y Darío Villanueva

EL AÑO LITERARIO ESPAÑOL 1978

20 / José María Martínez Cachero

HISTORIA DE LA NOVELA ESPAÑOLA
ENTRE 1936 Y 1975

21 / Andrés Amorós, Mariano Baquero Goyanes, Laureano Bonet,
Angel Raimundo Fernández, Ricardo Gullón, José María Martínez
Cachero, Marina Mayoral, Julio Rodríguez Luis y Gonzalo Sobejano

EL COMENTARIO DE TEXTOS, 3 (La Novela Realista)